IGOR SIBALDI

LIBRO DEGLI ANGELI E DELL'IO CELESTE

Sperling & Kupfer

Il presente volume è la versione aggiornata e integrata di *Libro degli Angeli*, precedentemente pubblicato da Edizioni Frassinelli e successivamente da Sperling & Kupfer in edizione tascabile.

www.pickwicklibri.it
www.sperling.it

Libro degli angeli e dell'io celeste
di Igor Sibaldi
Proprietà Letteraria Riservata
© 2007 Edizioni Frassinelli
© 2009, 2016 Sperling & Kupfer Editori S.p.A.
© 2018 Mondadori Libri S.p.A., Milano

ISBN 978-88-6836-397-0

I edizione Pickwick settembre 2017

Anno 2018-2019-2020 - Edizione   4 5 6 7 8 9 10 11 12

Dipenderà da te.
Ti ha messo davanti il fuoco e l'acqua:
dove vuoi stenderai la tua mano.
Davanti agli uomini stanno la vita e la morte:
a ognuno sarà dato ciò che a lui piacerà.

Siracide 15,15-16

Indice

Parte seconda. Gli Angeli e i bambini 251

Introduzione
La psicologia degli Angeli

Biondi e con le ali

Ci sono Angeli e Angeli, e su questo punto bisogna – e non è facile – intendersi.

Ciò che ne sa la stragrande maggioranza ebbe inizio circa sedici secoli fa, quando la mentalità occidentale si accorse di avere ancora bisogno di immagini religiose: cioè di mettere a punto i volti, le capigliature, i gesti, i vestiti dei mondi celesti. I primi cristiani si erano rifiutati di porsi il problema; disprezzavano le statue degli dèi, avevano imparato dagli ebrei che il pensiero va più libero e ampio se per rappresentare l'Aldilà adopera soltanto le parole. Ma già a partire dal IV secolo, e poi soprattutto nella grande confusione che seguì al crollo dell'Impero romano d'Occidente, ogni discorso sul divino diventava una raffinatezza incomprensibile ai più. La gente preferiva guardare: era più semplice godere dei colori profondi dei mosaici, delle ombre dei bassorilievi alle luce delle candele. Stancava meno la memoria. Si poteva fantasticare guardando, invece di pensare. E pareva, così, di poter credere meglio, di trovarsi più vicino ai cieli.

Alcuni protestarono che tale semplificazione non avvicinava affatto gli uomini alle dimensioni superiori, ma abbassava queste al livello delle masse, e in tal modo le falsava. Non vennero ascoltati. Si cominciò invece anche a *credere* secondo le immagini: ci si convinse cioè che le Scritture – di cui i più avevano solo sentito parlare vagamente – narrassero proprio di un Dio anziano e con la barba bianca; di un Cristo snello, piacente, castano; degli Angeli biondi, con ampie vesti e ali da cigni.

E le autorità religiose non lo impedirono. Era idolatria, sì; ma in quelle immagini si addensavano rapidamente (così avviene sempre, con gli idoli) forti contenuti affettivi, che trasformavano la religione in un fatto soprattutto sentimentale: il che tornava utile. I sentimenti delle masse, infatti, tendono a passare invariati dai nonni ai nipoti, diventano *tradizioni*, e come tali garantiscono stabilità ai governanti che promettano di custodirle; proprio l'opposto del desiderio di capire, che per qualsiasi autorità finisce per diventare, prima o poi, una minaccia.

Da allora si rafforzò sempre più nella mente cristiana l'idea degli Angeli che volano qua e là, e si posano accanto all'uomo come guardie del corpo, oppure come consolatori, quando la loro protezione non ha funzionato. Ma di quelle immagini *non* parlerò nelle prossime pagine; e il mio intento è che i lettori non ne sentano, qui, la mancanza. Seguiremo invece il corso sottile e clandestino della teologia e psicologia di altri Angeli, precedenti, che si ritrovano anche nella Qabbalah, e risalgono fino al libro dell'*Esodo* e agli egizi. E ne trarremo non argomenti di fede e sentimento, ma *criteri di conoscenza* «del cielo e della terra», come dicevano gli antichi.

Annunciazioni

«Come in cielo, così in terra»: capita di dimenticarlo, ma in altre epoche questa frase volle significare che la scoperta delle cose terrene e di quelle celesti vanno di pari passo, e che nulla di vero può dirsi dell'invisibile, che non valga anche per la nostra esperienza quotidiana.

«Terra» e «cielo» sono, in questo senso, simboli di una scoperta in corso in ciascun individuo. Rappresentano rispettivamente ciò che conosci e ciò che non conosci ancora di te e, per conseguenza, di tutto. La tua «terra» è, per esempio, ciò che sai di essere, ciò che sai di sapere, e di volere, e di poter fare; il tuo «cielo» è ciò che non sai *ancora* di essere, di sapere, di volere e di poter fare. E gli Angeli (da *àngeloi*, che in greco significa «messaggeri») o *Mala'akiym*, come si dicono in ebraico (cioè «gli inviati del regno») sono, per gli antichi, un modo di descrivere connessioni che si aprono tra quella «terra» e quel «cielo», e che permetterebbero a chiunque di essere, di sapere, di volere, di fare di più.

Sono «messaggeri», appunto perché annunciano all'individuo quel qualcosa in più: nuove fasi, che sono simboleggiate talvolta da gravidanze, come quando Gabriele promise un figlio a Maria di Nazareth; e anche la gravidanza di Maria è, naturalmente, un simbolo: significa che ognuno può accorgersi di una vita nuova e superiore, che sta prendendo forma in lui, e prepararsi a farla nascere e a viverla.

Ma sono anche «inviati del regno» – di un regno del «cielo», più grande di ogni regno già noto – e in quanto tali non si limitano a portare notizie, ma possono agire. Fanno avvenire: *producono* «gravidanze» (*Gabriy'el*, in ebraico, significa «la forza virile del Dio creatore»), o più semplicemente indicano, e creano, vie e campi d'azione, destano la voglia di essere, di diventare, di fare, danno forza.

Energie

In questa loro accezione di «inviati», gli Angeli potrebbero definirsi, nel nostro linguaggio attuale, *energie*.

Energia, per noi, è la capacità di un sistema di modificare lo stato di un altro sistema, quando tra i due sistemi vi sia interazione. Secondo gli antichi, l'interazione tra il sistema del «cielo» e il sistema della «terra» c'è sempre, e ovunque, ma non tutti sono capaci di coglierla, così come non tutti si accorgono della luce, guardandosi intorno. All'idea di questa interazione è riferito il passo dei Vangeli:

Il vento soffia dove vuole, e tu ne senti la voce, anche se non sai da dove viene e dove va: così avviene a chi è nato da quel vento.[1]

Giovanni 3,8

Se sei di quelli che sentono la voce di quel vento ultraterreno – se, cioè, ti sei accorto che quel «vento» ti è affine, che passa continuamente anche dentro di te – gli antichi avrebbero detto che sai cogliere, intendere, lasciar agire in te gli Angeli e i loro poteri, come appunto lo si disse di Gesù quando era nel deserto:

ed ecco che gli Angeli gli si avvicinarono e lo servivano.

Matteo 4,11

Il Passaggio del Mare

E già più di un millennio prima di Gesù, una delle grandi passioni sia degli ebrei, sia degli egiziani prima di loro, era capire da dove venisse il «vento» di quelle energie angeliche e dove andasse, e quali fossero precisamente i suoi itinerari. Ne testimonia uno dei punti culminanti del libro dell'*Esodo*, là dove Mosè apre il mare per farvi passare il suo nuovo popolo. Sono tre versetti del capitolo 14, il primo dei quali inizia, non per nulla, con un Angelo:

19. L'Angelo di Dio, che precedeva la carovana di Israele, cambiò di posto e dal davanti passò indietro. Anche la colonna di nube si mosse e dal davanti passò indietro.

20. Venne così a trovarsi tra le file degli Egizi e la carovana di Israele. La nube era buia per gli uni, mentre per gli altri illuminava la notte; così gli uni non poterono avvicinarsi agli altri, per tutta quella notte.

21. Allora Mosè protese la mano sul mare. E il Signore, du-

rante tutta la notte, risospinse il mare con il forte vento
rigine, rendendolo asciutto. Le acque si divisero.

Solitamente i teologi, nel commentare questo passo, si imbar-
cano in spiegazioni laboriose e vaghe. Non ne riassumo nessuna,
perché qui non occorrono. A chiarire di colpo il senso di questo
Passaggio del Mare c'è la seguente, semplice chiave interpretativa,
ben nota a chi ama la Qabbalah. In ebraico, ciascuno di quei tre
versetti ha, stranamente, settantadue lettere: e settantadue, secondo
la tradizione ebraica, sono anche le Energie angeliche che guidano
gli uomini, quelle di cui è detto:

> Egli darà ordine ai suoi *Mala'akiym*
> di custodirti in tutti i tuoi passi.

Salmo 91,11

Secondo la tradizione ebraica, ogni individuo ha fin dalla
nascita una energia angelica, a servirgli da guida sicura «in tutti
i suoi passi». Scoprirla è semplice: i settantadue Angeli sono disposti lungo lo Zodiaco, uno ogni cinque gradi, e ciascun Angelo
«custodisce i passi» di coloro che nei suoi gradi sono nati. Per
ciascuna di queste settantadue energie del «vento» ultraterreno fu
trovato un nome, che ne desse definizione precisa, e i loro nomi
sono tutti cifrati in questi versetti: se infatti si congiunge la prima
lettera del primo versetto con l'ultima del secondo e con la prima
del terzo («L'Angelo dal davanti passò indietro») così:

¹⁹ וַיִּסַּ֞ע מַלְאַ֣ךְ הָאֱלֹהִ֗ים הַהֹלֵךְ֙ לִפְנֵי֙ מַחֲנֵ֣ה יִשְׂרָאֵ֔ל וַיֵּ֖לֶךְ מֵאַחֲרֵיהֶ֑ם וַיִּסַּ֞ע עַמּ֤וּד הֶֽעָנָן֙ מִפְּנֵיהֶ֔ם וַיַּֽעֲמֹ֖ד מֵאַחֲרֵיהֶֽם׃

²⁰ וַיָּבֹ֞א בֵּ֣ין ׀ מַחֲנֵ֣ה מִצְרַ֗יִם וּבֵין֙ מַחֲנֵ֣ה יִשְׂרָאֵ֔ל וַיְהִ֤י הֶֽעָנָן֙ וְהַחֹ֔שֶׁךְ וַיָּ֖אֶר אֶת־הַלָּ֑יְלָה וְלֹא־קָרַ֥ב זֶ֛ה אֶל־זֶ֖ה כָּל־הַלָּֽיְלָה׃

²¹ וַיֵּ֨ט מֹשֶׁ֣ה אֶת־יָדוֹ֮ עַל־הַיָּם֒ וַיּ֣וֹלֶךְ יְהֹוָ֣ה ׀ אֶת־הַ֠יָּם בְּר֨וּחַ קָדִ֤ים עַזָּה֙ כָּל־הַלַּ֔יְלָה וַיָּ֥שֶׂם אֶת־הַיָּ֖ם לֶחָרָבָ֑ה וַיִּבָּקְע֖וּ הַמָּֽיִם׃

si ottiene il Nome della prima delle settantadue energie angeliche:
WHW (o *Wehewuyah*, come venne poi pronunciata). E se si congiunge la seconda lettera del primo versetto con la penultima del

secondo e con la seconda del terzo, si ottiene il nome della seconda, *YLY*, o *Yeliy'el*; e così via, fino a che congiungendo l'ultima lettera del primo versetto con la prima del secondo versetto e con l'ultima del terzo, così:

¹⁹ וַיִּסַּע מַלְאַךְ הָאֱלֹהִים הַהֹלֵךְ לִפְנֵי מַחֲנֵה יִשְׂרָאֵל וַיֵּלֶךְ מֵאַחֲרֵיהֶם וַיִּסַּע עַמּוּד הֶעָנָן מִפְּנֵיהֶם וַיַּעֲמֹד מֵאַחֲרֵיהֶם׃

²⁰ וַיָּבֹא בֵּין מַחֲנֵה מִצְרַיִם וּבֵין מַחֲנֵה יִשְׂרָאֵל וַיְהִי הֶעָנָן וְהַחֹשֶׁךְ וַיָּאֶר אֶת־הַלָּיְלָה וְלֹא־קָרַב זֶה אֶל־זֶה כָּל־הַלָּיְלָה׃

²¹ וַיֵּט מֹשֶׁה אֶת־יָדוֹ עַל־הַיָּם וַיּוֹלֶךְ יְהוָה אֶת־הַיָּם בְּרוּחַ קָדִים עַזָּה כָּל־הַלַּיְלָה וַיָּשֶׂם אֶת־הַיָּם לֶחָרָבָה וַיִּבָּקְעוּ הַמָּיִם׃

si ottiene il nome dell'ultima delle settantadue Energie, *MWM*, o *Muwmiyah*. I tre versetti dell'*Esodo* non sono, dunque, soltanto la narrazione di un evento più o meno leggendario, ma l'esposizione (a chi sa leggerli; mentre per gli altri rimangono oscuri come la notte del versetto 20) di un metodo generale per l'attraversamento del «Mare» – che naturalmente rappresenta anch'esso qualcosa di più di un tratto del Mar Rosso.

Il «Mare», in quel racconto, simboleggia il mondo di tutti, così come ce lo troviamo davanti in ogni direzione, in ogni momento della vita: è l'insieme delle vite degli altri, e di ciò le muove: di tutto ciò che, nel mondo, agli altri e a te può capitare di bello o di brutto, di sensato o di insensato. In questo «Mare» molti sono travolti, come i soldati del Faraone: annegano, chi in un modo, chi in un altro, lasciando che la loro vita venga portata via da qualche corrente, talvolta senza neppure accorgersene, o senza mai domandarsi perché. Tu invece – spiega l'*Esodo* a chi lo legge – puoi passare, lungo la tua via all'asciutto, dove i tuoi passi sono custoditi, se senti e sai riconoscere la voce di quel tuo «vento dell'origine»: cioè l'Energia che spira dal *tuo* inizio, da quello che fin dalla tua nascita è il tuo personalissimo punto di vista sul mondo, invece di obbedire a un qualche «Faraone» di turno.

Certo, ciò fa risultare grossolana l'immagine consueta di Mosè che quel giorno alzò il braccio e fece aprire dal vento un unico corridoio per il popolo eletto, tra due muraglie d'acqua: e si noti che questa immagine nel testo non c'è. L'Esodo narra soltanto che «le acque si divisero», ma *non che si divisero in due*. Possiamo invece immaginare settantadue corridoi, in quel «Mare», tra i quali ciascuno dei compagni di Mosè poté trovare il suo.

O ancora meglio: immagina *te stesso* come il popolo eletto, che sta cominciando a essere veramente tale, inseguito dai soldati del Faraone che vogliono impedirglielo. Immagina quell'inseguimento come un gran numero di condizionamenti esterni e un'angoscia profonda dentro di te; e davanti a te il corridoio tuo, originariamente tuo, che si profila nel mare. Lì procedi rapido. E, passo dopo passo, ti ci senti sempre più a tuo agio: percorrerlo (cioè prendere decisioni che ti muovano nella direzione di quel corridoio, sviluppare in quella direzione le tue aspirazioni, i tuoi gusti, i tuoi sentimenti) ti costa meno sforzo di qualsiasi altra cosa.

Puoi deviarne, sì. Sta a te: puoi seguire o no il tuo Angelo-«vento», che ti si annuncia giorno dopo giorno; quell'Angelo e la sua via nel «Mare» non cesseranno di esistere se tu decidi di voltare in un'altra direzione, magari perché un «Faraone» l'ha ordinato, e tanti intorno a te gli stanno obbedendo. L'Angelo-corridoio rimarrà soltanto altrove, lontano da te.

Il tuo Angelo

Mi soffermo ancora un poco su questo «Mare». Possiamo raffigurarlo così:

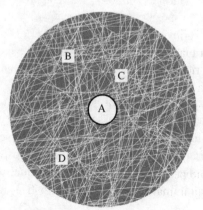

Poniamo che questa sfera sia il tuo «Mare»-mondo, così come puoi vederlo nel corso della tua vita. Tu puoi trovarti, oggi, nel punto A, al centro del tuo orizzonte: cioè con le prospettive più ampie possibile in tutte le possibili direzioni; oppure puoi trovarti nei punti B, C, D o chissà dove, se sei stato sospinto qua e là da passioni o da influssi altrui; c'è un comandamento biblico che mette in guardia da questo pericolo, e dice in sostanza: «Non desiderare ciò che desiderano gli altri» (*Esodo* 20,17) ma purtroppo viene tradotto male, in traduzione appare vago, e lo seguono perciò in pochi. È facile dunque che anche tu possa non trovarti, attualmente, al *centro del tuo orizzonte*.

Nella sfera del «Mare»-mondo, il tuo Angelo si può rappresentare così:

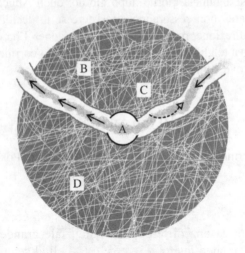

Il tuo Angelo-«vento» entra nel tuo mondo in corrispondenza al giorno della tua nascita, e passa proprio dal tuo centro. A immaginarlo come un «vento», ne viene che, quando sei nel punto A e te ne lasci portare, le tue giornate sono come sospinte da un forte vento favorevole; viceversa, se vai contro quel «vento»-energia (come indica la linea tratteggiata) tutto ti è contrario, come per una nave con un forte vento a prua. Mentre se sei nei punti B, C o D, quel «vento» angelico non ti tocca, e vai, stai fermo o retrocedi a seconda delle correnti o di altri venti del «Mare»-mondo. Dai punti B, C o D puoi imparare a scorgere la via del tuo «vento», e raggiungerla: non sarà facile: dovrai andare inevitabilmente contro molti e contro molte cose, tagliare tante correnti che portano altrove, per poterti immettere finalmente in quella tua via.

A spiegarla così, l'azione degli Angeli-«venti» non ha nulla di *spirituale* così come si intende di solito questa parola – cioè di astratto, di lontano dal qui e ora. Sembra profana, solo una psicologia, o al massimo un'energetica psichica, in confronto alle speculazioni angeliche della teologia cristiana. Ma spesso nel mondo antico la conoscenza si incentra sull'*essere*, più che sul *teorizzare*; sull'azione, più che sulla visione; sullo sperimentare, più che sul credere – e di questo torneremo a parlare più avanti.

Il tuo circuito

Ad approfondire questa idea dell'Angelo come una corrente energetica, si ha anche la imbarazzante sensazione di trovarsi dinanzi a un'antichissima anticipazione di un circuito elettrico.

Il «Mare»-mondo appare infatti come una specie di pila sferica: i due poli positivo e negativo sarebbero due punti della superficie della sfera; l'Angelo diverrebbe una corrente elettrica, attivata da una differenza di potenziale grande come il diametro del mondo intero; e tu – se ti trovi lì al centro – sei la lampadina che quella corrente fa splendere, illuminando tutto intorno a te e riscaldando tutto ciò che è tuo.

In tale rappresentazione tecnologica, estremamente profana, quelle che nell'iconografia tradizionale vengono rappresentate come le ali dell'Angelo diventano i due tratti del circuito, che ti connettono con i confini del mondo, e con una immensa sorgente d'energia che vi è al di là di quei confini.

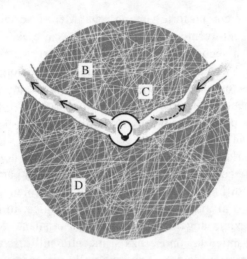

Chissà se Edison sapeva qualcosa di mistica ebraica, quando lavorava al suo progetto della lampadina a incandescenza. Non è improbabile: la curiosità per i testi sacri andava di moda ai suoi tempi; il suo rivale Nikola Tesla, per esempio, sosteneva di aver sempre avuto la Bibbia, tra le fonti di ispirazione per le sue invenzioni. In ogni caso, a questa idea della luce prodotta dall'Angelo-«vento» nell'individuo può farsi risalire anche la tendenza, già ebraica, a immaginare l'Angelo come luminoso (anche «abbagliante», cfr. Matteo 28,3). Mentre la tendenza cristiana a raffigurarlo lucente e biondo ha probabilmente le sue radici nell'alchimia, nelle teorie sulla trasmutazione del «piombo» in «oro» – nelle quali il «piombo» simboleggia le esperienze esistenziali opprimenti, pesanti, grigie, e l'«oro» quelle invece belle, irradianti, preziose: l'energia del circuito angelico sarebbe l'opera trasmutatrice.

Ma da tutto ciò deriva che nella tradizionale rappresentazione dell'Angelo come figura umana sfolgorante tra le sue due ali, si debba vedere l'immagine non dell'Angelo stesso, ma dello splendore della vita di chi si è immesso nel circuito della propria energia angelica. Dunque, di nuovo, l'immagine di un modo di *essere*, non di un credere, o di uno sperare.

L'«inizio»

Ma da dove vengono quei «venti»-energie? Mosè era nato e cresciuto in Egitto: dunque l'origine dell'angelologia trasmutatrice va cercata nella sua terra. Purtroppo, se ne sa poco. Dalle testimonianze di viaggiatori greci, apprendiamo che gli egiziani attribuivano a ciascun grado dello Zodiaco una precisa qualità, *indipendente dal variare delle condizioni astrologiche*, cioè dal continuo mutare della posizione degli astri: e ritenevano che anche la qualità di ogni determinato grado zodiacale influisse sia sulle potenzialità innate di chi in quel giorno veniva al mondo, sia sugli avvenimenti che possono prodursi nel giorno corrispondente a quel grado (un residuo di questa idea è riemerso nel cristianesimo, che assegna ciascun giorno dell'anno a uno o più santi o Entità o epifanie divine). Nell'antico Egitto – sempre secondo i greci che vi viaggiarono tanto volentieri – quelle trecentosessanta qualità erano raffigurate ciascuna in un'immagine allegorica: una raffigurava, per esempio, un uomo che uccide un re; un'altra, una donna che si guarda allo specchio; un'altra ancora, un uomo che tiene nella destra una falce e nella sinistra una fronda, e via dicendo. Di questi trecentosessanta tarocchi, i sacerdoti si tramandavano l'esatta interpretazione: e non era abitudine dei sacerdoti egiziani divulgare la loro sapienza.

A divulgarla fu Mosè, o almeno così narra l'*Esodo* nell'episodio del Passaggio del Mare – che, come abbiamo visto, può essere interpretato come l'annuncio ufficiale di un seminario di Angelologia pratica, tenuto da Mosè ai suoi discepoli, per addestrarli a orientarsi energeticamente nel mondo. Dunque Mosè (chiunque si nasconda sotto questo nome, che in egiziano significava soltanto «il figlio») violò un segreto, lo contrabbandò, e da questo sacrilegio prese poi forma la scienza ebraica degli Angeli. Solo che, in questa scienza, le Energie risultano ridotte da trecentosessanta a settantadue: perché?

Si sa che il settantadue è un numero amato dagli ebrei, i quali lo ponevano come simbolo della *capacità della mente umana di misurare tutto il proprio orizzonte*; settantadue è infatti trecentosessanta diviso cinque: trecentosessanta sono i gradi del cerchio (orizzonte o Zodiaco che sia) e cinque è per gli ebrei il numero-simbolo dell'uomo, che venne creato il quinto giorno, secondo la *Genesi*. Ma quando e perché, precisamente, avvenne questa riduzione a un quinto? Fu «Mosè» a volerla? Oppure era già stata attuata in Egitto? Questa questione è un poco più importante di quanto non sembri a prima vista, e la soluzione dipende da cosa propriamente si intenda per «sapienza ebraica», in quell'epoca di transizione, che è uso collocare attorno al XII secolo a.C.

Egizi o ebrei?

L'opinione più diffusa è che gli ebrei fossero una popolazione dell'impero egiziano, particolarmente oppressi dalle autorità, perché troppo affezionati alla loro cultura, seguaci di una loro religione, e ansiosi di praticare liberamente l'una e l'altra, mentre il Faraone desiderava annientarle.

Un'opinione minoritaria, e a me più cara, è invece che l'antica sapienza degli ebrei (termine che in origine significa «disobbedienti», «trasgressori»)[2] fosse una corrente della cultura egiziana. Non necessariamente una corrente eterodossa, e perciò avversata dai grandi ordini religiosi egiziani; forse soltanto una corrente più esoterica, e più raffinata, che quegli stessi ordini andavano elaborando gelosamente, e che *divenne* «trasgressiva» quando uno o più «Mosè» decisero di svilupparla per conto proprio, ponendola a fondamento di una nuovo movimento di pensiero, al tempo stesso religioso, filosofico e politico.

Questi «Mosè» lasciarono le città egiziane e mossero verso oriente; lì formarono una cultura, plasmando in modo nuovo la religiosità di alcune piccole tribù periferiche dell'impero, tutt'altro che omogenee, che finirono per riunirsi sotto quel bel nome di «ebrei», di ribelli, cioè – e che, qualche generazione dopo la morte dei «Mosè», non ricordavano più nulla del loro profondo legame culturale con l'Egitto. Stando a questa ipotesi, non solo l'importanza del numero settantadue potrebbe esser stata già egiziana, ma la maggior parte dei fondamenti descritti nei libri più antichi della Bibbia, *Genesi* ed *Esodo* (inclusa l'angelologia documentata nell'episodio del Passaggio del Mare) sarebbero una serie di *innesti* culturali egiziani nella tradizione delle popolazioni di là dal Sinai, semiti intrisi di influssi greci e orientali.

Damaskios

E qualcosa di simile avvenne anche in seguito, al tempo in cui l'angelologia migrò in Occidente.

Nel VI secolo dopo Cristo si diffuse, dapprima in Siria, un trattato sugli Angeli, in lingua greca, dal titolo *Le gerarchie celesti*. Si prestò fede a quel che l'autore aveva scritto di sé: che fosse Dionigi, un seguace ateniese di san Paolo; si ammirò il suo stile, la sua sistematicità, la vastità delle sue conoscenze: e in breve *Le gerarchie celesti* divenne un'opera capitale del cristianesimo. Continuò a riscuotere enorme successo anche nei secoli successivi: nelle *Gerarchie* di Dionigi vi è il fondamento di tutto o quasi ciò che i teologi cristiani seppero degli Angeli, fino all'epoca moderna. Solo nel Cinquecento si cominciò a sospettare che l'attribuzione potesse essere falsa; e oggi risulta che l'autore fosse in realtà un filosofo siriano, Damaskios (480-550 ca.), a ogni evidenza ebreo, che con quel suo libro era riuscito nella coraggiosa impresa di innestare l'angelologia egiziano-ebraica nel pensiero cristiano, facendola passare per un insegnamento di Paolo di Tarso, e in tal modo di perpetuarla – proprio nell'epoca in cui l'avversione cristiana verso gli ebrei diventava cronica, e la distruzione delle ultime sopravvivenze della cultura egiziana era già quasi definitiva. Damaskios credette che un'energetica angelica non rispondesse ai bisogni di un unico popolo, di un'unica cultura, ma vi fosse o potesse venir suscitato anche ad altre latitudini: vedremo tra poco quanto questa possibilità si fondi su una validità pratica dell'angelologia; ma prima torniamo sulla questione del nomi dei nostri Angeli, sulle loro strutture e sui loro significati.

I Nomi

Nei nomi dei settantadue Angeli, come anche in tutte le parole della lingua ebraica, trova ulteriore conferma l'idea di una stretta vicinanza alla sapienza egiziana: è facile constatare infatti (benché a molti filologi e linguisti ciò non piaccia affatto) che l'ebraico antico era una lingua *geroglifica*, proprio come il geroglifico egiziano.

Era cioè una lingua artificiale, destinata soltanto all'uso scritto, ed elaborata in modo che ciascuna lettera del suo alfabeto corrispondesse a una ben precisa serie di concetti. In epoca moderna varie lingue artificiali presentano queste stesse particolarità: innanzitutto il linguaggio della chimica (strutturato da Mendeleev nella seconda metà dell'Ottocento), nel quale ogni lettera indica un elemento, e gruppi di lettere indicano un composto – H per l'idrogeno, O per l'ossigeno, H_2O per l'acqua eccetera. Con la medesima precisione, tremila anni prima o giù di lì, le lettere di *ogni parola* del geroglifico sia egiziano sia ebraico descrivevano ciò che tale parola indicava: mostravano la formula del «composto» di concetti da cui il significato della parola era costituito. La differenza tra geroglifico egiziano e geroglifico ebraico è che il primo appare, sotto ogni aspetto, più laborioso, più lento; mentre il secondo si direbbe una sua evoluzione più agile, e anche più precisa. Vediamo qualche esempio nell'ebraico.

La *b*

nell'alfabeto ebraico geroglifico indica i concetti di «casa», «famiglia», «interno del corpo»;
la *n*

significa invece «il prodotto», «il risultato dell'azione». E in ebraico *bn* (pronunciato *ben*)

significa «un figlio», ovvero «chi è prodotto di una famiglia» o «il frutto dell'interno del corpo».

La lettera *alef,*

che è un suono muto e si traslittera con un apostrofo, indica i
concetti di «principio», «centro irradiante», «energia»;
e *'b*

אב

(pronunciato *ab*), in ebraico significa «un padre», ovvero «chi la
capacità di fondare una famiglia»;
«madre» invece è *'m*:

אם

(pronunciato *em*) poiché la *m*, in questo alfabeto (ם o anche מ) indica l'«avvolgere», il «racchiudere», il «plasmare dentro di sé» e
anche lo «schiudersi». E così via.[2]

Ciò fa del geroglifico una considerevole lingua filosofica: un
sistema di catalogazione delle dinamiche del pensiero umano. E
particolarmente vantaggiosa è la sua applicazione ai mondi invisibili, dato che qualsiasi Entità, espressa in geroglifico, mostra immediatamente la propria natura: diventa cioè impossibile, in geroglifico, lasciare indefinito il significato della parola «Dio» (e dunque
limitarsi a credere che esista un X chiamato «Dio»), dato che la
parola stessa indicherà con le sue lettere in che cosa propriamente
consista un qualsiasi Dio. Parimenti, nei settantadue nomi angelici,
il geroglifico permette di delineare in poche lettere le caratteristiche
di ciascun Angelo-«vento»-energia; e della sua direzione attraverso
il «Mare»-mondo; delle forze e dei talenti che dà il percorrerla, e,
viceversa, dei rischi in cui si incorre se la si contrasta, e che sono
semplicemente l'inversione di quelle forze e di quegli stessi talenti
(nell'angelologia vale infatti l'idea, anche questa antichissima, che
ogni tua dote non adoperata diviene un tuo intralcio).

Della decifrazione dei settantadue nomi tratta abbondantemente
la Prima parte di questo libro; i significati di ciascuna lettera sono
elencati in un'apposito capitolo, a p. LI E i lettori, curiosandovi,
potranno scoprire personalmente un'ulteriore caratteristica di que-

sto alfabeto: la sensazione, che si ha quando si comincia a decifrarlo, che sia stranamente semplice, come se anche la nostra mente avesse per sua natura una predisposizione a intenderlo.

La struttura degli Angeli

Nondimeno, dei significati geroglifici dell'alfabeto ebraico la stragrande maggioranza degli ebrei stessi non seppe mai nulla: sia perché qualsiasi legame con la cultura egizia fu percepito come sgradevole dopo l'Esodo, sia perché la lingua parlata dagli ebrei era non l'ebraico ma l'aramaico.

Anche perciò l'angelologia, con i suoi Nomi-formula, fu sempre in Israele una delle occupazioni riservate ai sapienti; nondimeno, quando nei libri della Bibbia, anche in quelli più tardi, si parla di Angeli, è facile accorgersi come il più delle volte si intendano proprio le Energie di cui stiamo trattando qui. Così è anche nel passo evangelico che già ho citato, in cui Gesù, solo nel deserto, vede gli Angeli al suo servizio, dopo che ha rifiutato i consigli del diavolo: quel passo significa non che a Gesù, allontanatosi il diavolo, fossero comparsi alcuni Angeli premurosi, ma che *gli Angeli-Energie diventano comprensibili a un individuo, e possono essergli utili, solo se nel frattempo egli riesce a impedire che cattivi consiglieri lo facciano deviare dalla sua via*, cioè dal punto A del suo «Mare»-mondo.

È la prova che alcuni non soltanto custodivano il già millenario sistema angelico del «Passaggio del Mare», ma continuavano, proprio come era avvenuto nell'*Esodo*, a darne segnali in libri destinati a molti. D'altra parte, avveniva a quel tempo quel che avviene oggi per i pochi barlumi di fisica quantistica che trapelano nella letteratura d'edificazione popolare, nel genere cosiddetto «spirituale» o *inspirational*: chi è incuriosito da quei barlumi e vuole saperne di più, incontra ben presto ostacoli pressoché insormontabili ai non addetti. Così, chi incuriosito dall'angelologia avesse voluto, all'epoca di Gesù, saperne e capirne qualcosa, si sarebbe ben presto scoraggiato non solo davanti all'alfabeto «sacro» ma anche a un altro formidabile strumento teologico, di cui ogni discorso sugli Angeli deve tenere conto: lo *'ez ḥayym*, o «Albero della vita», come è solitamente chiamato in Occidente (ma la sua traduzione esatta sarebbe piuttosto «il diramarsi delle viti»). Quell'«Albero» è una struttura di sfere (in ebraico, *sefirot*) connesse le une alle altre da canali: e rappresenta l'itinerario che ciascun essere, e ciascuna opera, o idea, o avvenimento deve attraversare per giungere all'esistenza.

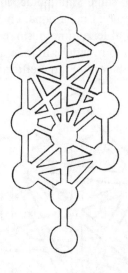

Tale itinerario comincia in alto: sopra e fuori dalla prima *sefirah* vi è l'infinito Assoluto (*'Ein-sof*, in ebraico) che è al di là di ogni possibile conoscenza, e da cui tutto trae origine; da lì, imperscrutabilmente, ogni futuro essere, ogni futura opera, o idea, o avvenimento entra per una qualche osmosi nella prima *sefirah*; da questa, discende nella seconda, a destra; poi nella terza, a sinistra, e così via fino alla nona: e fin lì si è ancora nei cosiddetti mondi spirituali. Dalla nona *sefirah*, si arriva infine all'ultima, che simboleggia la dimensione terrena – o, come è chiamata nella Qabbalah, il «mondo del fare» (*'olam 'ašiyah*).[3]

Nelle nove *sefirot* superiori l'anima, l'opera, l'idea o l'avvenimento che alla fine dovrà esistere si plasma, individuandosi sempre più, proprio a opera dei nostri Settantadue Angeli, suddivisi in nove schiere (una per ogni *sefirah*) ciascuna delle quali è specializzata in una determinata qualità necessaria all'esistenza.

Le denominazioni che la teologia ebraica dà alle nove schiere sono, in parte, diverse da quelle date dai teologi cristiani (e ho indicato le differenze nella Prima parte del libro); e sull'ordine di successione delle varie schiere angeliche, e dunque anche delle qualità che donano, vi sono discordanze sia tra gli autori ebrei sia tra quelli cristiani: chi, come Maimonide, collocò i Serafini nella quinta *sefirah* e i Cherubini nella nona; chi, come Isidoro di Siviglia, collocò i Troni al terzultimo posto, e così via. Lo schema a cui mi sono attenuto io in tutto il libro, è quello di Dionigi-Damaskios, che a me risulta essere il più efficace e coerente:

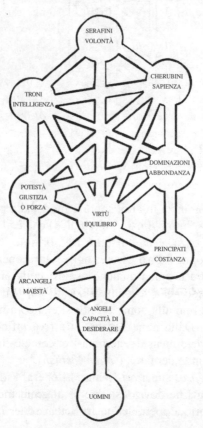

Le nove qualità delle *sefirot* superiori sono soltanto titoli di altrettante *serie* di qualità particolari, tutte più o meno simboliche, la cui enumerazione e le cui implicazioni richiedono una pazienza di cui non molti sono capaci; in più, anche i canali che collegano le varie *sefirot* e le connessioni che ne derivano vanno attentamente considerati: il che basta già a far apparire l'«Albero» degli Angeli poco meno che un labirinto. Ma la difficoltà maggiore sta nel significato dell'ultimo canale: ovvero nel modo in cui le nove *sefirot* della dimensione spirituale si connettono al «mondo del fare», cioè alla dimensione in cui tutti noi sappiamo di vivere.

Si richiede, qui, non solo pazienza, ma intuizione profonda. Il transito dai mondi dello Spirito all'esistenza terrena deve infatti essere immaginato come una specie di *riduzione dimensionale*: come se, cioè, gli antichi avessero avuto già chiara l'idea (a cui l'Occidente giunse soltanto alla fine del XVIII secolo) che il nostro abituale spazio a tre dimensioni fosse soltanto una porzione della realtà, e vi fossero altre realtà n-dimensionali. In queste ultime si troverebbero le nove *sefirot* superiori, mentre l'ultima *sefirah* sarebbe nel nostro spazio-tempo consueto. Il fatto che oggi la mente occidentale non riesca a rappresentarsi visivamente uno spazio multidimensionale non esclude che la mente degli antichi vi riuscisse. E quel che gli antichi ne trassero è un argomento talmente vicino a certi recenti sviluppi delle scienze occidentali, da imporci qui qualche considerazione più approfondita.

L'«ombra» dei mondi superiori

Chiamo il nostro mondo Flatlandia, non perché sia questo il nome in uso presso di noi, ma per rendere più chiara la sua natura a voi, felici lettori, che godete del privilegio di vivere nello Spazio. Immaginate un vasto foglio di carta sul quale Linee rette, Triangoli, Quadrati, Pentagoni, Esagoni e altre figure geometriche, anziché rimanere ferme al proprio posto, si muovano liberamente sulla superficie, proprio come ombre: e avrete un'idea abbastanza precisa del mio paese e dei miei compatrioti.

Edwin A. Abbott, *Flatlandia*

Proviamo a cogliere il senso di quel transito decisivo, dalla dimensione spirituale alla nostra «terra». Per semplificare un poco, lo descriveremo dapprima *scalando di una dimensione*: si immaginino dunque le nove *sefirot* superiori come tridimensionali, e l'ultima bidimensionale, ovvero come un semplice piano geometrico:

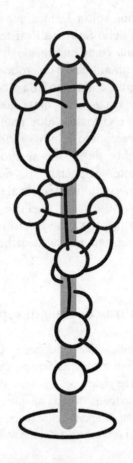

E si immagini che su quel piano venga a trovarsi la *proiezione* delle nove *sefirot* superiori: così come si può disegnare un solido su un foglio di carta. È, questa, una rappresentazione suggerita già nella *Genesi*: nel versetto che narra la creazione dell'uomo, Dio dice infatti, secondo la traduzione letterale:

facciamo l'umanità nella nostra ombra

Genesi 1,26

ovvero: «riportiamo a uno spazio bidimensionale ciò che in noi è multidimensionale».

Ora, nella nostra rappresentazione, aumentiamo il numero di dimensioni di questo nostro disegno: restituiamo cioè al mondo terreno, all'ultima *sefirah*, il suo aspetto tridimensionale; e pensiamo che lo spazio delle nove *sefirot* superiori abbia quattro dimensioni, o cinque o più ancora (possiamo soltanto pensarlo, dato che gli spazi multidimensionali non sono raffigurabili graficamente); e che questo spazio spirituale si proietti nel mondo terreno come «un'ombra» in 3D, ovvero come un ologramma.

Risultato: le *sefirot* superiori, con le loro nove schiere angeliche, stanno in una struttura ben attorta ed equilibrata, *incomprensibile alla nostra mente abituata allo spazio tridimensionale*: di questa struttura i tradizionali diagrammi dell'«Albero» forniscono non l'immagine, ma soltanto un simbolo, un'allusione. Nella nostra ultima *sefirah* quella struttura deve contrarsi, terrestrizzarsi. In tale terrestrizzazione ciascuno dei settantadue Angeli diviene nell'ultima *sefirah* un settore (di cinque gradi, come già sappiamo) dello Zodiaco, e al tempo stesso una via-«vento» attraverso il mondo di ciascuno di noi. La metafora del «vento» acquista, in questa prospettiva, un'intensità ulteriore: il vento, elemento invisibile, non concepibile dagli antichi come un preciso volume spaziale («ne senti la voce, ma non sai da dove viene né dove va») eppure perfettamente percepibile al tatto, all'udito, all'olfatto, evoca bene l'ingresso, l'irruzione, nella nostra consapevolezza, dell'impulso di una dimensione diversa dalla nostra. Quel «vento» è per così dire la soglia sensoriale tra

la prima *sefirah* e le nove superiori, mentre la linea dello Zodiaco
ne è la soglia intellettuale.

Alta e lontana
alle loro spalle la luce

Ma non solo: da questo rapporto tra le *sefirot* superiori e la
nostra, deriva che ognuno di noi avrebbe sperimentato, prima di
nascere sulla «terra», una straordinaria ampiezza, lassù.

Nella multidimensionalità delle nove *sefirot* non possono esservi, infatti, il «prima» e il «dopo», il «qui» e il «là» così come
li intendiamo noi nell'ultima, se là lo spazio-tempo ha un numero
di dimensioni maggiore di quello a noi familiare; la situazione,
là, doveva somigliare molto a quella delle particelle che, secondo
la meccanica quantistica, possono trovarsi contemporaneamente
in più luoghi diversi. Nell'ultima *sefirah*, invece, tu e ogni cosa a
te nota si può trovare soltanto in un momento e in un luogo alla
volta – a cominciare dal momento del tuo parto, che, *nel nostro
mondo*, si collocherà nella proiezione terrestre di una delle nove
sefirot superiori, e di un suo particolare Angelo.

Dunque, *solamente nel nostro mondo tridimensionale ogni individuo ha un suo Angelo*, un suo «vento dell'inizio»: non lassù,
non là fuori! E per tale ragione, d'altra parte, i restanti settantuno
Angeli non sono veramente estranei a nessuno di noi, poiché li
avevamo conosciuti tutti, attraversando tutte le *sefirot*, durante la
nostra discesa dall'Assoluto 'Ein-sof. Quanto più studiamo quegli Angeli, dunque, tanto più ci avviciniamo alla diversa visione
della realtà, di cui disponevamo prima della nascita, e ad altre
forme di conoscenza e di percezione, multidimensionali, sì, e
tuttavia ancor più nostre, più autentiche, più originarie di quanto
non sia il nostro attuale orientamento spazio-temporale.

Naturalmente, questo breve argomento angelologico potrà
ricordare, agli appassionati di filosofia, certi argomenti di Platone, come l'idea che conoscere sia sempre un ricordare, o come
il celebre mito della caverna:

Paragona la nostra natura a un'immagine come questa: dentro una dimora sotterranea a forma di caverna, con l'entrata aperta alla luce e ampia quanto tutta la larghezza della caverna, pensa di vedere degli uomini che vi stiano dentro fin da piccoli, incatenati gambe e collo, così da dover restare fermi e da poter vedere soltanto in avanti, incapaci, a causa della catena, di volgere attorno il capo. Alta e lontana brilla alle loro spalle la luce...

Repubblica, 514 a, b

Ma non per nulla si narra che Platone avesse soggiornato a lungo in Egitto, e fosse entrato in rapporti con «sacerdoti» locali, che lo guarirono da una qualche sua malattia.

Itinerari storici

Del cosiddetto «Albero della vita» non si conosce per certo l'origine. Secondo la maggior parte degli studiosi, si cominciò a elaborarlo in epoca medievale; secondo uno dei massimi esperti della Qabbalah, Gerschom Scholem, è possibile che i mistici ebrei l'avessero tracciato già nel I secolo a.C.; a me piace invece pensare che già un migliaio di anni prima gli ebrei sapessero qualcosa delle *sefirot*. Allo stato attuale delle conoscenze, nessuna di queste ipotesi può contare su dimostrazioni più convincenti delle altre, proprio perché se nel primo, nel quarto o nel decimo secolo avanti Cristo vi era nozione dell'«Albero della vita», e dunque anche delle sue schiere angeliche, si trattava di nozioni segrete, di Qabbalah nel senso più tecnico del termine, ovvero di «cose tramandate da bocca a orecchio» e non accessibili attraverso testi scritti.

Quel che invece si sa per certo, è che la sapienza ebraica – e con essa anche l'angelologia, quale che fosse allora il suo livello di elaborazione – varcò il Mediterraneo con la Diaspora del primo secolo dopo Cristo, dopo la totale distruzione della Giudea a opera delle legioni romane. Gli ebrei si stabilirono soprattutto in Provenza, nel Narbonese e in Catalogna. Lì, già nell'Alto Medioevo, mise radici la Qabbalah, in cui l'angelologia era ampiamente praticata. Alla fine del XIV secolo l'alchimista e filosofo Pietro d'Abano ne parlò a Parigi e in Italia, con numerosi riferimenti anche agli egiziani; e un secolo dopo l'alchimista, poeta e filosofo Agrippa von Nettesheim vi accennò nel *De occulta philosophia*. Dagli ambienti alchemici, l'angelologia giunse e rimase poi nei livelli più periferici dell'esoterismo cristiano, nelle pratiche di maghi, streghe e fattucchiere, che dei Settantadue Nomi facevano puntualmente uso nei loro incantesimi – scegliendo i giorni opportuni perché il fine di qualche loro rituale non contrastasse con le Energie angeliche del giorno. E furono numerosi i prontuari angelologici, le cosiddette *Claviculae* (Piccole chiavi), che si diffusero in questi ambienti.[4]

Negli ultimi decenni del Settecento e fino a metà del secolo seguente l'angelologia conobbe, come numerosi altri argomenti della Qabbalah, un momento di rinnovata popolarità in ambiente non ebraico, con il fiorire della massoneria, che teneva in alta considerazione varie tradizioni mistiche del vicino oriente; dopodiché continuò, periodicamente e fino ai giorni nostri, a riaffacciarsi nella piccola editoria degli amanti dell'insolito, con rifacimenti più o meno attendibili, più o meno vaghi, incompleti, fantasiosi, delle vecchie *Claviculae*.

La psicologia, purtroppo, non la sfiorò mai. Non vi dedicò attenzione neppure Carl Gustav Jung, che pure esplorava volentieri alchimia, astrologia e altre arti ritenute divinatorie. Forse lo psichiatra svizzero-tedesco preferì non addentrarsi in un argomento tanto ebraico: non era un periodo favorevole, per l'ebraismo, in nessuna parte d'Europa.

O forse fu un altro genere di prudenza: troppo grande, e imbarazzante, è infatti il principale punto di contrasto tra il modo di pensare dell'europeo contemporaneo e quella concezione antica dell'universo, sulla quale l'angelologia si fonda. Più ancora che da quel sorprendente alfabeto «sacro»; più ancora che da quel modo di intendere gli Angeli come energie, così diverso da quello della religione cristiana; più ancora che dalla questione della multidimensionalità, la razionalità occidentale è urtata dall'idea che la data di nascita possa decidere con tanta precisione la *direzione*, ovvero gli *scopi* che un individuo farà bene a dare a tutta la propria esistenza. Su questo punto, nell'attuale periodo della storia della nostra civiltà occidentale, i lettori che si appassioneranno degli Angeli si preparino a sostenere le principali bordate degli scettici.

Angelologia e astrologia

L'astrologia, da questo punto di vista, risulta un po' più tollerabile: molti astrologi hanno, perlomeno, la cortesia di cercare una giustificazione scientifica ai loro metodi, sostenendo per esempio che, se la luna esercita un influsso sulle maree e i ritmi biologici, non vi sia motivo di escludere che anche i pianeti del sistema solare e certe costellazioni incidano in qualche misura sugli stati d'animo, e dunque sul carattere, e dunque sulle opportunità che via via siamo in grado di cogliere e sul nostro modo di sfruttarle. L'astrologia, inoltre, si limita a trattare proprio di queste opportunità, ovvero dei momenti più o meno favorevoli: ragiona insomma in termini di *probabilità*, ma – a meno che l'astrologo non voglia credersi veggente – non interviene sugli *scopi* che l'individuo si prefigge, e lascia chiunque libero di scegliersi i propri.

L'angelologia, invece, non solo non parla di astri, ma (e appunto questo risulta scandaloso) vuole indicare all'individuo quali compiti ha da svolgere nel mondo, per il bene suo e di tutti, in base a una particolare corrente energetica che può guidare la sua personalità, e che è rimasta e rimarrà identica negli anni, nei secoli, nei millenni.

Quest'ultimo punto sarebbe semplice da chiarire: vi sono tante *tipologie* efficaci, fondate, se non su una pretesa di perennità, perlomeno sull'ipotesi di una lunghissima durata dei tratti caratteristici che prendono in considerazione – come la tipologia basata sui gruppi sanguigni, o la tipologia junghiana che suddivide l'umanità in varie categorie psicologiche in base al prevalere di una specifica «funzione dell'io». Ma un moderno occidentale protesterà, comunque, che la tipologia angelologica pone una limitazione della libertà personale, in base a un'ingiustificabile applicazione del principio di causa-effetto, per la quale *una sola causa*, la data di nascita appunto, viene considerata determinante per un numero spropositato di effetti, cioè per le migliaia di scelte che un individuo compie durante la propria esistenza.

Sotto il peso di questa obiezione l'angelologia non può non perdere, agli occhi di un occidentale attuale, qualsiasi pretesa di validità teorica; e che poi funzioni lo stesso è una circostanza che gliela renderà, se possibile, ancor più sospetta, poiché è tipico delle persone razionali diffidare di tutto ciò che i loro criteri non riescono a spiegare.

Causalità

In verità, che i criteri della nostra razionalità siano incompatibili con l'angelologia non dipende da manchevolezze di quest'ultima.

È che, da un paio di secoli almeno, ogni questione che riguardi le *cause* ci rende nervosi. Credo dipenda dal fatto che, fin dal XVIII secolo, la scienza non si accorse di quanto fosse esagerata quell'autonomia dalle religioni di cui aveva cominciato a vantarsi. Evidentemente, i modi di pensare dei religiosi avevano scavato nelle menti solchi più profondi di quel che si potesse supporre, e gli scienziati, avventurandosi nel Progresso, non si accorgevano di seguire sempre qualche solco di idee teologiche del tardo Medioevo: prima fra tutte, la convinzione che vi fosse nell'universo una Causa Prima, da cui le altre cause scaturiscono, producendo ciascuna i suoi effetti.

Per i religiosi quella Causa Prima era, naturalmente, Dio. Gli scienziati ottocenteschi caddero nella trappola di voler cercare una o più Cause non-teologiche. Ma niente è più svantaggioso del porsi un obiettivo vincolato a un «non»: ciò che quel «non» vorrebbe negare eserciterà infatti un condizionamento sempre maggiore. Così, proprio negli anni in cui le religioni vedevano ridursi sempre di più il loro diretto influsso sulla vita culturale, l'idea religiosissima della *causalità come unica spiegazione dei fenomeni* riemerse nientemeno che come il principale criterio della scienza moderna. Troviamo, proprio all'inizio del XIX secolo, affermazioni come questa dell'astronomo De Laplace:

> Noi dobbiamo considerare lo stato presente dell'universo come l'effetto del suo stato anteriore e la causa di quello che seguirà.
>
> *Teoria analitica delle probabilità*, 1812

«Noi *dobbiamo*», notate bene.

E cinquant'anni dopo, quest'altra di Claude Bernard, uno dei massimi scienziati dell'epoca:

> Il principio assoluto delle scienze sperimentali è un determinismo necessario. L'esperienza ci mostra soltanto la forma dei fenomeni; ma il rapporto di un effetto con una causa determinata è necessario e indipendente dall'esperienza, e matematico, e assoluto.
>
> *Introduzione allo studio della medicina sperimentale*, 1865

Nel frattempo Darwin si era consacrato totalmente allo studio dell'*origine*, ovvero in una vera e propria celebrazione rituale della causalità; e aveva avuto un seguito enorme. Poi Freud:

> Noi partiamo dal presupposto che esista una psiche di massa nella quale i processi mentali si sviluppano come accade nella psiche dell'individuo. In particolare crediamo che per millenni sia esistito un senso di colpa che si è trasmesso di generazione in generazione e deriva da un crimine tanto antico che gli uomini delle epoche successive non potevano saperne nulla.
>
> *Totem e tabù*, 1913

Non ci si accorse che insieme a questo primato della causalità filtrava nell'epoca moderna anche il principale intento per il quale i teologi si erano dedicati tenacemente al loro culto della Causa: il bisogno, cioè, di convincersi e dimostrare che *il passato sia più forte del presente*, e lo determini assolutamente. Nelle religioni ciò è comprensibile e funzionale: devono infatti reggersi su tradizioni passate per poter sopravvivere; e devono altresì, per poter agire meglio sui loro fedeli, convincerli che anche nelle loro vite il passato pesi potentemente – in Occidente, come colpa originaria di Adamo, o più in generale come rimorso per i peccati commessi, che disturbi in continuazione la mente.

Abbiamo in tal modo, in Occidente, una scienza che semiconsapevolmente va intralciandosi da sé, e in cui la causalità, più che un principio normativo, si direbbe una *idée fixe*, una patologia della conoscenza – che non può non innervosire i diretti interessati, e che, cosa più grave, impedisce loro di scorgere altre prospettive del pensiero.

Sincronicità

Nel modo di pensare antico, invece, il principio di causa-effetto non ha tutta questa importanza.

Secondo alcuni filosofi greci, per esempio, la causa conta almeno tanto quanto il fine: «La vera causa di ogni cosa è nel suo scopo», scrive Anassagora, nel V secolo a.C. (e anche di Anassagora si narra che avesse studiato in Egitto). È possibile, cioè, per gli antichi, ritenere che sia il fine di una qualsiasi azione a selezionare le cause che su quell'azione agiranno. Ed è d'altra parte un'idea facilmente verificabile, se appena si prova a ragionare nel seguente modo: di circostanze che possano divenire cause di qualcosa ve ne sono sempre moltissime; ma di queste moltissime cause potenziali solo alcune (mai una sola) diverranno a un certo punto effettive nella vita di un individuo: e quali siano, dipenderà esclusivamente dalla direzione, dallo scopo che quell'individuo avrà impresso alle sue decisioni e ai suoi atti.

Così, per esempio, un mio amico prenderà il raffreddore – renderà efficaci cioè cause quali le correnti d'aria, la debolezza delle sue difese organiche e via dicendo – soltanto quando si sarà posto, consapevolmente o no, il fine di ammalarsi. E se un altro mio amico si convincesse, poniamo, di aver visto uno dei tradizionali Angeli cristiani, biondi, in tunica bianca e con le ali, non sarà semplicemente perché quell'Angelo è disceso dal cielo fino a lui (come sarebbe secondo la legge causale), ma perché nell'animo di quel mio amico si era insediato già da un pezzo il desiderio di poter vedere un Angelo vestito proprio a quel modo: questo desiderio era diventato un suo fine – e perciò le sue percezioni, le sue doti poetiche e il suo bisogno di un po' di compagnia spirituale hanno favorito il prodursi di tutte le circostanze necessarie alla visione.

Invito i lettori ad applicare il più spesso possibile questa antica prospettiva finalistica a un qualsiasi aspetto della loro vita quotidiana; porta infatti notevoli vantaggi: permette per esempio di trasformare un cupo senso di fatalità in un non meno cupo, ma facilmente modificabile, desiderio autolesionistico; oppure di liberarsi agilmente dal peso di errori e sconfitte passate, che, se si applica il principio: «la vera causa di ogni cosa è nel suo scopo», possono smettere di influenzare il presente e il futuro.

Tornando alla nostra antica angelologia, possiamo notare che anche in essa la causalità ha un ruolo assai più modesto di quel che sembri a un moderno: nell'angelologia, infatti, la data di nascita non è vista come *la causa che determina* un tipo di esistenza piuttosto che un altro.[5]

Ciò che importa agli antichi era che, quando un individuo vuole riflettere seriamente sulla propria vita, *si ponga innanzitutto al di sopra di se stesso* – cerchi cioè di riportarsi in qualche modo a quella multidimensionalità che si estende più su dell'ultima *sefirah* – e possa in tal modo valutare la propria vita con una prospettiva più vasta. Perciò, è opportuno che veda *anche la propria nascita come uno dei suoi tanti tratti caratteristici*, cioè come uno dei tanti modi in cui, nel mondo, quell'individuo ha finora espresso se stesso – e impari a valutarla di conseguenza.

A intenderla in questo modo, la data di nascita non è più determinante di quanto lo sia qualsiasi altra data della vita di un individuo, o magari le linee della sua mano, la forma delle unghie, o i colori dell'iride – proprio come nel definire una posizione nessun punto cardinale è più determinante degli altri tre. Da una qualsiasi di queste cose e da tutte quante insieme si potrebbe trarre un quadro dell'individuo a cui appartengono, per scorgere quale sia la direzione, *il fine* verso cui procede la sua esistenza; e se l'angelologia preferisce interpretare, fra tutte, proprio la sua data di nascita, è solo perché questa è decisamente l'unica cosa che ciascuno – vivo o morto – abbia di sicuro, e dunque la più facile a indicarsi tra quelle che ho appena elencato.

Potremmo dire, volendo essere antichi: io sono nato il tal giorno perché ho un determinato fine nella mia vita, ed esattamente per la stessa ragione ho i capelli e gli occhi di un certo colore, e il naso fatto in un certo modo, e certi tratti del carattere, e una determinata serie di problemi da superare, e così via; tutte queste sono infatti le cause che il mio fine ha scelto per esprimersi, perché io lo capisca e lo persegua, ponendomi in quel punto A del «Mare»-mondo, che il mio fine, e con esso tutte quelle cause, mi indicano come centro del mio orizzonte.

Ipotesi sulla nascita dell'angelologia

A questo punto possiamo anche tentare ciò che di regola, nei saggi introduttivi su un fenomeno culturale, ci si propone all'inizio: ovvero la ricostruzione di come il fenomeno abbia preso forma. Qui abbiamo dovuto procedere diversamente, perché della misteriosa angelologia antica era necessario, prima, dare una definizione d'insieme, e mostrarne alcune implicazioni. Ora, risulta più facile immaginare perché e come gli egizio-«ebrei» di oltre un millennio avanti Cristo abbiano potuto costruire questa energetica psicologica.

Da un lato, riusciamo a figurarci innanzitutto uno o più faraoni che desiderassero uno strumento efficace di selezione del personale, per amministrare meglio il proprio impero. In una piccola tribù canaanita, o in una città-stato greca con diecimila abitanti, ogni individuo poteva apparire unico nel suo genere; in un impero popoloso, invece, proprio come l'impero egiziano, poteva risultare più urgente la necessità di stabilire criteri generali di analisi, *tipologie* appunto, per poter trovare, per ciascuna carica dell'amministrazione, gli individui più adeguati.

D'altro lato, vi era quella meravigliosa sapienza egiziana, impegnata a mettere in ordine sia la propria concezione dell'universo, sia, addirittura, il processo stesso del concepire una qualsiasi cosa – come mostra il geroglifico, che dovette certamente richiedere secoli di lavoro filosofico, linguistico, psicologico e, diremmo oggi, anche psicologico. Che una simile sapienza giungesse all'elaborazione di una tipologia dell'umanità, appare non solo comprensibile, ma pressoché inevitabile.

E, in un'epoca in cui il principio causale non era l'unica forma di pensiero ritenuta lecita dalle persone colte, una tipologia basata sulle date di nascita dovette presto rivelarsi più agevole, e più facilmente strutturabile. Anch'essa dovette richiedere grande pazienza: una vera e propria ricerca statistica, a opera di analisti della personalità. Che, alla fine, i tipi così ottenuti risultassero trecentosessanta rispondeva semplicemente al gusto di quell'epoca innamorata della geometria: nello stabilire un criterio d'ordine, era logico che gli egiziani scegliessero un cerchio, con le suddivisioni in gradi che, appunto, nel cerchio sono possibili. I dati delle rilevazioni psicologiche vennero così ordinati in quei trecentosessanta gruppi innanzitutto perché *così, a quel tempo, risultava armonioso*.

Poi, la corrente «ebraica», scismatica della sapienza egiziana, dovette impadronirsi di quella tipologia e adoperarla per fini totalmente diversi da quelli dei faraoni: non come un criterio per la selezione di funzionari, ma come strumento di analisi individuale, per una autonoma ricerca del proprio destino – della propria via verso una «terra promessa» più o meno simbolica, più o meno personale, ma in ogni caso *'ibriy*, ribelle alle esigenze imperiali. Allora e perciò avvenne anche la riduzione da trecentosessanta a settantadue gradi: l'orizzonte venne suddiviso non in base all'uno, ma in base al cinque, numero-simbolo dell'uomo appena creato, cioè dell'individuo come centro determinante del proprio universo. E proprio in questa chiave, non in vista di selezione di sottoposti ma di strumento di autoanalisi, l'angelologia poté servire da ispirazione agli «ebrei» di ogni epoca, e certamente anche della nostra.

Crederci o no

Un'altra questione che un occidentale potrebbe, oggi, porsi riguardo ai fondatori dell'angelologia è se quei sapienti egizio-«ebrei» *credessero* veramente all'esistenza degli Angeli, o se intendessero questo termine come una semplice metafora, nei loro studi di energetica psichica. Ma anche qui, la mente antica si rivela molto più agile di quella attuale. Quei sapienti avrebbero scosso il capo, meravigliandosi di come i nostri contemporanei spacchino tanto volentieri in due la realtà: la materia da una parte e la spiritualità dall'altra, e confinino il *capire* nella prima, e lascino il *credere* alla seconda.

Invece, «come in cielo, così in terra», di nuovo: per gli antichi materia e spirito non erano necessariamente in contrasto. Dall'una appariva, invece, del tutto naturale risalire all'altro, proprio come dall'ombra a chi la proietta; quanto al *capire* e al *credere*, tipico degli antichi era sommarli nel concetto di *credere di capire*, e dedicarsi appassionatamente al ragionamento, alle verifiche, ai calcoli anche, per far sì che quel *credere di capire* trapassasse nel *capire quel che si crede* – e che si giungesse, in tal modo, a *conoscere* sempre più, sempre meglio e in modo sempre più efficace.

«Credere negli Angeli?» avrebbero dunque risposto gli antichi. «Gli Angeli così come voi li conoscete sono soltanto un'immagine, di cui ignorate il contenuto, o vi limitate a fantasticarlo. Un'immagine simile, se ti sforzi di credere in essa, può diventare al massimo un tuo modo di produrre tale immagine: e le immagini che tu produci contengono soltanto ciò che ci metti dentro.

Perciò credere in un'immagine significa non capire nulla più di ciò che già credi di sapere.

«Inoltre, un'immagine da te prodotta sarà tanto più vivida, quanto più riuscirai a isolarla dalla realtà che hai intorno, e che percepisci e scopri. Così, il tuo *credere negli Angeli* sarà solo un modo di ritagliarti un'area irreale, e di rifugiarti lì, per sentirti più sicuro. Fosse almeno un credere in te stesso! Ma no, neppure: in quell'area ritagliata, infatti, tu non sei tu, non sei un essere reale, ma a tua volta diventi soltanto una piccola immagine di te... e anche in quella finisci per credere, limitandoti, isolandoti. Perché tutto questo? Noi non crediamo affatto negli Angeli, in questo senso. Per noi gli Angeli-energie sono soltanto una descrizione, un'ipotesi con la quale scopriamo e conosciamo sempre più sia la materia sia lo spirito del nostro universo, che per noi sono tutt'uno.»

In particolar modo, di questo *continuum* tra materia e spirito, tra visibile e invisibile gli antichi sarebbero andati molto fieri, se avessero saputo in quale misura noi moderni lo abbiamo perduto. A differenza di noi, potevano intendere *qualsiasi* attività che riguardasse il conoscere, lo scoprire, l'accorgersi (e dunque anche le rilevazioni statistiche) come un'attività di carattere spirituale: la psicologia, per esempio, se questa parola fosse esistita allora, sarebbe stata intesa molto letteralmente come una scienza della *psykhé*, dell'anima cioè, senza perciò cessare di essere una scienza della mente (e anziché «psicologia», tale scienza veniva chiamata, *allora*, teologia, mito, profezia, e in seguito, in Grecia, anche filosofia). Non vi era dunque conoscenza o scoperta compiuta nell'io terreno che non diventasse, poi, conoscenza e scoperta di quello celeste, e dei cieli o *sefirot* in cui l'io celeste si trova: «come in cielo così in terra», appunto. Il che spiega perché quegli «psicologi» di tremila anni fa trovassero tanto piacevole e al tempo stesso tanto utile chiamare «Angeli» le energie della psiche – cosa che invece farebbe accigliare la stragrande maggioranza degli psicologi occidentali d'oggi. Ma fortunatamente il nostro *oggi* ha limiti temporali, tra non molto diventerà uno *ieri*, ed è lecito sperare che *domani* gli antichi vengano riscoperti e attentamente ascoltati, dato che dopo tanti millenni hanno, decisamente, più futuro di noi.

E con tutto ciò, torniamo a una questione a mio parere più interessante: a quel punto di vista più alto, al quale l'antica angelologia vuole guidare.

L'interpretazione

Dicevo, qualche pagina fa, che condizione operativa dell'analisi angelologica di una personalità è il porsi al di sopra, al di fuori, della dimensione esistenziale di quest'ultima – ovvero della sua attuale posizione nel «mondo del fare», per dirla in termini qabbalistici. Ma quanto più si esercita questa elevazione del punto di vista, tanto più ci si accorge che là, più in alto, vi è veramente un nostro altro «io», che conosce la nostra via autentica, *come se fosse sempre oltre* – mentre il nostro «io» consueto, la persona cioè che vediamo guardandoci allo specchio, sta solo cercando quella via.

Quell'«io» superiore sa, e ha gli scopi; l'altro è bene che sappia di non sapere ancora. Il primo colloca nella vita del secondo le cause utili; compito del secondo è accorgersene, e sfruttarle. Le Scritture sono piene di informazioni e di spiegazioni al riguardo. E nella pratica dell'angelologia, quell'«io» superiore diventa il vero maestro.

Per conoscerlo, occorre solo sperimentarlo. È facile e immediato. Ogni volta che interpreti un Angelo, ogni volta, cioè, che cominci a spiegare una vita (la tua o quella di qualcun altro) in base alle caratteristiche della sua energia angelica, hai la netta sensazione che quell'«io» superiore comunichi direttamente con il tuo «io» consueto: si formano in te idee nuove, che nel corso della spiegazione si concretizzano in nuove soluzioni, nuove possibilità che possono cambiare la vita in questione, allargandone di colpo le prospettive.

Se ci si abbandona a questa sensazione, quando si interpreta il proprio Angelo capita anche la memoria si estenda improvvisamente, e che tornino alla mente episodi della propria vita a cui non si pensava da decenni. Quando invece si sta interpretando l'Angelo di qualcun altro, capitano intuizioni che rasentano la veggenza: si verrà cioè interrotti dall'interlocutore con domande del tipo «Ma questo come fai a saperlo, tu?» Queste intuizioni sono dovute proprio alla multidimensionalità, al diverso spazio-tempo dell'«io» superiore, con il quale questa attività interpretativa permette di connettersi.

Altre volte capita di incontrare tutt'a un tratto un ostacolo: spiegando a qualcuno il suo Angelo, ci si accorge di non ingranare, di non coglierne nulla di preciso. È un momento spiacevole, ma produttivo: *se, infatti, nessun Angelo ti è veramente estraneo, se da tutti e Settantadue hai imparato e sei stato plasmato nel tuo tragitto attraverso l'«Albero»*, gli Angeli che riesci a intendere subito e meglio sono quelli che tu, in qualche modo, arrivi a ricordare; gli Angeli, invece, che non riesci a capire o a spiegare, diventano esortazioni a ricordare di più.

Per esempio, ad alcuni potrà risultare difficile cogliere il senso dell'Angelo dei rapaci, Lelehe'el; o di quello della brama sessuale, Pehaliyah; o dell'Angelo dei distruttori, Še'ehayah. In questi casi, è bene abbandonare subito il tentativo di spiegazione, ammettendo: «Mi dispiace, ma non ne sono ancora capace», e poi cominciare a rifletterci per proprio conto, praticando la bella arte dell'attesa, a cui si riferisce il versetto evangelico «chiedete e vi sarà dato». Per dirla alla maniera antica: ci si ponga come *fine* la comprensione di quell'Angelo che appare tanto complicato, e quel fine selezionerà le *cause* che porteranno a comprenderlo – creando, nelle tue giornate, occasioni utili a individuare e a superare le tue resistenze a quelle caratteristiche angeliche. Occorre soltanto attendere.

Quest'arte dell'attesa, poi, per chi abbia più esperienza, diventa amplissima, probabilmente infinita: anche in quei ritratti di Angeli nei quali tutto sembrava chiaro, si comincerà a trovare qualche dettaglio che prima era sfuggito all'attenzione, e che qualcosa fa sembrare oscuro. E di nuovo: quell'oscurità stimolerà e diventerà il desiderio di intendere, e il desiderio, puntualmente, metterà in opera le cause necessarie a superare quelle oscurità, che sono soltanto difficoltà di comunicazione tra il tuo «io» superiore e il tuo «io» consueto. La lettura degli Angeli può trasformarsi, così, in una *perenne* autoanalisi, in un'inesauribile scoperta di sé.

Tutte le vie

Ben sappiamo, infatti, che tutta la creazione geme e partorisce finora. E non essa soltanto, ma anche noi.

Romani 8,22

In questo scoprire sempre più se stessi negli Angeli altrui si ritrova bene, e semplicemente, anche il senso di quel comandamento biblico che a molti appare talmente impossibile: «Ama gli altri come te stesso». Si conosce, si scopre, ci si accorge che in qualche modo gli altri sono te, aspetti di te; che tutte le loro vie, insieme, formano la tua vera via: una via che non va in una direzione o in un'altra, ma in tutte contemporaneamente, e che è l'immagine più precisa di ciò che chiamiamo crescita spirituale.

Nella scoperta di questa via-orizzonte, mentre ogni Angelo (e dunque ogni vita, ogni persona) ti dà lezioni su ciò che sei e che ancora non riesci a essere, la tua identità diviene proprio il contrario di ciò che solitamente si ritiene che sia. Chi crede di essere tanto più se stesso quanto più chiare sono le sue idee su ciò che detesta e di conseguenza su ciò che ama, è ancora al di qua di quella crescita. Per la stessa ragione, è anche bene accorgersi di quanto poco convenga contrapporre le proprie convinzioni a quelle altrui. La direzione del tuo Angelo ti farà apparire importanti, decisamente giuste o decisamente sbagliate, cose che a un tale nato una decina di giorni dopo o prima di te non appariranno affatto tali. Ma perché uno di voi due dovrebbe avere più ragione dell'altro? Meglio accorgersi che le ragioni sono molte (perlomeno «settantadue») e *tutte parzialmente valide*, mentre la Verità può esser data soltanto dal loro quadro d'insieme, ed è accessibile solo a chi sappia pensare senza dar torto a nessuna di esse. Il che non è impossibile, né difficile: e, quando ci si prova, si avverte ben presto un senso di liberazione da un'immagine troppo angusta che fino a quel momento si aveva di se stessi.

Così, per esempio, in tutti vi è quella nostalgia delle distanze che troviamo descritta nell'Angelo Miyka'el, anche in chi non è nato attorno al 20 ottobre; e vi è anche la paura delle distanze, descritta negli Angeli Yeyay'el e Damabiyah, anche in chi non è nato in luglio o in febbraio; e la sensazione di essere, in qualche modo, già altrove, sempre, in qualche parte di sé, com'è per chi ha l'Angelo La'awiyah, anche se non si è nati a metà giugno... Sono tutti elementi di ogni personalità che vuole essere *intera*. Riconoscili. E imparando a comprendere le doti, più o meno geniali, che ogni Angelo mette a disposizione, accorgiti di come anch'esse possano essere tue, tutte quante. Diventano mai troppe, queste ricchezze? Non mi risulta. E quanto a ciò, il primo Angelo in cui è bene riconoscersi sarà proprio Lelehe'el, che protegge chi non pone limiti alla propria crescita. In questo senso, il punto A del tuo mondo può rivelarsi, pian piano, grande come il mondo stesso.

L'alfabeto degli Angeli

ELENCO qui le lettere ebraiche, la loro trascrizione, il nome ebraico di ciascuna lettera, e i significati che ciascuna lettera assume nell'alfabeto geroglifico.

 In trascrizione è un apostrofo: '.

Aleph. Anticamente aveva valore vocalico, ma da millenni è una lettera muta: indica soltanto l'aprirsi della bocca per pronunciare ben chiara una vocale ebraica. È il geroglifico dell'unità, del principio, della potenzialità, di un'immensa energia ancora da utilizzare, e anche del cuore, di cui la forma dell'*aleph* è quasi un pittogramma.

 In trascrizione è *b*.

Beth. Anticamente si pronunciava *b*, e oggi *v*. È il geroglifico dell'interiorità, di uno spazio protetto e attivo, in buon rapporto con l'esterno: e dunque della casa, della famiglia, dell'interno del corpo, dell'istituzione. *Beth* è anche il senso di giustizia, inteso come consapevolezza dell'opportuna collocazione dell'individuo entro la società a cui appartiene.

g

Ghimel. Una *g* sempre dura. È il geroglifico della gola, e più in generale del corpo fisico, considerato come involucro dell'organismo e canale dell'anima. Non per nulla *questa lettera non compare in nessuno dei Settantadue Nomi angelici*: è troppo umana, può tollerarla soltanto il supremo Arcangelo Gabriele (letteralmente «il Maschio di Dio»), il Fecondatore di menti e persone, associato dalla tradizione qabbalistica al segno dello Scorpione.

 d

Daleth. Una semplice *d*. È il geroglifico dell'abbondanza, del nutrimento ben distribuito, e anche del suddividere, e del dividere: compito di capi e di ricchi, e lavoro di giudici.

 h

He. Un suono lievemente aspirato, di *h* inglese, se si trova all'inizio o all'interno di una parola, e muto se invece si trova alla fine. È il geroglifico della vita, dell'invisibile, della spiritualità, dell'anima, della verità e della femminilità: anche in greco e in latino, d'altronde, l'anima era immaginata come femminile; e in ebraico è femminile anche lo spirito: *rwuaḥ*.

 w, u, o

Waw. Anticamente doveva essere una semivocale, come una *w* anglosassone, talmente breve e malleabile da scomparire a volte in un suono di *u* (*wu*), a volte in un suono di *o* (*wo*). In seguito si irrigidì anche in un suono di *v*, come la *v* italiana, che era *u* in latino. È il geroglifico dell'ostacolo, del limite, del nodo che si è stretto e che deve essere sciolto.

 s

Sain. Ha il suono della *s* di rosa. È il geroglifico della freccia che vola verso il bersaglio; del raggio di sole che percorre milioni di miglia per scintillare su uno specchio; dello sguardo che coglie un dettaglio. Simboleggia tutto ciò che tende a uno scopo: vuole e conquista cose o persone, oppure sfugge e libera da una costrizione.

 ḥ

Ḥet. Un'aspirata dura, come la jota. È il geroglifico del lavoro, dello sforzo; dell'equilibrio di forze e dell'impegno che occorre per raggiungerlo; dell'esistenza elementare, e della tensione continua con la quale la si mantiene. *Ḥet* è anche l'immagine della legge, della sapienza cioè che con lunga fatica i saggi sono arrivati a formulare, e la necessità che in essa si esprime.

 ṭ

Tet. Si pronuncia con la punta della lingua sul palato, un po' più intensa della *t* di *tango*. È il geroglifico della protezione, della solidità, del tetto, dello scudo.

y

Yod. È il geroglifico dell'attenzione estroversa, del dito che indica, della visibilità, del manifestarsi concreto e durevole.

 k

Kaf. È il geroglifico del potere, del possesso, dell'afferrare, del comprendere.

 l

Lamed. È una delle tracce più evidenti dell'influsso egizio sulla lingua ebraica. Come l'ureo che ornava il copricapo dei faraoni, la *lamed* è il simbolo dell'ampliarsi, dell'estendersi intorno e verso l'alto: come il sole o la notte che salgono dall'orizzonte. È il divenire, il rivelarsi, e anche il guardare oltre, e il trasmettere ad altri ciò che si è visto al di là.

 m

Mem. Molto egizianeggiante anche questa. È il geroglifico di ciò che avvolge, racchiude e si schiude, e che plasma o dissolve al suo interno. È la maternità, il mare, il mondo, il cielo; e anche il popolo, la massa di per sé inerte; e il ruolo, le mansioni quotidiane in cui a volte all'io capita di sentirsi imprigionato.

n

Nun. È il geroglifico delle cose prodotte, create, e delle conseguenze e del successo nel produrle.

 ṣ

Ṣamek. È la *s* sorda, come in «asse». È il geroglifico del perimetro, della linea di confine o del fronte; e anche dei sandali, della cintura, del velo, dell'ombra, della soglia, dell'estremità, dei vortici della tempesta.

 Si trascrive come uno spirito aspro: '.

Ayin. È un suono gutturale, come la *h* di «Manhattan». È il geroglifico dell'apparenza esteriore e ingannevole, del sentito dire, dei rumori confusi, e anche del nulla, del vuoto e di tutto ciò che è perverso e malvagio.

 p

Peh. Viene pronunciato anche *f*. È il geroglifico della sensualità, della bellezza fisica; e della bocca, della voce, del volto, dell'espressione; della parola, anche, e della persuasione.

z

Zade. La *z* sorda di «zio». È il geroglifico del cambiamento: del punto in cui qualcosa (una vicenda, un periodo, una vita, una dimensione) si risolve, finisce, e comincia ad assumere un nuovo significato, o nuove direzioni. Come una strada che giunge a un bivio.

 q

Qof. Raffigura una scure, ed è il geroglifico della determinazione, del dominio; del comprimere, anche, e del nascondere in sé.

 r

Reš. È il geroglifico dell'inizio, dell'aprire e del fluire, o viaggiare, o volare; e anche del pensiero umano, che scopre, progetta, procede.

 š

Šin. A volte, per esempio nella parola *Yišra'el*, Israele, si pronuncia come la *s* di «sale»; altre volte come la *sh* dell'inglese *shock*. Secondo alcuni rappresentava l'arco che scocca la freccia, secondo altri uno specchio illuminato da fiaccole. È il geroglifico del desiderare, dello slancio, della ricerca di un nuovo orizzonte; della conoscenza, anche.

t

Taw. È il geroglifico del compimento, della perfezione, di ciò che è divenuto appieno se stesso e può perciò comunicarsi all'esterno; della reciprocità, anche, della simpatia. Il nome della lettera è una corruzione di quello del Dio egizio della scrittura, Tot, e la forma ricorda vagamente la *t* egizia, che era il geroglifico dell'anima universale.

Come si vede, le ventidue lettere dell'alfabeto ebraico *sono tutte consonanti*. Le vocali delle parole si apprendevano con l'uso, sentendole pronunciare. Nella lingua scritta importavano, dunque, più le formule dei significati, che non il loro suono: lo stesso vale anche per i Nomi dei nostri Angeli, il cui suono non dice molto, mentre le lettere sono tutto.

I settantadue Nomi

1. Wehewuyah W H W Y H וְהֹוִיה

2. Yeliy'el Y L Y ' L יְלִיאֵל

3. Ṣeyiṭa'el Ṣ Y Ṭ ' L סִיטָאֵל

4. 'Elamiyah ' L M Y H עֶלְמִיה

5. Mahašiyah M H Š Y H מַהֲשִׁיה

6. Lelehe'el	L L H ' L	ללהאל
7. 'Aka'ayah	' K ' Y H	אכאיה
8. Kahete'el	K H Th ' L	כההתאל
9. Hasiy'el	H Z Y ' L	הזיאל
10. 'Aladiyah	' L D Y H	אלדיה
11. La'awiyah	L ' W Y H	לאויה
12. Haha'iyah	H H ' Y H	ההעיה
13. Yesale'el	Y Z L ' L	יזלאל

14. Mebahe'el	M B H ' L	מבהאל
15. Hariy'el	H R Y ' L	הריאל
16. Haqamiyah	H Q M Y H	הקמיה
17. La'awiyah	L ' W Y H	לאויה
18. Kaliy'el	K L Y ' L	כליאל
19. Lewuwiyah	L W W Y H	לוויה
20. Pehaliyah	P H L Y H	פהליה
21. Nelka'el	N L K ' L	נלכאל

22. Yeyay'el	Y Y Y ' L	ייאל
23. Milahe'el	M L H ' L	מלהאל
24. Ḥahewuyah	Ḥ H W Y H	חהויה
25. Nitihayah	N Th H Y H	נתהיה
26. Ha'a'iyah	H ' ' Y H	האיה
27. Yerate'el	Y R Th ' L	ירתאל
28. Še'ehayah	Š ' H Y H	שאהיה
29. Reyiy'el	R Y Y ' L	רייאל

30. 'Omae'el	L K B ' L	אומאל
31. Lekabe'el	L K B ' L	לכבאל
32. Wašariyah	W Š R Y H	ושריה
33. Yeḥuwyah	Y Ḥ W Y H	יחויה
34. Leheḥiyah	L H Ḥ Y H	לההיה
35. Kawaqiyah	K W Q Y H	כוקיה
36. Menade'el	M N D ' L	מנדאל
37. 'Aniy'el	' N Y ' E L	אניאל

38. Ḥa'amiyah	Ḥ ' M Y H	חַעְמִיה
39. Raha'e'el	R H ' ' L	רהעאל
40. Yeyase'el	Y Y Z ' L	ייזאל
41. Hahahe'el	H H H ' L	הההאל
42. Miyka'el	M Y K ' L	מיכאל
43. Wewuliyah	W W L Y H	ווליה
44. Yelahiyah	Y L H Y H	ילהיה
45. Ṣa'aliyah	Ṣ ' L Y H	סאליה

46. 'Ariy'el   ' R Y ' L   עריאל

47. 'Ašaliyah   ' Š L Y H   עשליה

48. Miyhe'el   M Y H ' L   מיהאל

49. Wehewu'el   W H W ' L   והואל

50. Daniy'el   D N Y ' L   דניאל

51. Haḥašiyah   H Ḥ Š Y H   החשיה

52. 'Amamiyah   ' M M Y H   עממיה

53. Nana'e'el   N N ' ' L   ננאאל

54. Niyita'el   N Y Th ' L   ניתאל

55. Mebahiyah   M B H Y H   מבהיה

56. Fuwiy'el   P W Y ' L   פויאל

57. Nemamiyah   N M M Y H   נממיה

58. Yeyale'el   Y Y L ' L   יילאל

59. Haraḥe'el   H R Ḥ ' L   הרחאל

60. Mezara'el   M Ts R ' L   מצראל

61. Umabe'el   W M B ' L   ומבאל

62. Yahehe'el	Y H H ' L	יההאל
63. 'Anawe'el	' N W ' L	ענואל
64. Meḥiy'el	M Ḥ Y ' L	מחיאל
65. Damabiyah	D M B Y H	דמביה
66. Manaqe'el	M N Q ' L	מנקאל
67. 'Ay'a'el	' Y ' ' L	איעאל
68. Ḥabuwyah	Ḥ B W Y H	חבויה
69. Ra'aha'el	R ' H ' L	ראהאל

70. Yabamiyah   Y M B Y H   יבמיה

71. Hayiya'el   H Y Y ' L   היאל

72. Muwmiyah   M W M Y H   מומיה

PARTE PRIMA

I settantadue principî angelici

Istruzioni per l'uso

IL miglior modo di approfondire ciascuno di questi ritratti di Angeli è adoperarlo: provare, cioè, a confrontarlo con i talenti, i problemi, le soluzioni, le scelte esistenziali di qualcuno che sia nato nei giorni a cui il ritratto si riferisce. È questa l'*analisi angelologica* della personalità; ne do molti esempi nel libro, presi dalle biografie di gente famosa: e si vedrà come gli Angeli possano delinearsi, nelle vite degli individui, sia in positivo sia in negativo, come trionfi o carenze: come e perché un Lelehe'el possa divenire, per esempio, un Chaplin, uno Hitler o un Papa.

In genere, con la pratica si impara tutto ciò che è necessario per diventare angelologi; gli intralci che si possono incontrare sono di poco conto, e li elenco qui di seguito, riprendendo qua e là argomenti già trattati nell'Introduzione.

1. *Analisi e autoanalisi.* Studiare se stessi attraverso il proprio Angelo può essere, all'inizio, difficile, perché pochi vogliono vedere meglio le proprie potenzialità – anche se i più sarebbero pronti a giurare il contrario. Quando si comincia a leggere il ritratto del proprio Angelo può aversi qualche breve entusiasmo – «Ecco, me lo sentivo che sono così!» – ma l'autoanalisi diventa una lotta, non appena si cerca di precisarla: cogli un lampo di significato più profondo, e poi subito lo dimentichi; non noti dinamiche evidentissime, semplici, decisive; o, se pure te ne accorgi, non riesci a prenderle sul serio

nella tua vita quotidiana, perché ti sembrano troppo strane o impegnative.

Meglio incominciare analizzando i tuoi conoscenti. Spiegare ad altri i loro Angeli è, da subito, un'esperienza emozionante: occorre soltanto osare, fidandosi di sé, di quel che si ritiene di aver capito dei loro ritratti angelici, tanto o poco che sia. Quel tanto o poco comincerà *ad agire*: parlandone, ti verranno in mente idee e precisazioni che nel ritratto erano appena accennate o non c'erano. Capita anche che certi punti del ritratto, dei quali si credeva di non aver colto bene il senso, si chiariscano d'improvviso quando si prova a spiegarli a qualcuno; e quando poi si rileggerà il testo per proprio conto, si avrà l'impressione di comprenderlo in modo nuovo. È un fenomeno curioso: come se in ciò che si dice di un Angelo vi fosse un maestro nascosto, che ti guida. Ma appunto così deve avvenire nell'angelologia, che, come tutte le branche della Qabbalah, è in larga parte una scienza inappresa – cioè un qualcosa che sai già da sempre, e che richiede soltanto di essere destato; e tanto più si desta, quanto più cominci a condividerlo con altri, a donarlo.

2. *L'immagine occidentale dell'Angelo come una presenza esterna all'io.* Si ricordi che gli Angeli della Qabbalah non sono da intendersi come entità a sé stanti che si aggirino per l'universo. Sono bensì correnti di energie che attraversano i giorni dell'anno, gli avvenimenti e gli individui, e che sta a noi comprendere e manifestare nel modo migliore. Più che i verbi *esserci* ed *esistere* («ci sono gli Angeli? esistono davvero?»), può dunque applicarsi a loro il verbo *essere*, in forma predicativa: si potrà cioè dire, del tutto legittimamente, che Chaplin seppe *essere* Lelehe'el, quando appunto agì secondo il suo Angelo. Per un occidentale è un po' faticoso accettare quest'idea, perché l'immagine dell'«Angelo custode» gli si è impressa fortemente fin dalla prima infanzia; ma solo se ci si libera da questo *imprinting* diviene possibile ragionare in termini angelologici.

3. *La questione dell'Energia T*. Nell'introduzione accennavo anche al fatto, facilmente verificabile, che ogni nostra dote innata (cioè ogni nostra energia angelica) ci causa danni se la trascuriamo. Questi danni sono particolarmente gravi nel caso di quella che nel testo chiamerò «Energia T», dall'iniziale delle parole *terapia* e *teatro*, e che è un concetto a cui gli antichi sembrano aver tenuto molto, ma di cui nella nostra epoca non rimane quasi traccia, nonostante la sua evidenza e utilità. Era convinzione degli antichi che le doti del medico e quelle di chi deve parlare spesso in pubblico (politici, sacerdoti, attori) fossero talmente simili tra loro da far supporre che avessero una medesima natura. E come dar loro torto? A tutti sono noti i benefici effetti dei comici, specialmente di quelli più spietati, che mostrandoci le nostre ossessioni, paure e ipocrisie e aiutandoci a riderne, non fanno nulla di diverso da un medico o da un analista che ci aiuti a prendere le distanze dai nostri errori esistenziali. E viceversa, ogni medico sa bene quanto conti nelle sue terapie la suggestione – il tono di voce, il camice, l'ambulatorio – l'aspetto insomma spettacolare della sua professione. Nell'angelologia questa assimilazione della dote medica e di quella teatrale è data per scontata: i numerosi Angeli che «proteggono» (incoraggiano cioè nei loro protetti) la professione medica, sono puntualmente gli stessi che «proteggono» anche chi vuole recitare. Ma tra tutte le energie angeliche, questa risulta essere di gran lunga la più pericolosa: se la possiedi e non la usi, *fa ammalare* te o persone legate a te – un po' come se ti costringesse a portarti a casa quel lavoro che non vuoi fare nel mondo. Credo che provenga anche da qui il detto antichissimo: «Il medico cura se stesso».

4. *Gruppi angelici*. Alcuni Angeli si somigliano molto tra loro; è comprensibile: poiché sono correnti di energie, può avvenire che le traiettorie e le intensità di alcuni di essi coincidano, per certi loro tratti, con altre. In questi casi, si ha una sorta di rapporto di parentela o addirittura di gemellarità tra Angeli; ed ecco qua i casi più evidenti:

Angeli gemelli: i due Angeli dell'ipersessualità: Yesale'el, 21-26 maggio e Miyhe'el,18-22 novembre;

i due Angeli della nave in porto: Yeyay'el, 8-12 luglio, e Damabiyah, 9-14 febbraio;

e anche i due Angeli della Soglia che portano lo stesso nome: La'awiyah dell'11-16 maggio e La'awiyah dell'11-16 giugno.

Angeli profondamente affini tra loro: gli altri Angeli della Soglia (affini anche ai due precedenti), ovvero Manaqe'el, 14-19 febbraio, Lewuwiyah, 22-27 giugno, e Haha'iyah, 16-21 maggio;

gli Angeli dei Re: Hasiy'el, 1°-5 maggio, Fuwiy'el, 27-31 dicembre, e Yabamiyah, 6-11 marzo;

due Angeli del castello: Wehewu'el, 23-27 novembre, e HaHaSiyah, 3-7 dicembre;

gli Angeli delle vette: Yahehe'el, 25-30 gennaio, e 'Ay'a'el, 19-24 febbraio;

gli Angeli degli artisti, il già citato Lewuwiyah, 22-27 giugno, e Yeyase'el, 9-13 ottobre.

A una mente molto occidentale, queste coincidenze energetiche possono apparire come un elemento di confusione: gli occidentali preferiscono infatti sistemi ordinati, in cui non si abbiano sovrapposizioni di categorie. Gli antichi, nel descrivere i fenomeni, tenevano meno all'ordine, e più all'aderenza ai dati in loro possesso; e mi risulta che queste imperfezioni del loro sistema angelologico caschino a proposito: sicuramente, chi sta esaminando uno degli Angeli di questi gruppi arriva a comprenderlo meglio se dà un'occhiata anche ai ritratti degli Angeli a lui apparentati; e anche che i protetti di un Angelo gemello o affine a un altro, si intendano con grande facilità con i protetti di quest'ultimo, come se davvero li unisse una parentela spirituale.

5. *Date sovrapposte*. Alcuni giorni dell'anno cadono sotto la protezione di due Angeli, invece che di un Angelo solo; e anche

questo può sembrare complicato a una mente molto occidentale. Ma lo si deve al fatto che gli Angeli sono ripartiti non in base ai trecentosessantacinque giorni (circa) del nostro calendario, bensì in base ai trecentosessanta gradi dello Zodiaco: si hanno perciò giorni «cuspide», come in astrologia. In questi casi, a mio parere, non occorre risalire all'esatto grado zodiacale dell'istante della nascita: ho notato infatti che chi è nato in un giorno «cuspide» tra due Angeli, dispone e deve render conto delle energie di entrambi. Di solito, nella prima parte della vita – fin verso i trentotto anni – prevalgono le energie del *secondo* tra i due Angeli uniti in una «cuspide», e negli anni seguenti quelle del primo (per esempio, per chi sia nato il 26 marzo, prevarrà dapprima l'influsso di Yeliy'el, poi quello di Wehewuyah): ma si tratta soltanto di *prevalenze*, e non di una completa alternanza. Per la maggior parte delle «cuspidi», questo doppio carico energetico è abbastanza armonioso, come appunto per il 26 marzo, dato che Yeliy'el e Wehewuyah non sono molto diversi tra loro; per i giorni 15 aprile, 20, 25 e 30 gennaio, 14 febbraio e 11 marzo, invece, il doppio carico può suscitare conflittualità, sbalzi d'umore, cambiamenti improvvisi, poiché interagiscono qui energie angeliche diametralmente opposte le une alle altre: la soluzione, per i nati in questi giorni, consiste nell'abbondanza, nell'ampliare cioè il più possibile le proprie vedute, le proprie curiosità e attività, in modo da non lasciare da parte nessuna delle caratteristiche dei propri due Angeli.

6. *Simbologie*. Infine, si tenga presente che l'Angelologia è una disciplina antica, e che la mente antica è più agile e sintetica di quella attuale. Ciascun Angelo ha ed è una serie di compiti precisi (più o meno complessi, a seconda di quel che esprimono le lettere del suo Nome), ma ci sono molti modi di attuarli. Tra coloro, per esempio, che hanno come compito la scoperta del coraggio di affrontare molti e della fedeltà a un capo, come i nati sotto l'Angelo Şeyiṭa'el (dal 1° al 5 aprile), e che l'hanno attuato, vi saranno individui che hanno trovato la loro via

come militari, o politici, o religiosi, o magari come attori, che appunto non temono il pubblico e obbediscono a un regista. Tra i nati sotto l'Angelo 'Omae'el (dal 18 al 23 agosto) che hanno attuato il loro compito, descritto nel ritratto come il far nascere e crescere anime, vi saranno genitori felicissimi, oppure ottimi insegnanti, allenatori e maestri spirituali, o architetti che avranno trovato le massime soddisfazioni professionali costruendo scuole o complessi residenziali.

E sono possibili anche altri modi di realizzare il compito angelico. Nell'arte, per esempio: può avvenire cioè che un attore (De Niro, per esempio), uno scrittore (Melville), un regista (Hitchcock) raffigurino con grande successo il proprio destino nei personaggi che creano o interpretano o fanno interpretare. Oppure nei compagni di vita: capita di frequente che chi abbia un Angelo della medicina, o della creatività, non faccia di per sé nulla che a quegli Angeli corrisponda, ma sposi felicemente un medico o un artista.

Serafini

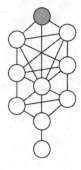

I Serafini splendono, divampano. Il loro nome in ebraico significa «incendi», e sono al vertice dell'Albero della Vita, all'estremo confine con quell'infinito dove non vi è nulla che non sia Dio. Là i Serafini appaiono, secondo la tradizione, come bagliori violetti nel buio (a ogni Coro angelico viene associato un particolare colore) e ciò che arde in loro è la Volontà, ovvero il primo principio della creazione. Dio diede inizio all'universo perché lo volle, e da allora vi è in ogni essere vivente una scintilla di quella stessa facoltà di volere, che crea il mondo in cui quell'essere vive. Anche tu vuoi tutto ciò che vedi e tutto ciò che ti avviene; vuoi te stesso così come sei; tu vuoi anche tutto ciò che ti impedisce di essere diversamente: e, proprio come un incendio, il tuo volere illumina e consuma la realtà, trasformandola, per te, in quell'energia che hai voluto. È il principale mistero; poche sono le menti in grado di sfiorarlo senza smarrirvisi subito: ed è sfiorare la sostanza stessa di cui l'anima è costituita. Questa sostanza è ciò che comincia a muoversi nella sfera violetta dei Serafini – il colore del cielo all'aurora – e da lì intraprende il cammino che, attraversando le otto sfere sottostanti, la porterà a nascere alla fine in un corpo. Alcuni ricevono proprio qui, all'inizio, l'impronta principale della loro natura: sono appunto i nati nelle prime settimane della primavera. In loro quel mistero cerca inquietamente espressione, quella Volontà dell'anima preme nell'io, ed è sempre a un passo soltanto (che essi se ne accorgano o no) dall'incendiare la coscienza e trasformarsi in potere.

Nella Parte prima del libro vengono indicate, accanto al Nome di ciascun Angelo, le prime tre lettere, quelle fondamentali per l'interpretazione; e vi aggiungo una delle loro possibili decifrazioni, la più suggestiva tra le molte che ciascun Nome può avere.

1
Wehewuyah
waw-he-waw

«La mia energia trova limiti intorno»

Dal 21 al 26 marzo

I PROTETTI di questo primo Serafino somigliano a giganti che per romanticismo abbiano deciso di abitare tra gli uomini, di adattarsi al nostro mondo, in cui tutto è, per loro, troppo piccolo e, qua e là, anche troppo complicato. Le due *waw*, nel Nome, raffigurano appunto gli intralci, le limitazioni che la loro vasta energia incontra ovunque; e la *he* rappresenta la loro anima, che sarebbe tanto felice di superare quelle limitazioni trasformandole nel contrario: in brillanti vittorie, in trionfali fatiche d'Ercole, che attirino sui Wehewuyah gli sguardi ammirati di quante più persone possibile. Ci riescono, spesso, e in ogni caso un Wehewuyah non mette all'opera le sue numerosissime qualità se non quando gli si profila la possibilità di riuscire in qualche impresa particolarmente difficile, dinanzi alla quale altri abbiano arretrato – sia che si tratti di idee d'avanguardia, di audaci ideali da difendere, di record da battere, o di conquistare il cuore delle masse o magari quello della più bella o del più bello del quartiere. Allora diviene veramente se stesso, quel gigante che è, e si convince di non vivere invano.

Viceversa, non è raro il caso che qualcuno di questi giganti resti fermo, bloccato da quelle due *waw* in qualche periodo della vita; e ciò può avvenire per due ragioni: o perché, semplicemente, non vede attorno a sé nessuna occasione abbastanza ambiziosa, oppure perché qualcuno vuol mettere in dubbio la sua superiorità, e costringerlo a una gara. Il Wehewuyah detesta infatti la concorrenza: sente, sa di essere il più grande in ogni senso, e non può ammettere rivali. Perciò si trovano così pochi atleti, in questi giorni di marzo; perciò i Wehewuyah si trovano talmente a disagio negli uffici, nei lavori di squadra, o dovunque debbano stare in guardia da maneggi e colpi bassi di colleghi che si ritengono o vorrebbero essere pari a loro: preferiscono semmai farsi da parte, più o meno cupamente – o magari tragicamente, come il pilota Ayrton Senna, che proprio *le gare* avevano evidentemente stremato.

Svettano invece là dove possono sentirsi protagonisti assoluti e isolati, giganti davvero: su un palcoscenico, su un podio, come Toscanini, Dario Fo, Mina, Battiato o Elton John; o nel loro laboratorio di artisti intenti a imprese maestose, come il regista David Lean; o come specialisti e scopritori di campi esclusivi, a cui si sentano congiunti da speciali ispirazioni, predestinazioni quasi: come Akira Kurosawa lo era al mondo degli antichi samurai, che raffigurava appassionatamente nei suoi film.

Tanto più essenziale sarà dunque, per loro, una massiccia fiducia in se stessi e soprattutto nella propria vocazione – appunto perché questa potrà facilmente apparire, all'inizio, inusitata ed eccessiva. Se invece (il loro Angelo non voglia!) dovessero lasciarsi scoraggiare, li attende un senso di solitudine e di frustrazione tanto gigantesco quanto i risultati che avrebbero ottenuto se avessero osato. In questa evenienza, il Wehewuyah sconfitto dalla vita abbia almeno l'accortezza di trovarsi un hobby esaltante, il più possibile originale, in cui trionfare, solitario e ineguagliabile, almeno nei weekend.

Anche quando conquistano il successo, d'altronde, i Wehewuyah tendono a incappare, presto o tardi, in una serie di problemi caratteristici, che si potrebbero descrivere come una vera e propria «sindrome del gigante». Da un lato, possono cadere nell'egocentrismo e nella vanità – che in loro è spesso massiccia, imperturbabile, mai sfiorata da un lampo di autoironia. Dall'altro, può afferrarli il terrore di perdere, con l'età, la posizione privilegiata che hanno saputo conquistarsi: e nel tentativo di placarlo possono diventare dispotici, estremamente suscettibili, ostili a chiunque manifesti doti che in futuro potrebbero rubar loro la scena. E si nasconde qui, molto in profondità, la loro vecchia voglia di superare i limiti: anche il successo può apparire loro come una limitazione, un ruolo troppo stretto; il loro cuore di titani avrebbe il segretissimo impulso a liberarsene... e *proiettano* questo impulso su altri, vedendoli come minacce, e sentendosi in stato d'assedio.

Per evitare questa sindrome, farebbero bene a sviluppare le loro capacità di introspezione, di autocritica. Invece, spesso i Wehewuyah fanno esattamente l'opposto: diventano ottusi, non colgono più i segnali di insofferenza che provengono sia da loro stessi, sia da coloro con cui vivono e lavorano: perciò è altamente probabile che siano vittime di tradimenti nella carriera e nelle amicizie, o di adulteri nel matrimonio – che li lasciano a lungo doloranti.

Altro consiglio importante: i protetti di questo primo Serafino tengano in dovuta considerazione la loro robusta carica aggressiva che, se può tornare utile nelle fatiche per ottenere il successo, difficilmente riesce a trovare un'adeguata applicazione nei rapporti famigliari e sociali. A lungo andare, quell'aggressività repressa finisce per diventare un vero e proprio potenziale di violenza, da cui i Wehewuyah avranno spesso la sensazione di *trattenersi* – e ciò li innervosirà e li stancherà enormemente, a volte sembrerà addirittura intontirli. Sarebbe invece facilissimo rimediare a questo inconveniente: dopo aver dato per qualche giorno il massimo nella loro professione, basterebbe che si sfogassero in qualche sport impegnativo: un'oretta di kickboxing o di wushu, e invece che sfiniti, rientrerebbero a casa lucidi, in pace con il mondo e più irresistibili che mai.

2
Yeliy'el
yod-lamed-yod

«Io mi elevo tra coloro che vedono»

Dal 26 al 31 marzo

TRA i molti significati del Nome di quest'Angelo vi è anche «io mi faccio udire (in ebraico: *yel*) nell'assemblea riunita (in ebraico: *liyi*)», ed è un altro modo di descrivere il compito che gli Yeliy'el si sono dati nel venire al mondo: ovvero *essere il capo*, o meglio ancora essere la testa pensante nel gruppo di cui fanno parte, piccolo o grande che sia. In un certo senso lo sono anche rispetto a se stessi: avvertono la testa come la parte di gran lunga più importante del loro corpo, poiché si identificano cioè con la propria intelligenza e considerano le emozioni, gli istinti e i sentimenti, se non proprio come inevitabili inconvenienti, perlomeno come un insieme di fattori ai quali imporre dall'alto una ferrea guida. Troviamo così, tra i filosofi Yeliy'el, Cartesio, con il suo yelielianissimo motto «*Cogito ergo sum*», per cui l'essere e il pensare divengono, appunto, tutt'uno.

Nei loro rapporti con gli altri, la loro carriera di capi o guide o maestri non incontra generalmente alcun ostacolo: sono talmente razionali, metodici, cauti, lucidi, logici, che chi li circonda non può non accorgersi di quanto sia utile poter contare su tipi come loro, capaci di parlare chiarissimo e di illuminare in ogni circostanza ciò che non tutti gli altri sanno vedere. Diverranno automaticamente leader, e non per ambizione (l'ambizione è una smania emotiva, e gli Yeliy'el non se ne lasciano certo dominare) ma perché semplicemente è giusto e ragionevole che sia così. Non per nulla, fu unoYeliy'el Paul Verlaine, acclamato «principe dei poeti» della sua epoca, che gioiva nell'elencare anche in versi le norme che a suo parere andavano ragionevolmente rispettate per scrivere come si deve.

Certo, con questa loro vocazione all'autorevolezza, all'altezza del pensiero, gli Yeliy'el non potranno che guardare dall'alto in basso i modi in cui vive l'altra gente, più o meno smarrita sempre nelle foschie emotivo-sentimental-istintuali. Inutile nascondere l'evidenza: l'umanità si divide nettamente in esseri superiori e in esseri inferiori, e ogni Yeliy'el sa perfettamente, e senza la benché minima vanità, di essere tra i primi; avvertirà dunque il bisogno di comportarsi di conseguenza, in tutto e per tutto. La sua casa, le sue abitudini, le sue aspirazioni, i suoi gusti dovranno essere diversi e più raffinati di quelli della maggioranza: tutto ciò che è suo avrà i tratti dell'esclusività – dal linguaggio, agli abiti, alle tendenze sessuali. E solo quando avrà ottemperato a queste sue esigenze si sentirà perfettamente realizzato. Un illustre esempio di tale finezza lo diede la Yeliy'el santa Teresa d'Avila, che per decenni analizzò con razionalità estrema nientemeno che il processo e i massimi gradi del più aristocratico dei piaceri, l'estasi – con la dovuta attenzione anche per le sue implicazioni erotiche, naturalmente preziosissime ed estremamente originali.

Se non scelgono di diventare mistici, filosofi o poeti, gli Yeliy'el potranno ritrovarsi a loro agio nell'insegnamento (meglio se negli ordini di scuola superiori), o ai vertici di qualche società (meglio quelle connesse con la tecnologia più avanzata o con la cultura), presidenti, più che manager; o anche pianificatori, architetti e ingegneri; oppure, in caso di personalità particolarmente estroverse, eccelleranno in qualche movimento popolare o nella gerarchia religiosa, sospinti sempre più in alto dall'ammirazione e dalla fiducia dei più.

Ma questo loro primato della testa può anche implicare qualche aspetto burrascoso. A forza di ricondurre tutto alla sfera dell'intelligenza, avviene infatti che il loro animo, e soprattutto il corpo, avvertano una nostalgia, anche angosciosa talvolta, delle emozioni forti. Buona parte degli Yeliy'el sanno tenersi saldi al di qua di queste ultime, ben arroccati nel proprio realismo, da un lato, e anche nel timore del ridicolo, dall'altro. Ma molti non resistono alla tentazione, e si cercano passatempi spericolati (dall'alpinismo estremo ai rally nel deserto), o esplorano qualche perversione, oppure, nel peggiore dei casi, dopo essersi troppo a lungo limitati, precipitano in qualche tempestosa zona d'ombra da cui si sentono attratti come da un vortice. Fu per esempio il caso dello scrittore russo Nikolaj Gogol', che in una crisi mistica si abbandonò all'anoressia e ne morì; o di Van Gogh, che poco prima di suicidarsi si amputò un orecchio: disperato gesto yelieliano, ingiuria al corpo e al tempo stesso duello tra la sofferenza fisica e la mente che la contempla gelida, feroce, mentre se la infligge. E non si conosce la data esatta di nascita di quel padre della Chiesa, Origene, celebre oratore alessandrino, che attorno al 330 si evirò perché l'istinto non turbasse più la sua saggezza: ma sarei pronto a scommettere che venne al mondo anche lui verso la fine di marzo.

È buona regola, per gli Yeliy'el, saper compensare il predominio della razionalità prima che si profili il rischio di simili eccessi. Più saggio fu, tra i nati in questi giorni, Goya: in tante sue opere seppe rendere omaggio a quei demoni che, diceva, «si destano non appena la ragione prende sonno»; li affrontò, li studiò, li raffigurò nei dettagli, esplorando le ombre della propria personalità come si esplora una miniera: la sua lucidità ne usciva, ogni volta, ritemprata, riequilibrata, e sempre più coraggiosa.

3

Ṣeyiṭa'el
samek-yod-tet

«Io guardo da dietro lo scudo, dal muro della fortezza»

Dal 1° al 5 aprile

PER chi crede ingenuamente nella reincarnazione, lo strano carattere dei Ṣeyiṭa'el ha una sola spiegazione possibile: sono anime rimaste legate a una loro vita di soldati risalente a qualche secolo fa, e nella nostra epoca si sentono a disagio. Avrebbero bisogno di disciplina ferrea, di ordini precisi a cui obbedire immancabilmente, di capi autentici da ammirare, e soprattutto di battaglie, di onesti scontri, possibilmente all'arma bianca, in cui resti spazio soltanto per il valore personale: e ai giorni nostri non è facile trovare nulla del genere.

Perciò sono spesso così cinici e chiusi in se stessi, delusi da tutto o quasi; ed è anche come se si crogiolassero nelle loro delusioni. Perciò possono detestare le autorità: perché le trovano troppo poco autorevoli! E soffrono acutamente quando qualche loro amico manca alla parola data (non si usava, ai tempi loro!). E in un modo o nell'altro finiscono sempre per trovarsi una professione o un hobby che abbia a che fare con il metallo: chirurghi, dentisti, parrucchieri, collezionisti d'armi, appassionati d'arti marziali... o con apparecchi che colgano un bersaglio: macchine fotografiche, microscopi e via dicendo. Come se davvero dovessero esprimere, anche negli oggetti d'uso, una profonda nostalgia per la guerra. Oppure realizzano, nel lavoro, il connubio tra obbedienza e voglia di trovarsi in prima linea: e diventano attori, politici al tempo stesso tradizionalisti e audaci (come Bismarck), o sindacalisti, o funzionari dell'ufficio reclami, o vigili, poliziotti, o sacerdoti battaglieri. E in questi ultimi casi, i loro superiori facciano attenzione: un Şeyiţa'el è sempre pronto a piantarli in asso sbattendo la porta, se noterà in loro troppe incertezze, o pigrizie, o un'eccessiva tendenza al compromesso. E magari prima di andarsene farà anche qualche memorabile scenata, con il tono magari del Şeyiţa'el Emile Zola, quando scriveva *J'accuse!*

C'entri o no qualche loro karma militare, sta di fatto che i Şeyiţa'el non sanno proprio rassegnarsi alle mezze misure della normale vita civile. Alle mezze obbedienze preferiscono la totale anarchia, il disadattamento addirittura, o l'eroismo: Şeyiţa'el, tra i protagonisti del cinema e dello spettacolo sono Toshiro Mifune, con tutti i suoi ruoli di magnifico samurai sempre solitario, e altri tipici *outsider* o tipi «fuori dal coro», come Lon Chaney, o il Marlon Brando di *Fronte del porto*, *Bulli e pupe*, *Gli Ammutinati del Bounty*, il Gregory Peck di *Moby Dick*, lo Spencer Tracy di *Capitani coraggiosi* e de *Il vecchio e il mare*; e Bette Davis, Anthony Perkins, Alec Guinness e Miguel Bosé nei suoi periodi trasgressivi. Tra i letterati, Giacomo Casanova è un Şeyiţa'el celeberrimo, con i suoi tanti talenti e le ancor più numerose tecniche d'assedio (di fortezze femminili, nel suo caso) eppure senza mai fissa dimora, come se gli fosse seccato mettere radici nel suo tempo o non avesse mai trovato un protettore veramente degno dei suoi servigi. Mentre quando in loro prevale la tenerezza, o un barlume di speranza di felicità, corrono fatalmente il rischio di assomigliare alla Sirenetta di Andersen – un Şeyiţa'el anche lui – che sulla terraferma si sentiva talmente disadattata.

Che possono fare? La maggior parte dei Şeyiţa'el decide, purtroppo, di elevare contro la vita quotidiana una barriera fatta di riserbo e di una discreta dose di bugie protettive. Si trincerano, tengono per sé soli le loro segrete nostalgie di un altrove più bello, e – come agenti segreti in missione – imparano a non dire nemmeno una parola che lasci intuire i loro veri stati d'animo. Altri si ribellano e cercano di produrre loro stessi quel che non trovano intorno: vogliono diventare capi, almeno in una cerchia ristretta (nella famiglia, per esempio, o in ufficio) per imporre lì i loro valori. Ma i risultati sono quasi sempre scoraggianti: Bismarck vi riuscì come cancelliere di Prussia, perché aveva sopra di sé il Kaiser, e dalla sua le tradizioni e le aspirazioni di un intero popolo storicamente nostalgico, ma i Şeyiṭa'el che tentano di diventare leader fai-da-te reggono difficilmente alla tensione, reagiscono malissimo a qualsiasi critica, non hanno la pazienza di indagare i sentimenti altrui, di chiedere ascolto, di adattarsi alle necessità e ai limiti di chi dovrebbe obbedirli.

Una linea di condotta più saggia e produttiva consisterebbe nell'andare semplicemente fieri della propria diversità: nel guardare più attentamente quel mondo contemporaneo a cui si sentono estranei, e nel dire ciò che vi vedono, mettendo a disposizione di tutti il loro punto di vista così originale. Ogni gruppo umano, piccolo o grande, ha talmente bisogno di punti di vista differenti da quelli soliti! Un Şeyiṭa'el è nato apposta per criticare, per scalfire certezze collettive, per richiamare coraggiosamente l'attenzione su valori fondamentali che si sono persi con il tempo: se avrà la generosità di farlo, qualunque sia la sua posizione nella società attuale, non potrà che essere utile a molti, e ne avrà in cambio la loro stima e gratitudine.

4

'Elamiyah
ayin-lamed-mem

«Al di là delle nebbie, io amplio gli orizzonti»

Dal 5 al 10 aprile

I PROTETTI di questo Serafino sono autentici veggenti: percepiscono sia il futuro, sia ciò che si nasconde nell'animo del loro prossimo. Se adoperassero questa dote ne ricaverebbero – e farebbero ricavare a chi li ascoltasse – notevoli vantaggi, tanto più che la loro specialità consiste nel cogliere gli aspetti più concreti, economici, finanziari, di tutto ciò che la loro veggenza può esplorare. Ma non sono bravi a farsi prendere sul serio: sia perché temono un po' questi loro poteri, sia perché temono ancor di più il successo, il clamore che susciterebbero; non per nulla, in ebraico *'elam* significa «scomparire».

E pensare che splendere sarebbe così bello e così facile, per loro: occorrerebbe soltanto che si lasciassero guidare dallo stupore (una sottile sensazione di sorpresa è, nella loro mente, il semplicissimo segnale di quel radar portentoso di cui dispongono dalla nascita), e che aggiungessero allo stupore un minimo di curiosità, di tensione dello sguardo interiore verso qualche obiettivo ben definito. In un attimo avrebbero tutte le risposte; ma non vogliono: si persuadono, spesso, che, venendosi a trovare sotto gli occhi di molti, non potrebbero più tener nascosto qualche aspetto della loro personalità, che a loro sembra troppo umile, insignificante; o peggio ancora: ipercritici come sono verso se stessi (è questo infatti il loro maggior difetto), credono che una qualsiasi dose di successo darebbe loro alla testa, e farebbe emergere in loro difetti assolutamente odiosi, come presunzione, insolenza, volgarità. Così, la maggioranza degli 'Elamiyah preferisce tarparsi, e va incontro alla dura sorte di chi rifiuta i propri doni straordinari: e inevitabilmente quei loro doni inutilizzati diventano per loro un impaccio, e frenano, come spiriti indignati, ogni altra carriera, costringendoli a esistenze mediocri, a ruoli sempre di secondo piano.

Non è un problema da poco, e quanto più lo si analizza, tanto più appare complicato. L'umiltà degli 'Elamiyah ha infatti ragioni anche più profonde, e inscindibili da quegli stessi loro poteri: si esprime in essa il caratteristico fastidio che gli individui spiritualmente più dotati provano nei riguardi di tutto ciò che è egocentrico. La loro veggenza deriva da una superiore altezza del loro animo, la loro attenzione per il concreto è una forma d'amore per la realtà terrena che vorrebbero migliorare, rendere più facile, per il bene altrui: e né in alto, dentro di loro, né in basso, nella dedizione agli altri, rimane alcuno spazio per il compiacimento o anche soltanto per il benessere di quell'involucro troppo stretto che è, per loro, il loro io. Non per nulla la tradizione vuole che proprio il 7 aprile cada il Natale di Buddha.

Che fare, dunque? Molti 'Elamiyah non riescono, per così dire, a essere all'altezza della loro stessa altezza: e vivono cupi, frustrati, lacerati tra il loro desiderio di nascondersi e la consapevolezza di valere molto, tra il disprezzo che avvertono verso se stessi e il sogno della stima che sentono di meritare. In queste condizioni, quando la loro veggenza preme e vuol emergere, si dedicano magari al gioco d'azzardo: e la loro invincibile repulsione per il trionfo non tarda a far loro scialacquare tutto quello che sono riusciti a vincere. Oppure la deviano verso le percezioni alterate dalle droghe – nel tentativo, si direbbe, più di placarla, o di giustificarla in qualche modo, che non di acutizzarla – e invece che veggenze hanno visioni: così fu per esempio per Baudelaire, disperatissimo, con l'oppio e l'hashish.

Altri trovano il modo di utilizzare le loro doti attraverso le arti visive: invece che nella veggenza, si impratichiscono nell'uso di obiettivi fotografici o cinematografici, e alcuni riescono a convogliare qui, davvero, il loro talento. Così è stato per il documentarista Folco Quilici, o per Francis Ford Coppola – che, tra l'altro, raffigurò ottimamente un tipico elamiano nel suo film *Tucker*, storia di un inventore ispirato, troppo profetico perché la sua epoca lo potesse ascoltare. Anche il giornalismo può piacere agli 'Elamiyah, purché naturalmente lo intendano come un modo di vedere e far vedere più in là, di cercare nelle e dietro le notizie ciò che i loro colleghi non sono ancora arrivati a scoprire: fu così per il più famoso giornalista della storia, l''Elamiyah Joseph Pulitzer; in Italia, è un 'Elamiah Eugenio Scalfari.

Ma i più felici sono quelli che, senza cercare compromessi con il loro presente e con le aspirazioni della stragrande maggioranza dei loro simili, si dedicano senz'altro all'altruismo: ad aiutare cioè i più deboli a vedere oltre le loro attuali condizioni. Ne ho conosciuto uno, anni fa, e lo ricordo con ammirazione: era un istruttore di giovani affetti dalla sindrome di Down. Insegnava loro a non temere il mondo delle persone sane – che era un aldilà, per loro – e faceva molti piccoli miracoli: i suoi allievi imparavano a scegliersi una professione, a non scoraggiarsi dei propri errori, a muoversi con sicurezza per le strade; e insegnare tutto ciò a quei ragazzi malati non è molto diverso dall'insegnare a persone sane la veggenza. Soprattutto, li educava a non aver paura dei propri successi e (davvero «il medico cura sempre se stesso») proprio aiutando altri a non intimidirsi di sé, il mio amico istruttore cessava di ritenere il suo io un luogo troppo stretto; era amato, popolare tra i colleghi e i genitori degli allievi, e irradiava un'armonia di cui raramente ho visto l'eguale.

5
Mahašiyah
mem-he-šin

«Io cerco gli orizzonti dello spirito e della conoscenza»

Dal 10 al 15 aprile

IL SENSO d'infinito nelle conversazioni dei personaggi del Mahašiyah Samuel Beckett, e la possanza e la solitudine di Conan il barbaro, nel film più celebre del Mahašiyah John Milius: ecco i due poli del mondo dei protetti di questo Serafino, individui tanto grandi quanto solitamente incompresi, e del tutto indifferenti, per di più, al fatto che i loro contemporanei li comprendano o meno.

Ciò che a loro interessa è sempre altrove, e molto lontano:

CLOV: Tu credi nella vita futura?
HAMM: La mia vita lo è sempre stata.

come fa dire appunto Beckett ai protagonisti di *Finale di partita*. Ed è perché i confini dell'animo mahasiano sono troppo ampi perché la realtà del nostro mondo possa occuparvi un posto di qualche rilievo. Li attrae semmai la mistica, la religione (meglio se una religione antica, che in nessun tempio si pratichi più); li attrae sempre la conoscenza, perché la loro mente è agile e ha appetiti vigorosi: ma per quanto vasta possa essere la loro erudizione, tenderà sempre a consistere di argomenti che all'atto pratico si rivelano del tutto inutili, astratti, dinanzi ai quali il loro interlocutore alzerà le sopracciglia, perplesso, a meno che naturalmente non sia un Mahašiyah lui pure.

E loro lo sanno bene. Perciò sembrano non avere alcun compito da svolgere, in questa vita; semplicemente si trovano un lavoro (o qualche animo buono glielo procura), ma non si curano che abbia qualcosa a che vedere con loro: rispettano l'orario, e nient'altro. Non colgono le occasioni che la vita offre loro, le guardano passare; sono insoddisfatti del loro matrimonio, e annoiati, per lo più, dalle loro amicizie, ma non se ne fanno un cruccio: hanno talmente tanta energia da poter sopportare qualsiasi cosa o persona, e con tutti appaiono generosi, tranquilli, tolleranti anche, salvo in quei casi in cui un non-Mahašiyah provi a imporre loro una qualche opinione troppo concreta, o peggio ancora a scuoterli da quel loro particolare modo di vivere. Allora reagiscono, si impuntano, e a questo mondo si contano sulla punta della dita le persone che potrebbero convincerli di avere torto.

Gli imprevisti, le tempeste, a volte, li smuovono. Di solito sono bravissimi a schivarle: così profondamente distanti da tutto, privi di ambizione, rapidi a rassegnarsi e a lasciar perdere, offrono ben poco bersaglio alle intemperanze del destino. Ma quando qualche ondata della vita li travolge, scoprono di avere tutte le doti necessarie a superare la prova: reggono al naufragio, aiutano chi vi è coinvolto con loro, sanno ricostruire quel che è crollato, e fare anche in modo che la situazione, alla fine, sia migliore di quella che era andata distrutta. Ma poi regolarmente ritornano alle loro abitudini astratte e introverse, così come un santo ritornerebbe alla sua ascesi dopo una breve tentazione: ancor più certi che la Terra non abbia nulla da offrire, né in bene né in male, che possa adattarsi ai loro gusti.

Con tutto ciò, una loro missione la svolgono, e di non poco conto: incarnano un punto di vista superiore dal quale considerare la nostra vita e ridimensionare ciò che noi – molto spesso – ci *sforziamo* di considerare importante, ed è invece secondario. Ai Mahašiyah preme soltanto l'ampiezza dell'animo e della mente: guardano disincantati le altre persone intente sempre a dibattersi tra rimorsi, rimpianti, preoccupazioni, obiettivi piccoli e grandi – e in tal modo arrivano a vederle molto meglio di quanto quelle persone abbiano mai visto se stesse (non per nulla fu un Mahašiyah il più celebre fotografo dell'Ottocento, Nadar). Possono sembrare un po' punk, ma in realtà i Mahašiyah sono filosofi nati, maestri di relatività, e ascoltarne attentamente non tanto le parole, quanto lo stato d'animo, l'interiore stabilità che attraverso le parole si esprime, è sempre benefico e rasserenante. Potrebbero essere ottimi insegnanti, analisti, se solo si convincessero che ne valga la pena, e avessero la pazienza di interessarsi alle descrizioni che gli altri danno dei propri problemi. Ma dato che questo non avviene pressoché mai, conviene semplicemente tenerseli cari, se capita di averli come amici, e ricorrere a loro nei momenti di stress, come a un antidoto o, mal che vada, a un calmante.

Quanto allo stress in cui possono incorrere loro, è di una sola natura: si verifica ogni volta che, per esperimento o per una qualche suggestione ricevuta, i Mahašiyah cominciano a voler vivere come gli altri, a porsi cioè qualche obiettivo preciso e a lottare per conquistarlo. Diventano allora i peggiori nemici di se stessi. Commettono errori insensati, trascurano tutti i dettagli che si riveleranno poi fondamentali, sprecano puntualmente le risorse che hanno destinate allo scopo, svendono o vogliono far pagare troppo cari i loro talenti. Ne deriva facilmente un disastro; e dopo il disastro un senso di frustrazione cocente; e con la frustrazione, una tempesta di disperazione e paura di sé e degli altri. Poi passa e, come sappiamo, dopo le loro tempeste i Mahašiyah si riprendono abbastanza in fretta e, contemplando il mondo da lontano e dall'alto, si domandano perché sia venuto loro in mente di fare tutta quella fatica. Non c'era motivo, infatti. Meglio che si considerino serenamente e incurabilmente sani-a-modo-loro, e si godano la loro dimensione esclusiva, come un bel promontorio sul fiume degli affanni altrui.

6
Lelehe'el
lamed-lamed-he

«Crescere, crescere sempre mi dà energia»

Dal 15 al 20 aprile

I Lelehe'el crescono, e sicuramente fanno crescere: questo è il loro compito. Si estendono, prendono, superano, desiderano e prendono ancora, sempre: non hanno neppure una direzione precisa – poiché la conquista, per loro, è una necessità insaziabile, senza altro scopo che non sia il conquistare stesso. Sono insomma come una fiamma (*lehav*, in ebraico) che cerca ovunque alimento, e dove ne trova divampa e si ingrandisce. Solo così i Lelehe'el riescono a essere veramente se stessi, e a portare nel mondo questa ventata di volontà onnivora. Non perdano tempo a domandarsi perché, né tantomeno se sia giusto o sbagliato; non troverebbero risposta, e non farebbero che intralciare quell'impetuosa forza della natura che in loro cerca espressione, felice di produrre sempre nuovi bisogni.

Se non si spaventano della loro stessa rapacità, possono diventare utilissimi: perfetti esempi di ottimismo, coraggio, e di fiducia in se stessi. I loro campi d'azione più congeniali sono quelli dell'Energia T: se si dedicano alla medicina, comunicano ai loro pazienti una carica straordinaria; se preferiscono invece il palcoscenico, diventano fatalmente divi o, meglio ancora, trascinatori di folle ipnotizzate dal loro impeto. Ma a loro questo non basterà; sono iperattivi, devono assolutamente trovare applicazione a una vera e propria folla di ottime qualità: il desiderio di conoscenza, l'abilità organizzativa, strategica, finanziaria, l'astuzia da lupi, il gusto della sfida, la concretezza, la chiarezza intellettuale, e il colpo d'occhio, che in loro si somma a una brillante capacità di pensare sempre in grande, di intuire quasi magicamente le passioni della loro epoca, e di usarle a proprio vantaggio. Faranno bene, perciò, trovarsi tre, quattro, cinque attività parallele (e avranno successo in tutte), oppure una professione multiforme, come quella del politico, dello scienziato, dell'inventore. Troviamo così tra i Lelehe'el, sia Adolf Hitler che Leonardo da Vinci: irresistibili entrambi, uno nella rapacità criminale, l'altro nella scoperta delle dinamiche del reale. Devono conquistare vette, non importa se nelle gerarchie o nella natura, purché la gente li veda e li ammiri (come potrebbero infatti sopportare di non essere notati?): ed ecco allora i perfetti Lelehe'el Lucrezia Borgia, o Ardito Desio, che scalò il K2, o William Wright, che inventò il volo a motore, o l'ambiziosissimo presidente e imperatore Napoleone III, o Charlie Chaplin, che attraverso il cinema conquistò le platee del mondo intero.

Naturalmente si sentono eroi – esclusivamente nel senso di eroi *acclamati* – e si prendono tremendamente sul serio. Possono ironizzare su tutto, ma non su se stessi: basta un'innocente presa in giro per farli diventare furiosi; possono relativizzare qualsiasi cosa, ma non il loro diritto (che per loro è un dovere) di imporsi all'attenzione generale. Capita facilmente che sembrino insensibili alle esigenze di chi vive accanto a loro: ma non hanno scelta, devono seguire gli impulsi del loro ben più esigente, affannoso destino, e non possono fermarsi né a dare spiegazioni, né tantomeno a chiedere permessi. I loro famigliari e amici possono solamente adorarli, se non vogliono perderli di vista; e i loro partner riusciranno a tenerli legati a sé soltanto incoraggiandoli a puntare sempre più in alto nel loro lavoro, e intanto rinnovandosi di continuo, mostrando sempre nuovi aspetti del proprio carattere, crescendo insomma insieme con loro. Viene in mente a questo proposito il matrimonio più felice di Chaplin, quello con Oona O'Neill, di trentasei anni più giovane di lui; con lei, l'attempato genio continuò a crescere ben oltre la fine della sua carriera, ritrovò adolescenza, poi giovinezza, e ridivenne ancora adulto quando anagraficamente era già vecchio. La loro unione fu un'ininterrotta crescita anche dal punto di vista aritmetico, dato che ne nacquero ben otto figli.

D'altra parte, ben poche persone riescono a frenare a lungo i Lelehe'el che abbiano cominciato a scoprire se stessi: può provarci soltanto qualcuno che li odi davvero. Costringerli a limitare la loro vitalità li farebbe soffrire troppo, scatenerebbe tragiche crisi depressive, si ammalerebbero o, invertendo l'effetto della loro Energia T, farebbero ammalare quelli che vivono accanto a loro. Ha gioco più facile chi, invece, decide di sfruttarli. Pur di essere protagonisti, infatti, i Lelehe'el sono disposti a tutto, anche a obbedire e addirittura ad asservirsi a chi offra loro possibilità di azione. Non è alla libertà che aspirano, ma alla riuscita: possono perciò trovarsi perfettamente a loro agio anche in un ambiente conservatore, in un regime o in un partito autoritario, o in un'azienda patriarcale, purché chi li circonda li stimi e si fidi di loro. Se si sentiranno adeguatamente utilizzati, non c'è neppure il rischio che la loro passione per le vette li spinga tutt'a un tratto a prendere il posto di chi li comanda: in fondo al cuore lo potrebbero desiderare, sì, ma tutto sommato preferiranno essere lodati come vice. Intuiscono, infatti, che una volta arrivati in cima si annoierebbero, non avendo altre mete a cui mirare, e che disponendo di troppo potere faticherebbero a controllare se stessi – come avvenne appunto a Hitler, che, divenuto dittatore, in pochi anni impazzì del tutto e cominciò a correre verso la rovina, o come avvenne a Joseph Ratzinger, che giunto al punto più alto della Chiesa cattolica decise d'un tratto di ridiscenderne. Meglio ministri che presidenti (D'Alema è nato il 21), meglio attori che produttori, meglio sognare sempre qualcos'altro più in là, piuttosto che guardare dall'alto altri sognatori che comincino a crescere più rapidamente di loro.

7
'Aka'ayah
alef-kaf-alef

«Ho due anime, e una contiene, domina, modella l'altra»

Dal 21 al 25 aprile

TUTTO, nella vita degli 'Aka'ayah, dipende dal modo in cui sapranno far fruttare il rapporto tra le due «anime» a cui allude il Nome del loro Angelo: una è di solito estroversa, gioiosa, creativa, e l'altra cupa, inerte, autodistruttiva. Tale rapporto è essenzialmente una costrizione reciproca (la *kaf* nel nome del loro Angelo) di queste due loro personalità, nel prevalere ora dell'una ora dell'altra; e ne consegue un perenne duello interiore, che impone precise e severe regole e fasi, delle quali i protetti di questo Serafino faranno bene ad accorgersi al più presto.

Regola e fase n. 1: gli 'Aka'ayah riescono soltanto nelle imprese difficili. La tensione tra le loro due «anime» – come tra due poli di una pila – produce infatti troppa energia perché possano accontentarsi di mansioni ordinarie. Se, perciò, si scelgono un'attività tranquilla, la renderanno complicata; nei periodi in cui tutto va bene, creeranno essi stessi problemi, per usare quell'energia.

Regola e fase n. 2: la loro energia è talmente grande che, una volta ottenuto un qualsiasi successo, non sanno né premiarsi né riposarsi: la loro «anima» estroversa li spingerà a proseguire fino all'eccesso, e allo sfinimento; e a quel punto sarà l'altra «anima» ad assumere il loro controllo e a farli precipitare regolarmente in uno stato di deprimentissima abulia.

Regola e fase n. 3, la più difficile: *devono* sprofondarsi in questa depressione, accettarla, lasciarsene dominare; se invece cercano di resisterle, non faranno che prolungarla; se vi si abbandonano, sarà come il letargo dei plantigradi, che li ritempra, li rinnova.

Regola e fase n. 4, decisiva: tale letargo termina d'un tratto, e da un giorno all'altro gli 'Aka'ayah si riscoprono attivi, carichi di energia e di uno slancio tutto particolare, concentrato, introverso, fatto per lo studio, la riflessione, e per l'accurata preparazione d'imprese ancor più difficili e ambiziose di quelle che hanno già realizzate. Quanto più determinati e pazienti gli 'Aka'ayah saranno in questa fase, tanto più grandi saranno i successi che di lì a poco sapranno conquistarsi – per poi naturalmente esaurirsi di nuovo e ripiombare nel letargo, e così via per sempre.

Questo ciclo d'esperienze si ripete ininterrottamente nella loro vita, dall'infanzia fino alla profonda vecchiaia, plasmando nelle sue fasi giornate, mesi e anni con ritmi ogni volta diversi, a seconda di come gli 'Aka'ayah ne assecondano o ne intralciano il procedere. Può diventare la loro principale fortuna: non è da tutti poter disporre così infallibilmente di un periodo di reintegrazione delle energie, come una catapulta che venga tesa e caricata, per poi scattare! Oppure può essere la causa delle loro maggiori disgrazie: se infatti un 'Aka'ayah commettesse l'errore di legarsi a qualcuno o a qualcosa (a un lavoro fisso, poniamo) proprio durante il suo periodo depressivo, si legherebbe non soltanto a quel qualcosa e a quel qualcuno ma anche alla depressione stessa, e ne rimarrebbe prigioniero fino a che non riuscisse a spezzare gli impegni presi allora. Se viceversa credesse di essere veramente se stesso soltanto nei periodi di maggiore slancio, l'improvviso, irresistibile arrivo del letargo lo troverebbe impreparato e lo getterebbe in una superflua disperazione. Attenzione dunque: questi esseri bifronti devono imparare a conoscere entrambi i propri aspetti, l'attivo e il passivo, a coglierne le alternanze e a pilotarle con saggezza.

Sarà prudente, a tale scopo, evitare senz'altro le professioni impiegatizie, e in genere tutte quelle che richiedono una continuità nel rendimento. La personalità degli 'Aka'ayah non riuscirebbe, infatti, a reggere a un'esistenza più o meno uguale ogni giorno: hanno *bisogno* delle loro lunghe pause, poi di periodi tutt'a un tratto entusiasmanti. Non solo: sia nei momenti peggiori della fase letargica, sia nel successivo periodo di concentrazione, capita che cambino profondamente, che compiano scoperte per loro fondamentali, dopo le quali appare loro impossibile continuare a vivere come prima. Li anima, anche, il desiderio di comunicare tali scoperte, oltre che di esprimere, raccontare in qualche modo le tensioni del loro strano destino: e ciò li aiuta spesso a diventare grandi artisti. Abbiamo così, tra gli 'Aka'ayah, nientemeno che William Shakespeare, e anche Vladìmir Nabokov (il cui romanzo *Lolita*, con il lungo duello tra i due nemici antitetici Humbert Humbert e Claire Quilty è un vero e proprio manifesto akayano); e poi una vera folla di star: Jack Nicholson, Anthony Quinn, Silvana Mangano, Shirley MacLaine, Barbra Streisand, Al Pacino e il grande direttore della fotografia Gabriel Figueroa (d'altra parte, il ritmo del lavoro cinematografico, con le sue lunghe preparazioni e attese, e poi l'improvviso balzo del «Motore! Azione!» è consono alla più profonda indole degli 'Aka'ayah).

Inoltre sono portati alla filosofia, perché fin dall'adolescenza li agita, in quelle loro fasi, il desiderio di trovare il bandolo del perenne mutare del loro stato d'animo e del mondo attorno a loro; e quando diventano filosofi di professione, è impossibile non sorridere del loro akayanesimo, dell'impronta cioè che il loro Angelo dà alla loro immagine del mondo. Kant, per esempio, che cerca appassionatamente un punto fermo (l'intelletto, per lui) a cui ancorare le continue oscillazioni dell'uomo tra ragione e sentimento, e sul quale costruire principî d'azione finalmente categorici, universali, capaci di resistere, diremmo noi, in tutte quante le fasi akayane! Oppure Max Weber, che stabilì un diretto rapporto di causa-effetto tra il pessimismo calvinista e il successo economico – tra fase depressiva e conseguente slancio, insomma. E tra i filosofi della materia e della natura, gli scienziati, vi fu Guglielmo Marconi, che inventò – guarda caso – proprio la radio, per stabilire un collegamento fino ad allora inimmaginabile tra le due sponde dell'Atlantico: e anche qui si espresse, o meglio lo ispirò e lo guidò, io credo, il bisogno profondissimo di stabilire ponti tra i due opposti sistemi che da sempre aveva avvertito in se stesso.

È interessante notare l'alternarsi delle due «anime» akayane e delle loro fasi anche in famosi politici nati in questi giorni, come Cromwell e Lenin, dapprima tenutisi a lungo in ombra, e divenuti poi travolgenti protagonisti di rivoluzioni, e infine cupi tiranni, *kaf* personificate. Certo, per chiunque abiti con degli 'Aka'ayah, anche molto meno imperiosi di questi due, una notevole fase di stress e di pazienza è da mettere in conto, sia quando li si vede giacere disfatti e lamentosi, con lo sguardo fisso nel vuoto, sia quando sono talmente presi dall'attività da dimenticarsi di mangiare e dormire. Ma l'albero si giudica dai frutti, e così pure il giardiniere: e favorire, guidare, stimolare accortamente (e al momento giusto!) la fruttificazione di questi animi tutt'altro che noiosi può dare splendide soddisfazioni, a quei loro compagni che abbiano nervi saldi e cuore generoso.

8
Kahete'el
kaf-he-taw

«Io domino le energie che traboccano»

Dal 25 al 30 aprile

NACQUERO in questi giorni il duca di Wellington, che a Waterloo sconvolse gli ultimi sogni imperiali di Napoleone; ed Edward Gibbon, l'autore della monumentale *Storia del declino e della caduta dell'impero romano*; e Karl Kraus che, dopo aver criticato a lungo e ferocemente l'impero asburgico, ne descrisse la fine, ne *Gli ultimi giorni dell'umanità*. Per quanto diversissimi tra loro, tutti e tre esprimono egregiamente il principale talento dei Kahete'el, che è quello di individuare, smontare e possibilmente annientare persone, istituzioni o ideali sopravvalutati.

È un talento tanto prorompente che talvolta può volgersi contro loro stessi. Fu il caso del filosofo austriaco Ludwig Wittgenstein, tanto rigoroso, nel procedere del suo pensiero, da dar torto persino a se stesso: ripudiò infatti nella seconda parte della vita quel che aveva teorizzato nella prima. Oppure il dittatore iracheno Saddam Hussein, che partecipò al colpo di stato contro re Faysal II, e giunto ai vertici del potere si impegnò nello smantellamento delle antiche istituzioni islamiche; ma in seguito sopravvalutò talmente il proprio ruolo nella politica medio-orientale, che finì per distruggere se stesso e il piccolo impero personale che si era creato.

È bene che i Kahete'el si tutelino dagli eccessi di questo loro talento, che non esagerino cioè nel reprimere ciò può sembrare esagerato: finiscono, se no, per diventare gli oppressori di sé, i negatori di ogni propria ambizione. In gioventù sono solitamente affascinanti, brillanti, belli anche nel fisico, pieni di fiducia nel loro prossimo e ricambiati da eguale fiducia, complimentati, e tanto radiosi da dissolvere ogni forza ostile, visibile o invisibile, che possa trovarsi nel loro raggio d'azione. Ma a un certo punto, tutt'a un tratto, li sfiora il timore che tutto ciò sia troppo – e allora cominciano più o meno segretamente a scommettere contro se stessi, e riscuotono poi la vincita sotto forma di acida soddisfazione nel vedersi delusi: «Ecco, lo sapevo io, che non sarebbe durata!» diventa allora la loro frase tipica.

Attenzione dunque: tutte le volte che si scoprono a cullare il pensiero di una piccolissima felicità domestica, di un posto di lavoro sicuro ma subordinato, di vacanze banali, e sospirano pensando a come se ne staranno tranquilli in pensione, sappiano che quel talento repressivo sta agendo a loro danno, e restringe la loro visuale a *troppo poche pretese*. Ricordino che *kahah*, in ebraico, vuol dire sia «far diventare insignificante» sia «essere insignificante», e che il vero compito dei Kahete'el è evitare che ciò che ha poco valore pretenda di averne troppo, e non diffidare di tutto ciò che sembra aver troppo valore – e che magari ne ha.

Il guaio è che, quando persistono nel limitarsi a quel modo, sviluppano inevitabilmente un conformismo molto irritabile, pieno di sarcasmi rancorosi contro chiunque non lo condivida, e anche, peggio ancora, cominciano a praticare quella particolarissima ipocrisia che è tipica delle persone che si sono imposte di non sperare e non gioire mai, e soprattutto l'invidia – nei riguardi di chiunque vedano salire in alto, non importa in quale ambito. Se si considera che i Kahete'el amano esercitare un certo potere su chi li circonda, e sono generalmente dotati di una robusta abilità comunicativa, è facile capire quali ombre possano irradiare sugli animi altrui – sui partner, o soprattutto sui figli.

Come evitare questo rischio? Come sempre si fa con le proprie zone d'ombra: ascoltandole, intendendone la profonda ragione, che il più delle volte è in realtà nobilissima.

Come altri protetti dai Serafini, i Kahete'el si trovano fin dalla nascita in quel punto chiave della crescita spirituale in cui l'io comincia a detestare tutto ciò che è egoistico ed egocentrico

– e che a loro appare come il residuo di uno livello evolutivo vecchio, da lasciarsi alle spalle il più presto possibile. L'errore che possono commettere è quello di accanirsi troppo contro quel residuo, e di detestarlo in modo ossessivo. Guardino invece dalla parte opposta, in cerca di qualcosa di nuovo in cui valga la pena di credere: se lo trovano, possono divenire splendidi strumenti dell'evoluzione umana, con la loro capacità di annientare tutto ciò che non sia altrettanto nuovo e valido e pretenda soltanto di esserlo.

Prendano insomma a modello la fata di Cenerentola, che scornò e mise in ombra (*kahah*) le due sorellastre vanitose, ma aiutò la bella a uscire dall'ombra (dal *kahah*, di nuovo) e a diventare principessa.

Come educatori, allenatori, *talent-scout*, benefattori, promotori, i Kahete'el possono essere splendidi. Anche come politici sarebbero una benedizione. Tutto sta nella disponibilità dei Kahete'el a diventare innanzitutto la fata di Cenerentola di se stessi.

Cherubini

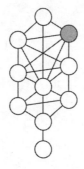

I Cherubini irrompono. Il loro nome significa in ebraico «Come una moltitudine» e fa pensare allo sgomento di un'invasione straniera. I colori in cui vengono immaginati sono indaco e viola con riflessi dorati, come nuvole di temporale: e sono i colori delle loro sei ali, nelle quali stanno avvolti per lo più, perché chi vedesse il vero volto di un Cherubino verrebbe immediatamente disintegrato dai raggi che ne emanano. Un'immensa potenza, ma pronta a scattare: di certo un grande shock per le anime che, uscite dalla sfera dei Serafini, devono attraversare questa, per temprarsi, nel loro viaggio verso la nascita. E di tanta potenza i nati nei giorni dei Cherubini portano profondamente impressa l'impronta: chi nei toni indaco di un'intelligenza inarrestabile; chi nel viola d'una straordinaria vastità intellettuale; chi nei lampi dorati d'una travolgente iperattività. «Riempiti le mani di carboni accesi in mezzo ai Cherubini, e spargili sulla città» viene detto a un profeta (Ezechiele 10,2): compito di tutti i cherubinici è infatti trasformare quella potenza in Sapienza, in luce da diffondere e far splendere nel mondo.

9
Hasiy'el
he-sain-yod

«La mia energia vitale coglie nel segno»

Dal 1° al 5 maggio

È UN Angelo dei Re, e ve ne sono altri due molto simili a lui: Fuwiy'el, in dicembre, e Yabamiyah, in marzo – con i quali il lettore potrà utilmente confrontarlo. E scoprirà che nel Cherubino Hasiy'el le qualità regali appaiono nel loro aspetto più luminoso e generoso: i suoi protetti si direbbero (per chi crede nella reincarnazione) reduci da cinque o sei vite da rajah, e perciò perfettamente sazi di ricchezza, successo, potere; indifferenti alla carriera, annoiati dalle competizioni, equilibrati, saggi e soprattutto espertissimi dell'animo umano, dotati di una tale capacità di autoconoscenza da essere immuni dalla ogni illusione su se stessi, e di conseguenza anche su chiunque altro.

È sufficiente, infatti, trascorrere anche soltanto un breve periodo in compagnia di un Hasiy'el conscio delle proprie doti, per accorgersi – più che mai – di come tutte le altre persone abbiano nella propria personalità qualche lato oscuro e cieco, nel quale e dal quale non si riesce a vedere nulla di attendibile; e in quei lati ci sono tanti punti deboli, paure, odî, fissazioni, che costituiscono non soltanto grandi freni ma anche grandi stimoli alla carriera. È come se la maggior parte degli sforzi di quelle persone per affermarsi nella vita fossero tentativi di sfuggire a quei lati oscuri, che invece li seguono come la loro ombra. Negli Hasiy'el, invece, non si trova nulla del genere: sono liberi e limpidi, fin dalla nascita sovrani al centro del loro mondo... e, sì, privi di obiettivi personali, ma per loro ciò non rappresenta un problema, dato che così come sono stanno benissimo.

L'unico serio errore che possano commettere è, semmai, di lasciarsi influenzare da qualcuno meno evoluto di loro. Si guardino bene, gli Hasiy'el, dall'ascoltare critiche e consigli! Il loro compito consiste proprio nel contrario: sono venuti al mondo per consigliare, e non vi è nessuno che sappia cogliere meglio di loro i difetti di un qualsiasi nostro progetto – le carenze, cioè, determinate dai nostri punti oscuri – e indicarci il modo per correggerli. Come re e regine (professioni, appunto, che non richiedono carriera) sarebbero perfetti: non sbaglierebbero nella scelta dei ministri, approverebbero le leggi migliori e aiuterebbero a modificare le altre, terrebbero nel giusto equilibrio tutte le forze del loro stato, e avrebbero anche – dono fondamentale per un monarca – la capacità di farsi amare e obbedire volentieri, per la naturalezza con cui saprebbero mostrare la propria indiscussa superiorità. Non per nulla furono Hasiy'el l'imperatore Giustiniano e Caterina II di Russia, tanto adorata dal suo *entourage* di consulenti intelligenti e arditi. Non fu re, ma fu un grandioso teorico del buon governo l'Hasiy'el Niccolò Machiavelli, che durante il suo modesto incarico di segretario di corte scrisse quelli che ancora oggi sono i più lucidi trattati sulla leadership. E l'Hasiy'el Karl Marx non era certamente monarchico, ma fu regalmente limpido e vasto nella filosofia della politica, della società e dell'economia.

Se non le temono, gli Hasiy'el possono trovare facilmente il modo di adoperare queste loro grandi doti anche in attività più consuete: possono per esempio essere dei Giustiniani o delle Caterine a casa propria, guidando saggiamente la propria famiglia; oppure dei Machiavelli in un'azienda di consulenza o di pubblicità (pur non sapendo fare carriera loro stessi, sono ottimi nel favorire l'ascesa di altri); o dei Marx nella scuola in cui insegnano. In genere non brillano per talento creativo, non sentono cioè alcun bisogno di ricorrere all'arte per indagare la propria anima e quelle altrui, dato che le sanno radiografare al primo colpo d'occhio: evitino perciò tranquillamente quel genere di ambizioni. Come conoscitori e critici delle arti, invece, sarebbero perfettamente a loro agio: se proprio vogliono scrivere, per esempio, meglio la saggistica che non la narrativa. Ma quel che più conta e brilla in loro, ovunque la sorte li abbia portati a lavorare, è l'atmosfera di fiducia, di sicurezza e serenità che sanno diffondere intorno: anche soltanto il fatto che non si sentano mai in concorrenza con nessuno (e come potrebbero? sono re!) garantisce loro una posizione centrale e irradiante, di cui e impossibile non accorgersi e non sentirsene affascinati.

Quanto agli svantaggi di quel loro orizzonte tanto sgombro, sono da cercarsi soprattutto negli affetti: come anche i protetti degli altri due Angeli dei Re, gli Hasiy'el non sono portati alla passione. Non è che non credano al grande amore, ma si sa: se non proprio cieco, l'amore è gravemente miope e ci guadagna a vedere solamente qualche dettaglio della persona amata, così da potersi inventare tutto il resto; gli Hasiy'el invece ci vedono benissimo, e insieme ai pregi individuano subito, in chiunque, gli inevitabili limiti e difetti. Possono quindi sognare, di tanto in tanto, il partner ideale, ma non lo trovano mai. Alcuni, quando hanno bisogno di esercitare il cuore, se la cavano provando a innamorarsi perdutamente di una persona che abiti lontano e che si possa incontrare solo di rado: la distanza, almeno per qualche tempo, ha il pregio di lasciare più libero corso all'immaginazione amorosa. Altri tentano la soluzione che scelse la grande Caterina: compensano cioè le carenze della qualità con la quantità delle persone amate, riempiendo molto il proprio *carnet*; ma a lungo andare è sconsigliabile, genera ansia, e obbliga alla menzogna, che agli Hasiy'el non piace. Meglio sarebbe, per loro, accantonare del tutto l'idea del grande amore, e scegliersi un compagno che da ogni punto di vista sia il più adatto possibile, agli occhi più della ragione e della prudenza che del cuore: e una volta scelto, prendersene cura e guidarlo, come un re farebbe con un primo ministro. Lo si potrà sempre licenziare, eventualmente, ed esaminare altre candidature.

10
'Aladiyah
alef-lamed-dalet

«Il mio potere cresce nel dare»

Dal 6 all'11 maggio

TRA i numerosi Angeli dell'Energia T, cioè dei medici e degli attori, questo Cherubino occupa un posto speciale. In primo luogo per l'abbondanza, per l'irruenza addirittura, con cui quella duplice energia si manifesta nei suoi protetti, quando accettano di usarla. Tra i medici, fu 'Aladiyah il più famoso professore del XX secolo: Sigmund Freud. Nello spettacolo, gli 'Aladiyah sono una fitta e luminosissima costellazione: Rodolfo Valentino, Gary Cooper, Fred Astaire, Orson Welles, Fernandel, Rossellini, Scola, Glenda Jackson... oltre a ipnotici e non meno famosi *showmen* della scena politica, come Robespierre ed Eva Perón. Importantissima nel Nome di questo Angelo è, evidentemente, la lettera *dalet* (ד) il geroglifico della generosità: a garantire la loro ascesa è, infatti, proprio la capacità di donare, di donarsi, di aprire tutto di sé agli altri, sia che si tratti dei recessi della propria psiche, come fu per Freud e per Welles, sia del proprio cuore, come fu per Evita in Argentina, sia di quella profonda dolcezza che riempiva il temperamento di Valentino, Cooper, Astaire, Fernandel, e che da loro fluiva inesauribile nell'anima del pubblico. Darsi, e trovare in se stessi che cosa dare, è veramente il loro compito e il loro insegnamento: e anche, naturalmente, individuare gli ostacoli a tale generosità, e il modo di eliminarli.

Quanto a individuare ostacoli *negli altri*, gli 'Aladiyah sono particolarmente bravi – ed è qui, soprattutto, che le loro doti terapeutiche e quelle teatrali mostrano la loro origine comune: come sappiamo, medici o attori, gli 'Aladiyah si sentono guidati a comprendere con straordinaria precisione le ragioni dei comportamenti altrui, e a risalire attraverso quelle alle cause dei conflitti e degli errori che, bloccando la vitalità, danneggiano lo spirito e la salute. Poi, curando o recitando, aiutano i loro pazienti o il loro pubblico a vedere indimenticabilmente quelle cause. Il che è già cominciare a guarire; un conflitto interiore, un blocco, quando ci viene mostrato cessa già di essere tale: si scorgono possibilità migliori e più grandi, al di là di esso, e ciò permette di liberarsene. Gli 'Aladiyah possiedono *dalla nascita* il segreto operativo di tale liberazione psicologica. La loro felicità è nell'accorgersene, adoperandolo per il loro prossimo.

Quando lo adoperano invece per se stessi, fanno più fatica. Curiosamente, ci mettono sempre molto tempo a capire che il loro ostacolo personale è uno solo, e semplicissimo: l'egoismo – l'accontentarsi cioè di quel che già si è, o di ciò che già si ha in un qualunque momento della vita, e il volerlo tenere per sé. Il loro impulso a crescere e a far crescere è come un fiume in piena: se lo si vuol fermare, provoca disastri. Guai, per esempio, a quegli 'Aladiyah che si innamorino dell'importanza che credono di aver conquistato: in breve tempo diventano sorprendentemente ottusi, cupi, insicuri; finiscono per cacciarsi loro stessi in inestricabili grovigli di conflitti ed errori; oppure si abbandonano a un senso di inutilità e di angoscia che li spingerà inevitabilmente allo spreco delle proprie ricchezze.

Per prevenire tutto ciò, va consigliato loro un modo di cautelarsi che per chiunque altro sarebbe paradossale: cercare – possibilmente come partner – una persona che ritengano molto superiore a se stessi, e dedicarle il meglio di ciò che hanno o fanno, in totale adesione. In una parola, stabilire una *dipendenza*. Suona orribile, certo: ma nel loro caso è il sistema più semplice e sicuro per dare e fare di più, per mantenere attiva, insomma, la loro *dalet*, la generosità. E solo a tale condizione, anche nella vita pubblica il loro talento continuerà a farli splendere e salire.

Gli 'Aladiyah, d'altra parte, sanno bene di avere questa tendenza a dipendere da qualcuno: fin dall'adolescenza la loro intensa affettività li spinge a sognare il grande amore come la cosa più importante della vita, e nessuno è più bravo di loro nello sgomentare un amante con eccessi di premure e di tenerezze. Gli amanti mediocri ne fuggiranno: poco male! Gli 'Aladiyah affineranno il modo di selezionarli. Con il tempo, ancor più che un compagno, cominceranno a cercare anche un superiore da ammirare e al quale, di nuovo, dedicarsi interamente, diventando fedeli e appassionati esecutori; poi magari vorranno un maestro spirituale a cui obbedire in tutto; fino a che non arriveranno a scoprire quel magnifico Eroe che in realtà esiste *dentro di loro*, e di cui tutte le persone che avevano adorate fino ad allora erano soltanto la proiezione.

La riuscita degli 'Aladiyah – in ogni campo della loro esistenza – è commisurata appunto a questi diversi gradi di dipendenza e al livello delle persone da cui decidono di dipendere (è del tutto normale, infatti, che gli 'Aladiyah dicano «Quando stavo con il tale...» o «Quando credevo nel tal'altro...») per indicare le tappe della propria evoluzione interiore: tanto più utile è che coltivino il più possibile il loro buon gusto, la loro cultura! Ciò che nell'ambiente in cui vivono è brutto o banale ha infatti il potere non soltanto di deprimerli, ma di influire pesantemente sulla scelta delle persone da idolatrare e del modo, anche, in cui idolatrarle: se, per esempio, la realtà circostante ha frustrato da troppo tempo la sua esigenza di bellezza esteriore e interiore, un 'Aladiyah può facilmente individuare, come suo ideale o guru, una persona di poco conto, e illudersi che sia splendida, e lasciarsene plagiare, nel generoso tentativo di adeguarsi al suo livello, pur di dare qualcosa di sé a qualcuno; oppure la banalità può intossicarlo a tal punto da fargli venerare semplicemente i personaggi alla moda, perdendosi così nel gruppo, nella massa, e finendo per dipendere soltanto da quest'ultima. Il peggio, in questi casi, è che l'intontimento, il conformismo e i cattivi modelli gli faranno perdere la voglia di essere se stesso, e di agire così come la sua Energia T esige da lui. E non verrà perdonato. Sappiamo che quell'Energia si vendica spietatamente quando non la si utilizza: comincerà con l'ipocondria e proseguirà producendo quelle stesse malattie del corpo o dell'anima che l''Aladiyah, se l'avesse usata, avrebbe potuto guarire.

11
La'awiyah
lamed-alef-waw

«Con le forze del cuore io supero i limiti»

Dall'11 al 16 maggio

QUESTO Angelo ha un gemello: il La'awiyah dell'11-16 giugno. È l'unico caso di parentela tanto stretta, nel Cielo qabbalistico. Un Nome identico – e dunque un'identica serie di funzioni – viene a trovarsi in due Cori diversi: qui, tra i poderosi, esplosivi Cherubini, e là, tra gli agilissimi, amorevoli Troni. Ma tra gli antichi era cosa nota; anche gli egizi e i greci vedevano una coppia di gemelli divini sul confine delle sfere più alte, e attribuivano loro lo stesso compito dei due La'awiyah ebraici: il pontificato, cioè *la costruzione e la custodia di ponti* tra il visibile e l'invisibile, tra Aldiqua e Aldilà. I greci li chiamarono *Dioskuroi*, «i fanciulli divini»: erano Castore e Polideuce, sempre vicini, benché il primo fosse mortale e dunque più vicino alla terra, e il secondo immortale e tutto celeste; per gli egizi erano i due figli del Dio supremo Ra: S'u, il dolce signore dell'aria, e Tefnut, simile a una fiamma che può d'un tratto divampare e sgomentare.

Il La'awiyah di maggio si direbbe più affine a Tefnut: la lettera *alef*, nel suo Nome, esprime soprattutto forza inesauribile, mentre nel La'wiyah di giugno l'*alef* è piuttosto un'immagine dell'intensità e profondità degli affetti. Ma le differenze tra i due sono meno importanti delle somiglianze, ed è bene leggere i due ritratti dei La'awiyah uno accanto all'altro: in qualche modo si integrano a vicenda, i doni che concedono possono essere colti e sviluppati dai protetti di entrambi, e anche i rischi che quei doni implicano sono i medesimi.

Il primo compito dei La'awiyah è accorgersi di come il loro io possa abitare solo in parte in quella che tutti chiamano realtà: i La'awiyah sono, sempre, anche altrove; la loro mente, i loro talenti e le loro aspirazioni appartengono in larga misura, appunto, all'Aldilà, a quel versante dell'universo, cioè, in cui tempo e spazio hanno altre leggi, e l'intuizione corre più rapida e fa scoprire cose strane. A un certo punto della loro vita (presto, per lo più) i La'awiyah potranno, per esempio, accorgersi tutt'a un tratto di sapere cose che non hanno mai imparato, o di ricordare avvenimenti che non hanno vissuto. E sarà solo l'inizio. Essenziale è che non se ne spaventino: che non si lascino imbrigliare dalle resistenze superstiziose con cui la maggior parte della gente si difende dalla soglia dell'invisibile, e comincino invece la scoperta di quei mondi meravigliosi, dove l'unico radar che funziona è l'immaginazione, e la creatività prende il posto della razionalità, attingendo conoscenze e potenzialità nuove e vertiginose.

Fino a che i La'awiyah non accettano questa loro dote e sorte di esploratori, la loro esistenza è monca: si sentono dei buoni a nulla, senza scopo e senza gioia, e con in più la perenne impressione di essere in ritardo, di essere attesi da qualche parte, da qualcuno che, chissà perché, non si fa mai vivo. Sognano e sospirano, così, un grande amore o un colpo di fortuna che non arrivano mai; oppure rimpiangono situazioni e figure perdute per sempre. Ma non è vero: *credono* di sognare e rimpiangere, e sono solo maschere della loro esitazione.

Non appena superano, invece, quella soglia tra Aldiqua e Aldilà, nella loro vita irrompe l'abbondanza, e in ogni senso. Può avvenire in molti modi, non è detto che debbano per forza studiare teologia o medianità: per alcuni il loro interesse per ciò che è oltre assume forme più concrete, e diventa magari un lavoro all'estero; o la passione per l'archeologia, o per la psicologia del profondo; oppure la scoperta della propria identità sessuale diversa; o una conversione a un'altra religione; o una carriera a teatro, dato che anche il palcoscenico divide il mondo in un versante visibile e in un altro nascosto dietro le quinte, e riservato solo ad alcuni.

Varcato uno qualsiasi di questi confini – che per loro sarà sempre più intenso di quanto appaia agli altri – i La'awiyah cominciano non soltanto a sentirsi liberi e interi, ma si ritrovano proprietari di splendide qualità *pratiche*, indispensabili per ottenere successo e per goderne: versatilità, intuito, fascino, grande voglia di lottare per affermarsi, allegria, coraggio e in particolar modo un'espansività, una luminosa capacità di provare amore per la gente e di comunicarlo apertamente. Perciò si contano, tra i La'awiyah, tante *vedette* clamorose: basti ricordare, in Italia, Gianni Boncompagni, Baglioni, Fiorello; e figure carismatiche nelle arti, come Monteverdi, Dante Gabriel Rossetti, Salvador Dalí, George Lucas...

Quando invece non osano, quelle che sarebbero state le loro ottime qualità si manifestano sotto forma di opprimenti difetti. Il La'awiyah che non ha passato il Confine è generalmente un invidioso, e detesta soprattutto le personalità creative; è irritabile, morbosamente orgoglioso, vanitoso, spesso bugiardo e cupo. Ha, in particolare, il pessimo vizio di scoraggiare chiunque gli chieda aiuto, e conosce modi molto sottili per farlo: gode, per esempio, nel non lodare chi lo merita e nel lodare invece qualcun altro; inutile dire che come genitore o come capoufficio sarà in grado di produrre danni enormi nei figli o nei dipendenti. È servile, anche, e pauroso. Diventa, insomma, un esempio particolarmente lampante (a suo modo utile, come avvertimento) di quanto sia triste aver sbagliato strada nella vita.

Vi è infine, nella tipologia dei La'awiyah, la figura intermedia: colui che ha cominciato a osare, ma non ancora abbastanza. Ne risulta un misto tra i due estremi, spesso temibile, con grandi doti per la riuscita personale e con qualcuno dei difetti che ho elencato, e che, con i primi successi, aumenta d'intensità. Invidia e vanità si trasformano allora in fulmini e tempeste: in colpi di testa, cioè, e in passioni improvvise e incontrollabili, amore o odio che siano. Può inalberarsi per un nonnulla, o buttare tutto al vento per inseguire una preda sessuale. Nei casi peggiori può abbandonarsi alla calunnia, o all'ambizione morbosa, nella quale il suo Ego si gonfia a dismisura, fino ad apparire a tutti insopportabile e ridicolo. Ma fortunatamente si tratta, spesso, soltanto di una fase di transizione, e quando questi La'awiyah approfondiscono la loro personale scoperta dell'Aldilà, tutto va a posto e la loro vita comincia davvero a splendere.

12
Haha'iyah
he-he-ayin

«La grande energia della mia anima si oppone agli inganni»

Dal 16 al 21 maggio

LA lettera *he* (ה) nell'alfabeto della Qabbalah simboleggia, come sappiamo, l'energia spirituale, e nel Nome di questo Cherubino è doppia: ovvero sovrabbondante. Ma ha accanto un *ayin* (ע), il geroglifico di tutto ciò che è pesante, ottuso, incerto come terra di palude: e ciò annuncia agli Haha'iyah una serie di rischi. Primo fra tutti, il pessimismo: molti nati in questi giorni sono certi di avere, nella vita, il compito di aprire strade in quell'*ayin*, di lottare cioè per la chiarezza, la verità, la giustizia, e di insegnare a desiderare la bellezza e la felicità; ma a un certo punto si sentono sconfortati, e finiscono per chiudersi in se stessi.

Si costringono, allora, a vivere come in stato d'assedio, in un apparente tentativo di conservare ciò che sono riusciti a ottenere, e in realtà soffrendo di un'incapacità – sempre più netta – di goderne. Non solo il mondo esterno sembra loro un posto troppo infido, in cui è inutile darsi da fare: ma l'*ayin* sembra penetrare anche nel loro animo, cominciano a sospettare cioè anche di se stessi, e ogni volta che provano un nuovo slancio, o hanno una nuova idea, si fermano troppo a lungo a domandarsi «Ma sarà vero ciò che provo? Non sparirà d'un tratto?» Così, per dubbi di questo genere, se si innamorano rimangono sempre al di qua della dichiarazione; se cominciano a dipingere o a scrivere poesie, diventano talmente critici verso se stessi da non portare a termine nulla.

Il guaio maggiore è che un'energia vasta come la loro non può accontentarsi di restare inattiva, o anche soltanto sulla difensiva;

se ristagna troppo, è facile che si volga contro se stessa e produca malessere: malattie complicate, disturbi del comportamento, o addirittura circostanze capricciosamente avverse – dato che le nostre energie spirituali hanno una notevole influenza anche sul destino, oltre che sulla mente e sul corpo.

È essenziale dunque che gli Haha'iyah si sforzino di opporsi sempre, con forza e fiduciosamente, a quelle paludi che altrimenti li inghiottirebbero. Fece bene l'Haha'iayh Giovanni Paolo II a mantenersi iperattivo fino alla fine: agiva, così, a vantaggio non soltanto della sua Chiesa, ma anche del proprio benessere interiore. E così anche Balzac, che nei suoi novanta romanzi (duemila e più personaggi) parve voler analizzare tutti i possibili aspetti dell'*ayin* nella società francese; e il presidente Lazaro Cardenas, nelle sue tante iniziative in e fuori dal Messico; e Frank Capra, con l'inesauribile e invincibile ottimismo dei suoi film: *La vita è meravigliosa*, *È arrivata la felicità*, *L'eterna illusione*, *A Pocketful of Miracles* (che in Italia divenne *Angeli con la pistola*), titoli-slogan da autentico Haha'iyah militante, che mette tutto l'eccesso delle sue *he* a disposizione del prossimo, e ne viene giustamente premiato.

Certo, con il veemente impulso di quelle *he*, non ci si potrà attendere da questi illuminatori una mente sottile, sensibile ai tanti risvolti delle vicende umane. Per loro sarà tutto «sì» o «no», un bene o un male – e, finché staranno andando all'assalto dell'*ayin*, tutto ciò giocherà certamente a loro favore, perché il bene sarà ai loro occhi ben più netto del male. Appena rallentano, invece, capiterà il contrario: l'incertezza, i dubbi, la sospettosità li porteranno a vedere il male circostante molto più significativo e molto più diffuso del bene, fino a far loro odiare gran parte dell'umanità, e sognare qualcuno che le imponga la ragione con la forza.

Qualcosa del genere si riscontra negli scatti aggressivi del filosofo Bertrand Russell, che tutt'a un tratto sostenne la necessità di un attacco nucleare contro l'Unione Sovietica, e poi fortunatamente cambiò idea; o del leader afroamericano Malcolm X, che per qualche tempo si impuntò a combattere non il razzismo ma, più brutalmente, i bianchi – e poi si ravvide, anche lui. Ma l'esempio più famoso di un Haha'iyah cupo fu certamente l'aya-tollah Khomeini, che da rivoluzionario oppositore del regime dello Shah si trasformò, negli ultimi, lunghi anni della sua vita, in un capo feroce. Non credeva, probabilmente, di fare il male del suo popolo; solo, il popolo aveva cominciato ad apparirgli tutt'a un tratto come l'*ayin* recalcitrante contro l'ideale – la doppia *he* – che lui aveva in cuore; e il pugno di ferro dovette sembrargli inevitabile.

Gli Haha'iyah evitino di cadere in un simile equivoco nella loro vita quotidiana, nella professione o in famiglia: imparino a considerarlo come una vera e propria malattia spirituale, a ri-conoscerne i primissimi sintomi e a prevenirlo, con un tenace allenamento all'ottimismo. Guardino al Nome del loro Angelo identificandosi con la *he* centrale, e pensando di dover scegliere, innanzitutto dentro di sé, tra le altre due lettere: a sinistra un'altra *he*, ovvero una prospettiva di crescita per la loro energia spiritua-le, e a destra la paludosa *ayin*, con tutti i suoi cattivi umori. Per-ché scegliere quest'ultima? Poi, estendano questo schema anche alle persone che frequentano: ce ne sono di luminose e di cupe, e si accorgano che è meglio scegliere quelle luminose e lasciar da parte i consigli delle altre. Poi si regolino allo stesso modo con tutte le situazioni che incontrano nella vita – e avverrà a loro come promette quel proverbio americano: *stay off the junk and you'll go far* (sta' lontano dalle pattumiere e andai lontano). In più, provino a pensare e a convincersi che qualcosa in loro *porti fortuna* agli altri, se loro stessi lo vogliono, come una bacchetta magica che agisca a comando: funziona, come metodo per conso-lidare il loro umore; e, con un po' di pratica, può anche diventare vero.

13
Yesale'el
yod-sain-lamed

«Il mio sguardo mira in alto»

Dal 21 al 26 maggio

TUTTI sanno, credo, che un maschio è un individuo che dispone di scarsa energia femminile e ha bisogno di donne per compensare questa carenza, mentre una donna è un individuo che dispone di scarsa energia maschile, e può compensare tale carenza frequentando maschi; ed è altrettanto risaputo che in un omosessuale o in una lesbica questi valori appaiono invece invertiti, e la compensazione può perciò avvenire solo grazie a chi appartenga al loro stesso sesso. Ma pochi sono al corrente del fatto che gli Yesale'el non rientrino in nessuna di queste categorie: il principale problema dei nati in questi giorni è dato infatti dalla compresenza, in ciascuno di loro, di caratteristiche psicologiche femminili e maschili perfettamente equilibrate, che costituiscono un'identità a sé stante, autosufficiente sul piano sessuale. Non che la cosa sia problematica di per sé, al contrario: appena trovano il coraggio di riconoscere questa loro esclusività, gli Yesale'el si accorgono anche dei molti vantaggi che essa comporta, del doppio punto di vista e soprattutto della *doppia energia* che dona loro. Ma quel coraggio è molto difficile da conquistare.

Troppo grande, troppo perfetto è quell'equilibrio, in un mondo in cui tutti i sessi sono in una condizione di squilibrio. E all'inizio, gli Yesale'el sono allarmati da se stessi: da adolescenti si sentono diversi dai loro coetanei o coetanee che cominciano a sognare l'anima gemella, o almeno un buon corpo altrui a cui aderire. Gli Yesale'el, poiché non avvertono bisogni del genere, temono si tratti di una loro carenza, e non sospettano che sia invece il contrario: che, cioè, essi abbiano già in se stessi ciò che gli altri stanno cercando intorno. E come potrebbero? Non si parla di loro in nessun corso di educazione sessuale, non esiste nemmeno il termine nel dizionario, per indicare la loro natura.

Perciò provano a uniformarsi, per non sentirsi esclusi. Fingono flirt e passioni, ma non ne deriva che infelicità; le loro emozioni, a forza di venir sforzate, si bloccano inevitabilmente, e gli amori che riescono a collezionare sono ansiosi e deludenti; il loro corpo finisce con l'esprimerne il disagio con vari disturbi psicosomatici, e anche il loro modo di vestire diventa sgradevole: artificioso o sciatto. Non vogliono piacersi, e si convincono di non poter piacere agli altri. Oppure (e questo è forse peggio ancora) riescono a fingere a lungo anche dinanzi a se stessi, finché al posto del loro «io» rimane soltanto un ruolo da difendere, e quel ruolo è un mosaico di pose e compulsioni che somigliano molto a una prigione.

Quanto dura questo supplizio? A volte anche fino ai trenta, ai quaranta. Altre volte, per sempre: ci sono Yesale'el che nemmeno davanti alle loro esperienze più deludenti si accorgono di quanto sarebbe semplice e ovvio trasformare ogni cosa. Basterebbe accettarsi. E non è affatto difficile. In pratica, non occorre altro che domandare al proprio cuore, riguardo a una qualsiasi cosa, «Mi piace questo?» e aspettare che la risposta prenda forma, senza ricorrere a frasi prese in prestito da altri. Quell'attesa è splendida. In essa gli Yesale'el cominciano a percepire davvero le loro due componenti, e nella loro mente una vastità in grado di accoglierle entrambe. E poi ancora: «Mi piace *davvero* quest'altra cosa? E quest'altra?» e di risposta in risposta il mondo comincia ad apparire loro completamente nuovo. La prigione di prima si dissolve, e quel che segue è quasi travolgente. Le vecchie preoccupazioni di identità sessuale e sentimentale rimangono indietro, situazioni che fino ad allora apparivano disastrose tornano alla mente soltanto come ricordi remoti, superati: lontanissima da quelli, comincia a manifestarsi invece un'incontenibile energia, una voglia di nuovi obiettivi, alti, ambiziosi, soprattutto nella professione. Gli Yesale'el scoprono allora di avere grandi e molteplici talenti, e in più un gran desiderio di mostrarsi, o di mostrare le loro opere, o di aiutare altri a mostrarsi. E allora hanno anche la sorte dalla loro parte: come per tutti coloro che si trovano in una fase di crescita, ha inizio anche per loro il «Chiedete e vi sarà dato» di cui parlano le Scritture. Imparano finalmente a desiderare (anche nel sesso, sviluppando una grande curiosità per tutti i suoi aspetti) e ogni loro autentico desiderio si materializza puntualmente, come se fosse stata una preveggenza. Possono così farsi strada, non importa in quale professione, purché sia una nella quale molte persone li vedano: è quasi una loro missione, dato che hanno qualcosa da comunicare, sentono di aver compiuto una scoperta che anche per gli altri sarà preziosa e bramano di esprimerla con tutto il proprio essere. E la scoperta è che si possono esplorare direzioni nuove dell'evoluzione umana, grazie a un diverso modo di intendere il principio femminile e maschile. Conoscere e amare gli altri (e di conseguenza se stessi) al di là dell'impulso sessuale: è forse poco? Gli equivoci e le lotte di potere che derivano dal sesso non sono forse una causa principale di diseguaglianza, di insincerità e di dolore nell'umanità?

Pochi Yesale'el, certo, arrivano a comprendere appieno questo loro compito, ma basta che ne abbiano una vaga intuizione, e già sentiranno destarsi in loro enormi energie. In coloro in cui ciò avviene si nota sempre un atteggiamento critico verso il modo in cui la maggioranza dei contemporanei intende la sessualità: Richard Wagner, per esempio, costruì nelle sue opere una vera e propria epica della purezza; la regina Vittoria impose a tutto l'impero inglese di escludere l'impulso sessuale dagli argomenti di conversazione; Bob Dylan, viceversa, si trovò perfettamente a suo agio nei movimenti giovanili americani, ansiosi di liberarsi dai tabù sessuali, cioè di togliere alla sessualità il suo valore determinante nei rapporti sociali e nella morale. E probabilmente anche a questo si riferivano i versi della sua canzone più famosa, *Blowin' in the wind*:

Yes, how many years can some people exist
Before they're allowed to be free?

Ed era Yesale'el anche Arthur Conan Doyle, l'autore del castissimo detective altrettanto abile nello smascherare che nel mascherarsi: yesalieliano dunque anche lui, con quella capacità di straniarsi dai ruoli che la società o il destino impongono.

Non è detto, d'altronde, che agli Yesale'el sia precluso l'amore-passione: lo trovano, puntualmente, quando hanno cominciato a scoprirsi; e ne verrà una magnifica unione di anime – meglio se con un altro Yesale'el o con i Miyhe'el del 18-22 novembre, la cui sensibilità è molto affine alla loro.

14
Mebahe'el
mem-bet-he

«Io comprendo come dare ordine alla vita»

Dal 27 al 31 maggio

Il senso di giustizia domina burrascosamente la vita dei Mebahe'el. Apre loro magnifiche carriere quando hanno il coraggio di lasciarsene guidare, e li punisce invece con durezza quando cercano di reprimerlo. Guai, dunque, se rimangono indifferenti quando vedono dei soprusi, o se ne subiscono senza reagire: le loro migliori energie li abbandonano rapidamente, il loro umore crolla, la loro attenzione si appanna, e l'infelicità comincia a prendere forme sempre più concrete nelle loro giornate. Ottimi, invece, sono i periodi in cui non solo difendono ciò che è giusto, ma approfondiscono questa loro vocazione cercando di comprendere che cosa sia veramente giusto o sbagliato nel mondo, e perché.

A loro, infatti, la questione apparirà sicuramente irrisolta: nelle leggi delle nazioni, i Mebahe'el vedono soltanto un'esigenza di giustizia ancora imperfetta, e che è urgente perfezionare. Inutile, perciò, che cerchino di placare il loro bisogno d'intervenire nei guai altrui facendo appello all'ordine costituito, o men che meno abbracciando una carriera nelle forze dell'ordine. Contrasterebbe con tale scelta anche il loro carattere esuberante, individualista, battagliero: esigono di essere al centro dell'attenzione, e non solo non sopportano a lungo un superiore, ma nulla dà loro maggiore soddisfazione del proclamare una qualche nuova idea di libertà, che sorpassi tutti i codici civili in uso. A ripercorrere, per esempio, il catalogo dei dannati e dei beati nella *Divina Com-*

media, con tutti quei castighi infernali di re e papi che – quell'e- poca – potevano venire in mente soltanto a un eretico, si capisce perché alcuni abbiano pensato proprio al 30 maggio, come proba- bile data di nascita di Dante Alighieri.

E si apprezza ancor di più la passione con cui Walt Whitman scrisse i suoi inni alla democrazia, e l'impegno con cui Isadora Duncan elaborò il suo nuovo tipo di danza per liberare l'espres- sione corporea dagli schemi accademici – che erano, prima di lei, un codice imprescindibile per stabilire ciò che è lecito o ille- cito sul palcoscenico.

E si intuisce quale forza dovette sentire in sé il Mebahe'el J.F. Kennedy nel pronunciare certi suoi slogan e frasi famosissime, come «*Ich bin ein Berliner*», con cui toglieva, in nome di una giustizia più alta, la condanna che dopo la Seconda guerra mon- diale pesava sul capo dei tedeschi.

Inoltre, siccome seguire il proprio Angelo, si sa, porta sem- pre nella direzione giusta e più luminosa, anche quando si trat- ta dei ruoli che un attore può sceglliersi, vediamo che fu proprio il personaggio del giustiziere freelance a determinare il succes- so dei Mebahe'el John Wayne e Clint Eastwood.

Certo, questo talento etico mebaheliano è un carico tutt'altro che lieve. È una perenne sfida, richiede potenti dosi di fiducia in se stessi, di determinazione e anche di sfrontatezza – ed è facile che i Mebahe'el esagerino, fino a sentirsi personalità eroiche, eccezionali *e perciò facilmente incomprese*. La loro passione per la giustizia diventa allora rancore e disprezzo per la gente, e si chiudono in se stessi, si deprimono. In alcuni Mebahe'el questa chiusura assume le forme di un perenne brontolio, con accessi di collera; in altri è una profonda, segreta insoddisfazione da Noè dilettanti, che sognano cinicamente un'arca solo per loro e il dilu- vio tutt'intorno.

In altri ancora può produrre una sorta di corto circuito nel loro senso di giustizia, e trasformarli d'un tratto in oppressori e truffatori, o in individui vili, come se si traviassero apposta per punire un mondo che a loro non piace: così dovette accadere alla Mebahe'el Mary Tudor, soprannominata Maria la Sanguinaria, che regnò feroce in Inghilterra verso la metà del Cinquecento. Ma, in questi casi, andrebbero talmente contro le energie del loro Angelo da incorrere – come appunto accadde alla regina Mary – in guai e infelicità disastrose.

Il miglior antidoto a questi eccessi del loro Ego va cercato nella considerevole riserva di umorismo di cui tutti i Mebahe'el sono provvisti. Se ancora non lo sanno, lo scoprano: non solo vi troveranno armi efficaci contro la mediocrità morale dei loro contemporanei, ma anche il modo di non prendersi tanto dolorosamente sul serio, e di individuare, anche, più agevolmente, ciò che in loro stessi contrasta con i loro ideali di giustizia – e a cui, nella foga di correggere gli altri, a volte non danno il necessario peso. I Mebahe'el ci guadagneranno a specializzarsi nell'ironia, come Gilbert K. Chesterton (anche lui un appassionato della giustizia e della verità), o come Yan Fleming, il cui famosissimo agente 007 (anche lui un giustiziere) presenta aspetti deliziosamente comici, sconosciuti, prima di lui, al genere del romanzo di spionaggio. O anche nella semplice comicità, come il dottor Patch Adams, che invece del male preferisce combattere le malattie con l'aiuto delle risate.

15
Hariy'el
he-reš-yod

«Io do forma concreta a un'immensa energia vitale»

Dal 1° al 6 giugno

GLI Hariy'el scoprono ben presto che nella loro vita vale una legge strana e spietata: ciò che a loro importa di più non va per il verso giusto.

Poniamo che nella vita di un Hariy'el i quattro punti cardinali verso i quali dirigere le sue aspirazioni siano il lavoro, la famiglia, gli ideali e gli svaghi. Ebbene, se deciderà che nulla è più importante del successo professionale, e vi si dedicherà anima e corpo, sappia che non funzionerà: incontrerà continui, fastidiosi intralci che ai suoi colleghi non capitano mai. Oppure potrà sacrificare tutto alla felicità domestica: e allora in casa avrà amarezze. O metterà al primo posto un ideale sociale o politico: e una serie di sconfitte lo scoraggeranno. A quel punto gli verrà magari in mente di buttare tutto all'aria, per imparare a godere soltanto della propria libertà individuale: ma presto dovrà lasciar perdere, perché proprio da quel versante cominceranno a venire guai.

È come se non potesse avviarsi verso uno di quei quattro punti cardinali, senza oscuri sensi di colpa o nostalgie o desideri nei riguardi degli altri tre facciano di tutto per trattenerlo.

Alcuni Hariy'el si arrendono: smettono di volere qualsiasi cosa, e o rimangono fermi, oppure si lasciano portare dal caso, un po' di qua, un po' di là, senza più aspettarsi nulla di preciso. Altri invece intuiscono, saggiamente, che la bussola dell'esistenza si aspetta da loro qualcosa di speciale, e che dietro a quei loro impacci si nasconde un enigma da risolvere. Ma è un enigma facile.

La giusta via degli Hariy'el consiste nel *sovrastare* tutte quante le direzioni: nel *non dare a nessuna maggior valore che alle altre*, e nel crescere invece in tutte contemporaneamente. Non per nulla, *har* in ebraico significa «montagna». Immaginino dunque se stessi come una vetta che sale, e che per non crollare richiede che tutte le sue pendici siano in armonia – non solo il lavoro, la famiglia, il tempo libero e l'impegno per un ideale, ma anche i rapporti con ogni altra circostanza e con tutti. Siano perennemente panoramici, poiché questa è la caratteristica essenziale del genio haraeliano: e non appena se ne accorgono, i nati in questi giorni vengono ricompensati con un fiorire di soddisfazioni in tutti i trecentosessanta gradi dell'orizzonte.

Naturalmente dovranno scegliersi, a questo scopo, professioni adeguate, il più possibile panoramiche anch'esse: dirigenti, organizzatori, specialisti in strategie (fu un Hariy'el il più famoso degli strateghi moderni, Carl von Clausewitz). Se li attrae l'erudizione, abbraccino con successo discipline ampie: meglio la filosofia della storia, che non la storia di qualche periodo; meglio la fisica teorica che non una specializzazione in qualche branca della chimica. Se li appassiona la psicologia, sapranno dedicarsi generosamente ai problemi di chiunque, senza mai smettere di imparare dall'osservazione e di sperimentare nuovi metodi. Se prevarrà in loro qualche talento artistico, saranno sicuramente versatili, sempre in cerca di forme espressive diverse – come Federico Garcia Lorca, che passava dall'ode, al romancero gitano, alla musica popolare, al teatro. Se invece dovessero essere d'indole più pigra (benché sia raro, per loro), una professione legata in qualche modo ai viaggi potrà fare al caso: per il gusto, se non altro, di vedere sempre nuovi paesaggi fuori dai finestrini dell'aereo. E a una superiore altezza devono imparare a trovarsi anche per ciò che riguarda i valori: in ogni circostanza diano prova di larghezza di vedute, cioè non sposino mai cause, non scendano a dar ragione a qualcuno – perché finirebbero ben presto nel vedere i torti di chi o di ciò che sostengono, come avvenne a Pancho Villa, ottimo condottiero ma incapace di seguire a lungo linee politiche altrui, come anche di proporne di sue: solo il caos, l'imprevedibilità della rivoluzione erano fatti per lui.

Il rischio è, naturalmente, che tale capacità-necessità di percorrere tante rotte contemporaneamente dia un po' alla testa agli Hariy'el, insinuando nella loro mente l'impressione di essere troppo al di sopra del resto dell'umanità. Può avvenire allora che tutti e quattro i punti cardinali vengano loro a noia, e che ogni cosa al mondo perda sapore. Non sopporteranno a lungo una simile situazione; cercheranno stimoli più forti; e finiranno con lo sbilanciarsi in quella che forse è la direzione per loro più pericolosa: l'affermazione della libertà personale. La storia ricorda vari Hariy'el rovinati da un eccesso del genere: Cagliostro e De Sade, per esempio, finiti entrambi in carcere per aver esagerato nel cercare nuovi stimoli, l'uno nell'accumulo di potere, l'altro in un senso d'onnipotenza. Una Hariy'el particolarmente tragica e commovente fu poi Marylin Monroe, la cui facilità ad annoiarsi finì con il rendere disperatamente soffocante anche la felicità, in tutte le direzioni della sua bussola.

Un altro pericolo, infine, che corrono soprattutto gli Hariy'el più fortunati ed evoluti, si profila quando provano a trarre dal loro specialissimo modo di vita regole che valgano anche per gli altri: quando cioè pretendono dai partner, dai figli, dagli allievi (o magari dal loro pubblico, se capita loro di averlo) una multilateralità simile alla loro. Personalmente, non conosco persone in grado di capire un Hariy'el che stia dicendo quello che pensa: il suo punto di vista è al tempo stesso troppo vasto e sottile, la sua mente troppo agile nel balzare da un punto all'altro dell'orizzonte. A scanso di delusioni, conviene dunque che questi cherubinici adottino un saggio equilibrio anche nel pretendere attenzione dagli altri: imparando a vedere dall'alto anche l'umanità intera, come suddivisa in tante valli, a ciascuna delle quali conviene dare soltanto ciò che lì può venire accolto, e non di più.

16
Haqamiyah
he-qof-mem

«La mia energia è compressa dall'orizzonte»

Dal 6 all'11 giugno

HAQAMAH, in ebraico, significa «fondazione di un grande edificio»: gli antichi, cioè, si raffiguravano questo Cherubino come il protettore di chi spiana, abbatte rocce e rovine, bonifica e scava il terreno per porvi le fondamenta di costruzioni ambiziose. E per intenderlo ancor meglio, occorre riflettere su ciò che l'edilizia monumentale rappresentava ai tempi delle piramidi: un'immensa fatica di molti, lavoro forzato ed estrema tensione degli architetti, che dovevano trasformare tonnellate di pietra in un'opera d'arte. Concorda pienamente con questa immagine la strana idea che venne all'Haqamiyah Pietro I di far costruire tutt'a un tratto un'intera metropoli, Pietroburgo, in un luogo occupato fino ad allora soltanto da paludi. In quella città, lo zar Pietro vedeva in qualche modo un monumento a se stesso, il simbolo dei suoi sforzi per domare e disciplinare la Russia intera e trasformarla da regno medievale in uno stato moderno, vincendo la resistenza di tutte le sue classi sociali – opprimendole anche, pur di raggiungere il suo scopo; e anche questo suo intento gigantesco era perfettamente haqamiano.

Cent'anni dopo la tecnologia fornì un altro simbolo eloquentissimo del Nome di quest'Angelo: la macchina a vapore, che l'Haqamiyah George Stephenson realizzò nel 1814. Anche lì un'energia venne forzata, compressa all'interno della caldaia fino a raggiungere la tremenda pressione, necessaria per spostare un treno lungo i binari – e fu l'inizio di un'epoca nuova, *come spes-*

so avviene con le invenzioni in cui si riflette ciò che l'inventore ha intuito, consapevolmente o no, della propria energia angelica.

Nella vita di tutti gli Haqamiyah la compressione, sotto forma di circostanze opprimenti, è infatti un elemento tanto inevitabile quanto (se sanno adoperarlo) prezioso: proprio perché permetterà alle loro vaste energie di concentrarsi, di precisarsi e di divenire straordinariamente efficaci. La compressione può venire esercitata, più o meno tremendamente, dalla famiglia, dall'ambiente in cui vivono o magari da un'intera società refrattaria e ostile a ciò che hanno da dire di nuovo: compito degli Haqamiyah è reagire *interiorizzando* la compressione stessa, imponendosi una disciplina e una concentrazione estrema, e trovando quella giusta valvola di sfogo attraverso la quale imprimere una spinta proprio alle circostanze che li opprimono dall'esterno – e in tal modo metterle in moto e cambiarle. Fu un perfetto Haqamiyah il poeta-romanziere-drammaturgo-storico-giornalista Aleksàndr Puškin, che nella sua breve vita svolse instancabilmente il ruolo di civilizzatore della letteratura russa, compresso non solo dal superlavoro ma dall'ostilità di molti, incluso lo zar Nicola I; e Thomas Mann, altro campione di superlavoro letterario, che riuscì a trasformare quel che di più prevedibile e opprimente poteva esservi ai suoi tempi in Europa – i valori della borghesia tedesca – in alimento di grandiose epopee narrative; e lo scrittore e giornalista Curzio Malaparte, che mise in atto quella compressione e autocompressione haqamiana nei suoi rapporti con le ideologie del suo tempo, il fascismo prima e il comunismo poi.

L'abilità che si richiede agli Haqamiyah è essenzialmente quella di *sapersi scegliere i propri oppressori*. La realtà circostante ne offrirà loro in abbondanza: sta a loro non accontentarsi dei primi che capitano e trovarsene qualcuno più degno e clamoroso, che stimoli la loro autocompressione ad aumentare in proporzione. Ne verranno lunghe ma entusiasmanti fatiche, e grandi cose. Evitino dunque di abbracciare le professioni tranquille, quelle che consistono di procedure fisse: generano un'oppressione troppo lieve, e un Haqamiyah negoziante o bancario non saprebbe come impiegare la propria energia e si sentirebbe disperatamente fuori luogo. Quale che sia la percentuale di rischio, sarà invece opportuno puntare su attività che richiedano decisioni, progetti, idee coraggiose, costanza e, naturalmente, un altissimo grado di responsabilità personale, e dunque una tensione tale da obbligare periodicamente gli Haqamiyah a far appello a tutte le proprie risorse. Quanto al settore da preferire, la scelta può essere amplissima: il talento haqamiano è onnivoro; e potranno anche cedere alla tentazione, tipica del segno dei Gemelli, di trovarsi più di un lavoro, oppure un lavoro completamente diverso ogni volta – purché garantisca loro uno stress ai limiti del sopportabile.

Infinitamente più insopportabile si rivelerebbe per loro il non aver osato, il non aver creduto in se stessi e nelle proprie capacità di resistenza. La modestia e la pavidità non fanno che incattivirli e avvelenarli: e troppo nobili, di solito, per dare ad altri la colpa delle proprie esitazioni, se la prendono ferocemente con se stessi, sprofondando negli umori più tetri. Purtroppo, quando non sanno trovare valvole produttive, anche la loro energia non ci mette molto a volgersi contro se stessa, e ad autocomprimersi sotto forma di malattie: allora cominciano a spianare, scavare, abbattere il loro stesso corpo o la mente, come se quelli fossero divenuti l'ostacolo di cui l'anima vuole liberarsi. È un loro grosso pericolo (gli Haqamiyah Robert Schumann e Judy Garland, Raul Gardini finirono appunto così), ma si può prevenire e curare sempre: occorre soltanto sapere che qualsiasi circostanza, esteriore o interiore, possa intralciare il loro cammino, non diverrà, per loro, che un dispositivo per aumentare lo slancio e precisarne la direzione. E se capita che di direzioni non se ne vedano, all'orizzonte, rimane sempre la soluzione che adottò tutt'a un tratto l'Haqamiyah Gauguin: vedere il proprio continente, tutt'intero, come la parete di un immenso carcere, e cercarne la libertà altrove – magari, come lui, a Tahiti, alla Dominica o in altri luoghi avventurosi.

Troni

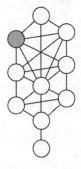

Sono gli Angeli dell'intelligenza, che distingue e analizza, e del pensiero, che deduce e intuisce. Si dice anche che tra i loro compiti vi sia pure quello di scegliere i genitori a ciascun'anima che deve nascere; è una splendida immagine dell'azione dell'intelletto, che di tutto ciò che esiste vuol scoprire l'origine e la dinamica. Il loro nome ebraico è *'Ofaniym*, che di solito viene tradotto «Ruote» – per esempio: «le Ruote stavano vicino ai Cherubini» (Ezechiele 10,9). Ma *'OF* ha anche altri significati: «avvolgere», «comprendere», «definire», «determinare»; se li si immaginò come «Ruote», fu soprattutto perché l'intelligenza e il pensiero, una volta messi in moto, non si lasciano fermare facilmente, e portano via, lontano. Anche per questo i Troni-Ruote vengono immaginati d'un colore grigio brillante: come il mercurio, il metallo fluido e vivo degli alchimisti, che assume forme e poi, dissolvendole, le supera sempre. Vedremo che anche i nati in queste settimane tendono a smuovere le opinioni di chi dà loro ascolto, portando disordine in ciò che pareva saldo o ovvio, e dimostrando che in realtà non lo era mai stato. Sono in tal senso agenti, al tempo stesso, della Provvidenza, della conoscenza, e di ciò che gli uomini chiamano libertà.

17

La'awiyah

lamed-alef-waw

«Attraverso l'*alef* io supero il confine»

Dall'11 al 16 giugno

SONO Angeli della Soglia tanto quanto i loro gemelli di maggio (vedi p. 45), ma decisamente i La'awiyah di giugno appaiono molto più teneri e generosi. Se cercano il successo, è soprattutto per il loro grande bisogno di essere amati: preferiscono sedurre, puntare dritto al cuore degli altri – a differenza dei La'awiyah cherubinici, che vogliono essere soprattutto ammirati.

La tecnica di seduzione che i nati in questi giorni usano più volentieri, consiste nel far scoprire alla persona corteggiata ciò che il suo cuore nasconde, i desideri, le possibilità, i poteri anche, che la sua mente ha scordato, o che trascura, o che teme. Sono infatti particolarmente dotati nell'esplorazione di qualsiasi tipo di *Aldilà*: dei segreti dell'animo, come anche delle dimensioni dell'inconscio, o dei mondi più o meno leggendari che antiche tradizioni collocano fuori dal visibile; e diventare guide in quei territori è per loro una vocazione talmente forte, da far pensare che in qualche modo i La'awiyah di giugno abbiano là la loro patria, e nel mondo consueto si sentano invece sempre un po' all'estero.

È questa vocazione a decidere la loro vita. Finché non se ne accorgono, sono soltanto un'ombra infelice di se stessi, inseguono miraggi e falliscono – o risultano banali – in tutto. Possono anche trascorrere decenni in questo grigiore, prima di vedere la Soglia e di restarne subito elettrizzati, e cominciare a splendere. Possono trovarla in tanti ambiti: nella mistica, nella psicologia, nello studio di culture lontane, nel teatro (c'è una Soglia potentissima, tra l'aldilà e l'aldiqua di un sipario), nell'esplorazione dei fondali dell'oceano o dello spazio cosmico, o magari in qualche attività clandestina. Ma ripeto: qualunque forma la Soglia assuma per loro, questi La'awiyah riescono a varcarla solamente *per amore*: o per amore di chi la supera con loro, allievo o maestro che sia, o per amore di ciò o di chi incontreranno al di là di essa. In questo, Dante Alighieri li rappresenta appieno, con il viaggio che poté intraprendere nell'Invisibile solo grazie all'affetto di Virgilio e alla profonda passione che lo legava a Beatrice. Ma anche Che Guevara, con il suo amore per Fidel Castro; e Stan Laurel, che solo accanto all'amico Oliver Hardy sapeva essere se stesso sul palcoscenico – e si noti che sia Dante, sia il Che, sia Laurel diedero il meglio di sé soltanto fuori dalla loro patria, cioè rispettivamente fuori da Firenze, dall'Argentina e dall'Inghilterra: l'emigrazione, il superare la Soglia dell'estero, per i La'awiyah è sempre una specie di potente rituale iniziatico.

È sempre per amore, del resto, che solitamente esitano a lungo prima di poter sconfinare. Sono trattenuti dai legami con chi e con ciò che amano nell'aldiqua; per tenerezza non vogliono deludere o contrariare nessuno. Devono smuoversi, invece; e poiché le persone che temono le Soglie sono sempre la maggioranza, è necessario che i La'awiyah imparino *a disobbedire* (*law*, in ebraico, vuol dire: «no!») ai modi di pensare più diffusi nel loro Paese d'origine. Non possono crescere altrimenti. E se all'inizio sembra loro difficilissimo, dopo qualche sforzo finiscono regolarmente con il prenderci gusto, e fanno spesso della disobbedienza uno dei principali motori del loro agire. Allora gioiscono nell'opporsi non solo a coloro da cui prima li legava una qualche dipendenza, ma anche nello sfidare qualsiasi luogo comune, o dogma, o limite che a tanti appaia indiscutibile: hanno una gran voglia di dimostrare *a tutti* che il mondo di cui i più si accontentano è troppo poco.

In questo li rappresentano bene sia l'oceanografo Jacques Cousteau, sia Alberto Sordi, con le sue feroci rappresentazioni della mediocrità italiana, sia W.B. Yeats, con la sua mistica, sia

Anna Frank – che a soli tredici anni, in piena occupazione nazista, scriveva il suo diario per un mondo più libero di quello che allora appariva come l'unico mondo possibile.

Spesso questa loro esigenza li costringe a un destino di *outsider*, o addirittura di clandestinità; ma ci sono La'awiyah che riescono a coordinare clandestinità e fedeltà alle istituzioni: come George H.W. Bush e Jurij Andròpov, che diressero a lungo i servizi segreti dei loro Paesi, cioè l'uno la CIA e l'altro il KGB – e furono così, al tempo stesso, al servizio della legge e aldilà dalle leggi consuete. E tra i protagonisti della Bibbia, la tradizione astrologica ebraica pone nel segno dei Gemelli il bellissimo Giuseppe, di cui narra la Genesi (capitoli 37-50): io non esiterei a collocarlo tra i La'awiyah di giugno; Giuseppe è infatti un tenero, un seduttore, viene condotto di forza all'estero, in Egitto, e lì dapprima è coccolato da tutti, poi viene a lungo incarcerato (a causa di una malevola nobildonna, a cui Giuseppe aveva detto di no), fino a che tutt'a un tratto fa una strabiliante carriera grazie alla sua capacità di interpretare i sogni, cioè di esplorare l'inconscio del Faraone, che comincia ad amarlo moltissimo e lo nomina viceré – carica nella quale Giuseppe si comportò poi sempre di testa sua. Altro bell'esempio di *outsider* (ed esule) che riuscì a integrarsi proprio grazie alle sue doti laawiane.

La storia di Giuseppe illustra anche uno dei tipici rischi dei La'awiyah: la tendenza a strafare con le loro capacità seduttive. Se amano troppo far innamorare possono ritrovarsi ingarbugliati in relazioni e conflitti spiacevolissimi, come appunto Giuseppe con la nobildonna egiziana; oppure può capitare che li si ritenga presuntuosi, vanitosi, arroganti – come avvenne a Giuseppe adolescente, quando tentò maldestramente di far colpo sui suoi rozzi fratelli.

Ma il pericolo più grande, per i La'awiyah di giugno, è che una volta conquistato il coraggio della disobbedienza, se lo lascino in qualche modo sfuggire. Allora è la fine. Può avvenire che comincino, senza accorgersene, a obbedire troppo a se stessi, al ruolo che si sono creati – e allora diventano ripetitivi e patetici. Oppure che si impiglino in obbedienze inconsce, cioè in superstizioni, compulsioni, fobie di cui è difficilissimo liberar-si. O infine, che semplicemente si dimentichino di essere ribelli per natura e si mettano a comandare in casa propria, il che a loro non porta mai bene: così fu per Bush, che come presidente degli Stati Uniti fece magre figure, e ancor di più per Andròpov, che quando venne nominato presidente dell'URSS resistette sei mesi soltanto, e poi improvvisamente morì.

18
Kaliy'el
kaf-lamed-yod

«Io sono più forte di ciò che gli altri vedono»

Dal 16 al 21 giugno

Gli inventori di Superman conoscevano l'angelologia? Tutto farebbe supporre di sì. La prima puntata apparve sul periodico *Action Comics* proprio nel giugno del 1938, e il vero nome del supereroe è, guarda caso, Calel. Non può essere una coincidenza, tanto più che le caratteristiche fondamentali dei Kaliy'el corrispondono appieno a quelle di Calel-Superman.

Proprio come lui, che è notoriamente originario di un remotissimo pianeta, anche i Kaliy'el si sentono, fin da adolescenti, individui speciali, indiscutibilmente superiori, come se appartenessero a qualche altra specie evolutissima (*kaliyl*, in ebraico, significa «perfetto in tutto»). Eppure sono lontani dall'idea di vantarsene: il loro animo è fondamentalmente gentile, mite, così come sa esserlo anche Calel quando veste i panni del timido giornalista Clark Kent. Inoltre, proprio come Calel-Kent, sono più che generosi: non c'è nulla che dia loro tanto piacere quanto l'aiutare persone in difficoltà. E hanno un irreprimibile senso di giustizia, che si esprime sia in una gran voglia di sfidare le persone malvage o false, sia in una personale esigenza di candore: qualsiasi loro atto o pensiero che contrasti con la loro coscienza, ha quasi lo stesso effetto della kryptonite per Superman, ovvero li manda in crisi, li annienta – e imparano perciò presto a schivarne il rischio. Infine, anche il gesto con cui Kent si strappa la camicia prima di decollare è caratteristico dei Kaliy'el: la prevedibilità li opprime, il lavoro dipendente li intossica, i ruoli, anche quelli famigliari (figli, coniugi eccetera), possono immobilizzarli soltanto temporaneamente. Devono davvero spiccare il volo ogni tanto, in tutti i settori della loro vita, e non è raro perciò che accumulino numerose professioni nel loro *curriculum*, o che ne scelgano una in cui, oltre ad avere ampia possibilità di intervenire a favore di altri, possano dar prova della loro esuberante versatilità, della loro capacità di reinventarsi ogni giorno le proprie mansioni. Medici e psicologi di pronto intervento, infermieri in situazioni di emergenza, avvocati audaci, spericolati tutori dell'ordine o intellettuali sulle barricate sono ipotesi di lavoro che questi Supermen potrebbero considerare ragionevoli. Ottima, naturalmente, è per loro anche la via della creatività, purché sia abbastanza rivoluzionaria e sbalorditiva da far sembrare antiquati sia i predecessori sia il pubblico, e da produrre così essa stessa situazioni di emergenza estetica: con la stessa disinvoltura con cui riescono a salvare qualcuno da momenti difficili, i Kaliy'el sanno infatti creare anche occasioni di shock, di rottura, quando ritengono che ce ne sia bisogno per scuotere un po' l'ambiente. Fu così per i Kaliy'el Igor' Stravinskij e Paul McCartney, la cui arte esprimeva un'esuberanza talmente ironica, sorniona e felice di sé, da suscitare in chiunque il dubbio di aver finora osato troppo poco nella propria vita. In filosofia, non per nulla fu Kaliy'el Jean-Paul Sartre, che nel suo esistenzialismo insisteva sull'«assoluta libertà di scelta» di cui ognuno deve saper disporre, e sul dovere di impegnarsi attivamente per la giustizia sociale; e quando nel 1964 gli venne assegnato il premio Nobel, Sartre lo rifiutò, scioccando appunto l'illustre Accademia di Stoccolma, per il gusto ribelle di rammentare al mondo intero che, quando tutti ritengono importante venire ingabbiati in qualche ruolo, è molto utile far sospettare che non lo sia poi tanto.

Brillanti e sempre originali, persuasivi, combattivi e al tempo stesso affascinanti e giocosi, ai Kaliy'el non è difficile raggiungere il successo, se appena riescono a darsi obiettivi precisi. Sul piano professionale, il loro rischio principale è che i loro ideali di giustizia si appannino; l'anticonformismo, il senso di superiorità e il candore possono allora produrre, sommandosi, miscele esplosive incontrollabili: e i Kaliy'el diventano avventurieri insensati e inconcludenti, come se per loro più nulla al mondo valesse la pena, o cinici accumulatori di comportamenti più o meno scandalosi, che fatalmente finiscono con l'annoiare prima se stessi, e poi gli altri. Non di rado, una volta imboccata questa via, avviene che i tratti tipici kalieliani si capovolgano diametralmente: e ne risultano personalità psichicamente instabili, sempre in situazioni di emergenza, che invece di dare aiuto devono chiederne e, ahimè, continuano a sentirsi troppo esclusivi per accettarlo.

Di quest'ultimo pericolo, i Kaliy'el sono in genere consapevoli: li sfiora cioè, almeno di tanto in tanto, il dubbio che il loro modo di vivere possa risultare prima o poi troppo sopra le righe. I più accorti si tutelano per tempo e nel modo più naturale: seguendo semplicemente l'impulso del loro cuore, che fa loro desiderare come compagno di vita una persona posata, pratica, razionale, che compensi e all'occorrenza tenga anche un po' a freno la loro irrequietezza. Non più di tanto, certo (non lo sopporterebbero!), ma almeno quanto basta per sapere di poter contare su un campo d'atterraggio sicuro, quando tornano a terra. I Kaliy'el, invece, ancora insoddisfatti di sé, e ancora in cerca di se stessi, tendono a considerare questa loro esigenza come un segnale di debolezza, e *si impongono* di evitare coinvolgimenti sentimentali duraturi, o di sceglierne apposta di deludenti, in modo da slegarsene più in fretta e più facilmente. Ma è bene che si ricredano, al riguardo: in realtà, la solitudine affettiva e la sensazione di non essersi ancora realizzati sono *l'una la condizione dell'altra*, nei Kaliy'el. Anche Superman-Kent, che è scapolo, soffre in fin dei conti di una scissione della personalità: e chissà, forse diventerebbe un ancor più meraviglioso Super Calel, senza più camuffamenti, se finalmente decidesse di sposarsi con la bella Lois Lane, tanto innamorata di lui.

19
Lewuwiyah
lamed-waw-waw

«Io supero un confine dopo l'altro»

Dal 22 al 27 giugno

Lo slancio che questo Trono imprime ai suoi protetti va in un'unica direzione: verso soglie sempre nuove, come se la loro mente e la loro anima si scoprissero rinchiuse in una sfera, e la sentissero a un tratto troppo stretta, e la varcassero, solo per scoprire poco dopo un'altra sfera che li imprigiona, poi un'altra e un'altra ancora, e così via all'infinito. Ciò li apparenta al loro quasi omonimo La'awiyah di giugno, e anche a Kaliy'el: ma assai più forte è l'impeto, l'ansia addirittura, con cui i Lewuwiyah obbediscono alla loro perenne claustrofobia – o, viceversa, nella profondità dell'angoscia in cui precipitano quando, per una qualche ragione, vogliono o devono fermarsi.

Quando decidono di concretare questo loro slancio in politica, vanno frequentemente incontro a pericoli gravi. Così fu per Giuseppe Mazzini, Silvio Pellico, e per Salvador Allende: i primi due, a causa dei loro ideali, finirono in esilio o in carcere; il secondo, quando riuscì a diventare presidente, diede inizio a una serie di riforme dell'economia e della società cilena e a clamorose aperture in politica estera, che pagò ben presto con la vita.

L'arte, invece, porta fortuna ai Lewuwiyah. Come professione è perfetta per loro: dover trovare sempre nuove idee, nuove forme e aspetti nuovi di sé e del mondo circostante può garantire loro la felicità, come anche il gusto della sfida – che li attende in ogni nuova opera – e il non dover rispondere che a se stessi, e il non avere un rigido orario di lavoro. Meglio ancora se, nelle loro opere, punteranno sull'audacia, come l'architetto Antoni Gaudí, straordinario esponente del *Liberty* catalano. O se sceglieranno temi legati alla ricerca della libertà, come ha fatto Richard Bach (quanto sono lewuwiani i suoi titoli: *Il gabbiano Jonathan Livingston, Un ponte sull'eternità, Nessun luogo è lontano, Un dono d'ali, Straniero alla terra, Via dal nido...*) o magari alla nostalgia della libertà, come Erich Maria Remarque in *Niente di nuovo sul fronte occidentale*; oppure storie di insubordinazione, di fuga, o tragedie e tragicommedie di uomini intrappolati, come quelli di certi film del Billy Wilder: *L'asso nella manica, Viale del tramonto, L'appartamento, A qualcuno piace caldo.*

I Lewuwiyah che, invece, non hanno il coraggio e la perseveranza di diventare artisti, si ritrovano il più delle volte a *vivere intrappolati*: incorrono cioè fatalmente nella tentazione di sentirsi, nella propria esistenza quotidiana, irrealizzati e incompresi, e sofferenti per il divario fra il tran tran e le loro aspirazioni. Allora può capitare che fantastichino troppo, inoltrandosi sempre di più in certi loro mondi silenziosi e segreti, morbosi, maniacali talvolta, malinconici sempre, e attraversati da lampi di cocente invidia per il tale o il tal'altro, che hanno osato più di loro.

Se ne liberino! Tanto, non hanno scelta: finché vivranno, o almeno fino a che la loro mente non sarà del tutto appannata e le loro forze non si saranno spente, non si rassegneranno mai a essere normali cittadini. Compiano il passo, siano se stessi, scelgano l'arte: qualsiasi sacrificio, in essa, sarà mille volte più bello e fruttuoso dei compromessi che altrimenti dovrebbero accettare.

La loro necessità di superare confini potrà portarli poi, molto piacevolmente, anche verso l'esoterismo, che per loro diverrà soprattutto una nuova fonte di enigmi da scoprire e risolvere: come nel caso di Colin Wilson, celebre scrittore inglese che ai grandi misteri insoluti della storia e delle leggende ha dedicato più di cento volumi di ricerche storiche e di narrativa, e che esordì, nel 1956, con un saggio intitolato (guarda caso!) *The Outsider*. Anche alla filosofia possono scoprirsi portati, purché la intendano come inesauribile ricerca, come lotta contro i limiti del conoscibile e del pensiero – e la pratichino dunque in grande stile. Tra i Lewuwiyah filosofi il più rappresentativo è certamente Gian Battista Vico, che immaginava la storia universale come un'evoluzione ciclica, come un infinito superamento, cioè, delle fasi che l'umanità raggiunge attraverso i secoli.

Il problema è che, seguendo la propria vocazione, il Lewuwiyah vedrà ridursi rapidamente il numero dei suoi conoscenti disposti ad ascoltarlo: tutto preso dalla sua creatività e dalle sue sfide, potrà intendersi soltanto con altri artisti del suo stesso stampo. Tanto meglio: non si scoraggi per questo, consideri invece la sua solitudine una conseguenza della sua eccezionalità, e ne tragga ancora maggior vigore per comunicare con il vasto pubblico, attraverso il linguaggio a lui più consono, che è quello delle opere. Altrimenti, se durante le sue giornate si sforzasse di adeguarsi ai tanti che artisti non sono, sarebbe costretto a fingere, e non ne risulterebbero che pesanti apparenze e malintesi.

20
Pehaliyah
peh-he-lamed

«La mia bocca rivela grandi altezze»

Dal 27 giugno al 2 luglio

La lettera *p* (פ) è il geroglifico della sensualità, e *peh*, in ebraico, oltre a indicare «la bocca», «il viso», evoca l'immagine del fascino, dell'eloquenza – di una carica vitale (ה) che il buon parlatore sa esprimere e anche destare in altri. Nell'esperienza personale dei Pehaliyah questi diversi significati si concretizzano uno dopo l'altro (quando tutto va bene), dando forma a un percorso evolutivo che è piuttosto semplice da descrivere nelle sue linee generali e assai impegnativo, invece, da affrontare in tutte le sue fasi.

La prima fase è appunto la sensualità: l'intensa, ansiosa energia sessuale che i Pehaliyah avvertono precocemente in se stessi, e che assume ben presto proporzioni preoccupanti nella loro vita interiore. Li confonde, li intralcia; ha l'effetto di far apparire secondaria, inquieta, ogni attività che non sia direttamente collegata ell'*eros*:

> Io non ho bisogno di stima, né di gloria, né di altro del genere; ma ho bisogno d'amore

come scriveva Giacomo Leopardi, massimo poeta italiano dell'Ottocento. E poiché in genere i Pehaliyah sono vigorosi ed estroversi, è impossibile che non avvertano fin da giovanissimi il bisogno di *reprimere* questa esuberanza, e che tale repressione non cominci ad addensare nel loro animo sensi di colpa e d'angoscia molto più acuti di quelli che provano i loro coetanei alle prese con le prime vampe del desiderio. In molti casi, questo turbamento può dar luogo a una vocazione alla castità, addirittura al sacerdozio, come se stessero cercando riparo da tentazioni diaboliche.

La seconda fase ha inizio quando i Pehaliyah si rendono conto che la castità è per loro difficilissima. Chi insiste nell'imporsela – magari dedicandosi alla mistica o a qualche sport particolarmente faticoso – ottiene l'unico risultato di diventare rapidamente nevrotico. Altri tentano di vivere una normale vita sessuale con un partner; altri eccedono: ma nemmeno queste soluzioni portano sollievo. Il sesso rimane per loro una fissazione (si pensi a Mike Tyson). Per apparire «normali», per riuscire cioè a nascondere questo fatto agli altri, e magari anche a se stessi, devono imporsi una perenne finzione, che assorbe quasi tutte le risorse della loro intelligenza: e purtroppo la maggior parte dei Pehaliyah si fermano qui, imprigionati in un involucro di atteggiamenti forzati, di infiniti scrupoli, di perfezionismo; e diventano irritabili, rancorosi, sempre tristi o sarcastici, e sempre sfuggenti, come se anche il semplice bisogno di confidenza fosse divenuto ai loro occhi qualcosa di pericoloso.

La terza fase ha inizio quando i Pehaliyah intuiscono che l'impossibilità di soddisfare appieno la loro principale pulsione può essere non il problema, ma la soluzione: e che il loro senso d'angoscia derivava dall'errore di credere che soltanto l'atto sessuale potesse e dovesse esaurire tutta l'energia che avvertono dentro di sé. Quest'energia è indiscutibilmente radicata nella sessualità, ma la sessualità può esprimersi in molti altri modi. Può sublimarsi e trasformarsi, come l'energia cinetica di una cascata viene trasformata in energia elettrica dalle turbine di una centrale.

Tale sublimazione avviene appunto della «bocca»: nel dire, nel comunicare – ed è qui che i Pehaliyah più evoluti diventano grandi maestri. Occorre soltanto che qualche circostanza esterna li aiuti: che un qualsiasi ostacolo impedisca, cioè, l'utilizzo esclusivamente sessuale del loro vigore. Può essere un amore infelice o difficile, o una professione che li costringa a viaggiare, o che richieda loro un periodo d'impegno totale – come fu per

Antoine de Saint-Exupéry la professione di aviatore, che fece diventare problematico ogni suo legame d'affetto.

All'inizio di questo cambiamento, i Pahaliyah acquistano la capacità di convincere chiunque abbia a che fare con loro: è come se il loro potere di seduzione, già grande prima, aumentasse quanto più si emancipa da uno scopo sessuale. Poi si sublima la loro capacità di penetrazione psicologica, che tanto bene li aveva serviti quando corteggiavano semplicemente: adesso diventa una saggezza, una sapienza talmente profonda da far loro cogliere perfettamente gli stati d'animo e i pensieri dei loro interlocutori. E i Pehaliyah che vanno ancora oltre, arrivano a sublimare anche il loro fascino naturale, che si trasforma in un autentico carisma di leader, in qualunque campo d'azione si siano scelti. Invece di incantare un partner, ipnotizzano le folle: così fu per Lady Diana, che diventò una star mondiale solo dopo il suo divorzio; oppure guidano un intero popolo verso traguardi nuovi: è perciò probabile che la burrascosa vita coniugale del Pehaliyah Enrico VIII (cinque matrimoni infelici, e una moglie fatta decapitare) abbia contribuito a dargli la forza di scindere l'Inghilterra dal cattolicesimo, e di fondare una Chiesa nuova; ed è significativo che l'improvviso slancio nella carriera di Muhammad Yunus, il fondatore delle «banche dei poveri» si sia avuto dopo il suo divorzio dall'amatissima prima moglie.

I Pehaliyah non ancora giunti alla terza fase potrebbero naturalmente dubitare che valga la pena di rinunciare ai propri sogni d'amore per inseguire il successo in altri campi. Ma quei loro sogni, ripeto, sono troppo vasti, e destinati perciò a rimanere sempre un miraggio; d'altra parte non si tratta affatto di *negarsi il piacere*, ma solamente di constatare la sproporzione tra il bisogno che se ne ha e quel che un qualsiasi partner può offrire. È un modo di far buon viso – un buon *peh* – a cattivo gioco, traendone vantaggi eccezionali ed evitando illusioni.

21
Nelka'el
nun-lamed-kaf

«Le mie azioni sono grandi quando mi oppongo ai tiranni»

Dal 2 al 7 luglio

Ai tempi della Rivoluzione americana l'esoterismo era sufficientemente diffuso tra gli intellettuali perché non possa ritenersi un semplice caso la scelta del 4 luglio come festa dell'Indipendenza. Nelka'el è infatti l'Angelo dei liberatori, o di chi attende di essere liberato da una qualche costrizione. Tra i suoi protetti si contano Garibaldi, che dedicò la vita intera alla lotta per l'indipendenza di questo o quel Paese, l'attuale Dalai Lama, che dedica la vita alla lotta per l'indipendenza del Tibet, e persino George W. Bush, che pure costruì tutta la sua immagine politica sulla necessità di liberare gli Stati Uniti dai ricatti del terrorismo e l'Iraq da Saddam. Era Nelka'el anche Franz Kafka, che nei suoi romanzi e racconti scelse sempre, come protagonisti, individui intrappolati (*nilkad*, in ebraico) in immense, irrisolvibili oppressioni; e così pure Hermann Hesse, che in *Siddartha* narrò, nel 1922, il risveglio dell'anima alla liberazione e al *nirvana*, e fino a oggi il libro non ha cessato di ammaliare i lettori di tutto il mondo.

Ne tenga conto ogni protetto di questo Trono: quali che siano le condizioni in cui si troverà a vivere, la sua riuscita personale e il senso stesso della sua esistenza dipenderanno pressoché totalmente dal coraggio con cui saprà scorgere intorno a sé una tirannia alla quale opporsi. Soltanto in una lotta di liberazione emergeranno le sue autentiche doti, sia che si tratti di battersi contro un sistema sociale ingiusto, o contro chi nella vita d'ogni giorno voglia plagiare qualcun altro, o magari anche contro ossessioni, nevrosi, depressioni: e tutt'e tre questi tipi di lotta si scorgono bene, nella vita nelkaelianissima di Frida Kahlo. E viceversa: non vi saranno, per un Nelka'el, periodi tranquilli e situazioni privilegiate, in cui non cominci a serpeggiargli nell'animo una sensazione di inutilità, di vuoto, una crescente angoscia – la quale offrirà quell'occasione di lotta che il destino sembrava volergli risparmiare.

È inoltre assai probabile che questa angoscia assuma forme proiettive: che cioè i Nelka'el siano portati, per esempio, a rendere invivibile una loro relazione sentimentale o un loro rapporto di lavoro, unicamente per poter soffrire abbastanza da risvegliare in se stessi lo slancio del liberatore. È possibile che in tal modo diventino essi stessi oppressori, manipolatori di chi vive accanto a loro, e risultino perciò individui insopportabili, agli altri prima e a se stessi poi. Meglio dunque che provvedano per tempo, e sviluppino quel che occorre per non imprigionarsi da sé: una vigile coscienza morale, un solido repertorio ideologico, un temperamento adeguatamente altruista, nonché autorevolezza, spirito polemico, fascino, ironia e tutto il rimanente armamentario del buon combattente per la libertà.

Pericolosissimo è invece il caso in cui un Nelka'el vada contro la propria energia angelica, provando consapevolmente a opprimere gli altri: non per nulla il tentativo di imporre al Messico l'austriaco Massimiliano I, nato il 6 luglio, finì tragicamente. Meglio dunque che i nati in questi giorni non pretendano di imporre troppo la loro volontà a famigliari o agli amici: non fare agli altri ciò che non vorresti fosse fatto a te. D'altra parte, faranno anche bene a evitare il lavoro dipendente: troppo alto è il rischio che i superiori comincino tutt'a un tratto a sembrar loro dei despoti, o i sottoposti una masnada di parassiti. Nelle ordinarie vicende della carriera potrebbero scorgere di continuo macchinazioni di colleghi; nella busta paga, la prova evidente di qualche condizione di sfruttamento. In un lavoro autonomo, perlomeno, non potrebbero prendersela che con se stessi. Perfetta sarebbe una professione che richiedesse capacità d'attacco e difesa: l'avvocato, per esempio; o una qualsiasi attività di ricercatore, sempre in guerra per assediare microbi e conquistare sovvenzioni; o l'esperto di arti marziali (Sylvester Stallone ebbe i suoi maggiori successi con *Rambo* e *Rocky*); e meglio ancora il giornalista d'assalto (in Italia, Michele Santoro).

Tuttavia, sentirsi protagonisti di battaglie di liberazione li nutre e li placa, ma non per molto. Prima o poi, qualunque sia stato il livello di successo che riescono a raggiungere, li riafferrerà un senso di insoddisfazione, un cattivo umore che si manifesta, in molti di loro, in una caratteristica espressione imbronciata o vaga, o si vela dietro un sorriso finto. Soffrono profondamente, quando sono così, combattono, nel chiuso del loro cuore, contro stati d'ansia che nessuna terapia riesce a debellare – e che infatti non richiederebbero affatto terapie, ma soltanto una liberazione più vasta, più alta, d'ordine non sociale o psicologico, ma spirituale. Vi è nei Nelka'el (e questo è il loro principale segreto, benché la maggior parte di loro si rifiutino recisamente di ammetterlo) una profonda aspirazione esoterica, il desiderio di estendere i territori della propria anima in regioni superiori. Solo se se ne accorgono – proprio come avvenne a Hesse – riescono finalmente a trovare l'equilibrio, l'armonia e anche il vero significato di tutte le loro battaglie terrene, piccole o grandi: conseguenze e rifrazioni, tutte quante, di quella loro brama di assoluto. Riuscirebbero anche a vincerle più facilmente, allora. Non per nulla Garibaldi era stato, oltre che generale, anche capo di importanti logge massoniche, riformatore di rituali, profondo conoscitore dei testi dell'Ordine; e da tutto ciò trasse quello slancio supplementare – inesauribile davvero – che gli permise di battersi per la libertà su scala intercontinentale.

22
Yeyay'el
yod-yod-yod

«Io vedo il modo in cui gli altri guardano, e guardo oltre»

Dall'8 al 12 luglio

YOD-YOD-YOD ("'') è una delle formule superlative con le quali gli antichi rabbini indicavano l'indescrivibilità di Dio: la lettera *yod*, in geroglifico, significa infatti sia «manifestarsi», sia «scorgere», e l'Altissimo è Colui che eccede nell'una e nell'altra cosa: si manifesta infatti al di là di tutto ciò che già si è manifestato, e avvolge, e vede da fuori, ogni orizzonte che la nostra vista interiore possa sperare di cogliere. I protetti di Yeyay'el ricevono, evidentemente, una scintilla di questo eccesso, e hanno il compito di adoperarla e farla fruttare nel mondo umano. Mostrare e mostrarsi: ecco ciò che ci si attende da loro. E quando lo intuiscono, si accorgono che la vita offre loro occasioni e forze in abbondanza, per realizzare capolavori di vario genere, in tutti i campi che riguardino il destare, richiamare, dirigere ed educare l'attenzione.

I limiti che devono imparare a superare sono due soltanto: la tentazione dello specchio e la paura della lontananza, che li apparentano strettamente ai protetti dell'Angelo Damabiyah di febbraio. Negli specchi, nell'eccesso di autoanalisi, nel narcisismo, gli Yeyay'el possono rimanere bloccati a lungo, ipnotizzati dalla loro immagine (molto bella, spesso), dall'inesauribile ricchezza di dettagli che i loro occhi riescono a cogliervi. Nel vedere sono infatti autentici genî; scoprire, interpretare, risalire da un'espressione del volto ai più riposti segreti della personalità e dell'anima: tutto ciò dà loro un grande piacere, e nulla può essere più dolce, per alcuni di loro, del gustare questo piacere per sé soli, lasciandosi portare dal morbido vortice che si forma quando le loro tre *yod* guardano se stesse. Uno specchio può allora divenire un mondo intero – e lo Yeyay'el Marcel Proust ne ha fornito una magnifica dimostrazione, negli otto volumi della *Recherche*, tutti dedicati a ciò che il protagonista vede del proprio vedere. Ma ovviamente non tutti sono Proust, e può avvenire che l'autofascinazione porti qualche Yeyay'el a una gran perdita di tempo, solamente.

L'altro loro limite è, dicevo, la paura di andar lontano: ovvero quello sgomento da cui pressoché tutti gli Yeyay'el si lasciano prendere quando, volgendosi via dallo specchio, permettono al loro potente sguardo di esplorare il mondo intorno, e di *vedere il vedere altrui*. Il piacere che ne provano è ancor più forte, il gusto della scoperta è addirittura travolgente: in brevissimo tempo sanno individuare i confini dell'immagine che gli altri hanno del reale e del possibile, e li superano, si avventurano verso il nuovo... e ne avvertono il panico. Molti Yeyay'el vacillano, a questo punto: si fermano, naufragano magari, quasi temendo che se osassero proseguire si dissolverebbero. È il loro modo di percepire il terrore del successo – e anche qui si hanno esempi illustri: da Giovanni Calvino, che nella sua teologia ebbe bisogno di immaginare una predestinazione, per limitare la libertà del volere umano, e che nella prassi divenne, a Ginevra, un severissimo persecutore del libero pensiero; fino a Modigliani, che proprio alle soglie del successo si suicidò.

Bisogna dunque che gli Yeyay'el si armino contro queste loro Scilla e Cariddi: Narciso e i naufragi. Rischiano, se no, una sorte casalinga o impiegatizia, assurda per loro, che sono nati per rivelare nuovi modi di vedere il mondo. Rischiano di incappare in padroni ottusi o in coniugi parassiti, e di lasciarsene plagiare: «Ecco» diranno, magari «vorrei tanto uscire dal porto ma non mi è permesso...»

In questo modo, gli Yeyay'el finiscono con il recitare per tutta la vita la parte del sognatore che sospira tra sé, ma che nelle sue azioni non osa mai scostarsi dall'immagine che gli altri hanno di lui, come se fosse suo dovere rassicurarli. Sarebbero conquistatori, invece: hanno un fascino e un'intensità di sentimenti che attendono solo di dispiegarsi come vele. E perché ciò avvenga hanno bisogno di una fiducia in se stessi d'un genere tutto particolare: non tanto nelle proprie qualità di cui abbiano giù avuto qualche prova, ma in ciò che di se stessi non sanno o non capiscono ancora. Mettersi in gioco lasciandosi guidare dall'ispirazione, dalla passione, dall'intuizione fulminea: come una vela dal vento, davvero. Quanto a ciò, un ottimo maestro potrebbe essere per loro Forrest Gump, che non per nulla portò a un successo mondiale lo Yeyay'el Tom Hanks. Oppure Pablo Neruda, che in *Confesso che ho vissuto* scrisse: «La pazzia, una certa forma di pazzia, va a braccetto con la poesia» e che per fortuna non fece che viaggiare lontano, per gran parte della sua vita.

Ecco, si allenino a «una certa pazzia», gli Yeyay'el, alla velocità, all'originalità, all'audacia della mente nell'inventare, nel vedere e nel fare vedere: e come pubblicitari, o pittori (Pissarro e De Chirico nacquero il 10), o imprenditori creativi (Giorgio Armani è nato l'11), divulgatori, giornalisti o magari esperti finanziari (J.D. Rockefeller fu bravissimo a vedere e a far vedere ai suoi soci possibilità di investimenti di capitale) avranno carriere magnifiche, purché imparino a non esitare.

23
Milahe'el
mem-lamed-he

«Io comprendo tutto ciò che cresce nelle anime»

Dal 13 al 18 luglio

FORTI, concreti e impazienti: sono tutti così i Milahe'el – non per nulla cade proprio il 14 luglio l'anniversario della presa della Bastiglia – e si direbbero nati apposta per avverare desideri, non importa quanto grandi o apparentemente impossibili. Lo attesta il Nome del loro Angelo: *milah*, in ebraico, significa «parola», ed 'El, ovvero 'Elohiym, la suprema Potenza divina, diede forma all'universo proprio con le parole che esprimevano, giorno dopo giorno, il suo volere. Così potrebbe essere anche per i Milahe'el: basterebbe che dicessero, che chiarissero a se stessi la meta verso cui dirigere il loro slancio, e la via si aprirebbe, semplice e netta, con mille circostanze a favore, e l'appoggio e l'ammirazione di molti...

Ma raramente osano. E per lo più avviene il contrario: è qualcun altro a dire *a loro* la parola magica, a indicare lo scopo, ed essi obbediscono come a un incantesimo, mettendo tutti i loro poteri al suo servizio. Anche la rivoluzione francese si trasformò ben presto in una dittatura. Nella vita di tutti i giorni, il tiranno dei nati in questi giorni può essere un genitore, un fidanzato, un coniuge o un figlio, che sappia quel che vuole; e può trattarsi di qualcosa che va, nel modo più evidente, contro gli interessi dei poveri Milahe'el: ma non potranno farci nulla, eseguiranno, continuando a piegarsi anche per decenni, fecendo lievitare l'Ego, la vanità di chi è riuscito a imbrigliarli con un comando. Fidi gregari, famose mogli o «spalle» di grandi star, come Ginger Rogers lo fu per Fred Astraire; oppure devoti epigoni di qualche genio, come Andrea del Sarto lo fu di Leonardo; e poi, naturalmente, impiegati, militari e massaie esemplari: destini del genere sono trappole in cui i Milahe'el rischiano di cadere e di dimenticarsi di sé, lasciando che nel loro cuore si infiltri una paura, un panico addirittura, della libertà e della responsabilità personale.

Le ragioni profonde di queste dipendenze sono delicatissime. Vi è innanzitutto il senso di vertigine che i Milahe'el provano dinanzi alla loro stessa energia creatrice, specie quando si accorgono che pochi ne hanno altrettanta; temono che nascano, negli altri, invidie e ostilità; o anche sviluppano una punta di disprezzo – molto segreta! – per la vita banale, superficiale, di cui la stragrande maggioranza della gente si accontenta: «Perché brillare in un mondo simile?» pensano oscuramente i Milahe'el, e tale disprezzo può diventare a sua volta un sentimento aggressivo, di cui un animo nobile come il loro non può non vergognarsi. Così preferiscono non guardare in se stessi, non indagare i propri desideri: e dei loro doni da genio della lampada si approfitterà allora il primo che capita e che vuole.

Per proteggersi da tale rischio, i Milahe'el devono imparare non già a tenere sotto controllo ma, paradossalmente, a estendere il più possibile il carattere generoso del loro potere realizzatore.

Il primo passo consiste nel ribaltare quel loro pessimismo snob e nell'intenderlo come una sfida. Se il piccolo mondo in cui vivono li opprime, si impegnino ad ampliarlo, ad approfondirlo, andando alla ricerca di ciò che si nasconde nell'animo della gente (molta gente, quanta più gente è possibile!). Si accorgeranno ben presto che quanto più conoscono i profondi desideri degli altri, tanto più facile diviene per loro individuare i propri; e che quanto più numerose saranno le persone di cui vogliono esplorare i cuori, tanto più grandi saranno anche i desideri che troveranno in se stessi. Invece di lasciarsi utilizzare da un solo tiranno in casa o nel lavoro, si trovino intere comunità alle quali servire: una scuola, un quartiere, una cittadinanza, uno Stato, e diverranno appieno quei giganti che sono, al cospetto di tutti. Possono essere ottimi insegnanti, sociologi, operatori sociali d'ogni tipo, imprenditori (come l'inventore, scrittore e filantropo John J. Astor, che ai primi del Novecento divenne «l'uomo più ricco d'America»), o artisti abilissimi nell'intuire e nello sfruttare le mode (come Gustav Klimt), o grandi politici (e in questo caso dovranno solo badare bene a non assecondare *inconsciamente* i desideri dei loro avversari: difficile pensare che il Milahe'el Giulio Cesare, uomo astutissimo, non si fosse accorto della cospirazione che alcuni suoi amici e anche suo figlio stavano ordendo contro di lui; più probabile è che oscuramente sapesse, oscuramente acconsentisse al volere del figlio).

In più, i Milahe'el dispongono anche di una buona Energia T, e sarebbero perciò medici eccellenti, abili soprattutto nell'individuare le frustrazioni, i bisogni negati che stanno all'origine delle malattie. Anche in arte i Milahe'el più geniali sono soprattutto esploratori delle profondità dell'animo – come Ingmar Bergman. Li guaterà sempre, sì, il rischio dello scoraggiamento, delle brusche cadute d'umore, ogni volta che la loro tendenza al pessimismo riprenderà il sopravvento: ma per chi dispone di tali forze e poteri, non c'è lato oscuro della vita che non possa rivelarsi un nuovo campo d'azione, una prigione da assalire e distruggere, una notte in cui illuminare le strade.

24
Ḥahewuyah
ḥet-he-waw

«Io trovo sempre l'equilibrio tra la libertà e i divieti»

Dal 18 al 23 luglio

SOLO quando si accorgono della loro incredibile anima da avventurieri, gli Ḥahewuyah cominciano veramente a vivere: e ciò può avvenire relativamente presto, come fu per l'Ḥahewuyah Ernest Hemingway, che a diciannove anni provava il suo coraggio fra le trincee del Piave, e a venti venne decorato al valore; oppure (ed è il caso più frequente) dopo i quaranta o ancora oltre. Ma all'età i protetti di questo Trono non attribuiscono alcun valore: in qualunque anno della loro vita si risveglino a se stessi, si scoprono vigorosi, ottimisti e traboccanti di futuro come il più disobbediente dei bambini. E subito fanno della disobbedienza un'arte, una missione addirittura: portano nel mondo (sentono di essere nati per questo) un principio di libertà assoluta, indifferente a qualsiasi legge o consuetudine: ne danno l'esempio, e la predicano anche con grande piacere, impegnandosi a convertire i loro amici alla scoperta dei grandi tesori che il filo spinato del senso di colpa proibisce ai più. Gli Ḥahewuyah conoscono varchi speciali in quel confine terribile. Sanno che il senso di colpa è il più contagioso dei disturbi della personalità, e che ogni individuo civilizzato se ne porta appresso quantità enormi: ma sanno anche di averne il vaccino, di essere anzi il vaccino loro stessi. Perciò sono tanto spesso esplosivi, esibizionisti: non è affatto egocentrismo, è altruismo, è l'urgenza di questi *medicine-men* di fare pubblicità a se stessi, alle virtù risanatrici della loro presenza.

Il loro messaggio è semplicissimo: sentirsi in colpa per un'azione commessa è una viltà, è solo una scusa per non crescere. Non è il passato che determina la tua vita, ma il futuro: tu sei più grande di te (di ciò che credi di essere), accorgitene, dimostralo a te stesso! Te lo impediscono soltanto le convinzioni altrui, ciò che gli altri credono di sapere di te, e di se stessi: ma anche loro sono più grandi di quel che sanno, e dunque impara a non lasciartene frenare. Tutto qui. All'atto pratico, ciò significa addestrarsi a *perdonare innanzitutto se stessi*, e gli altri di conseguenza: non chiedere conto, non imporsi né imporre punizioni o risarcimenti, non legarsi ai propri rancori, non fermarsi a contare e a sorvegliare i propri nemici, riconciliarsi non appena è possibile, e se è impossibile, dimenticarsene. L'enorme risparmio energetico che ne deriva per la nostra psiche si trasforma immediatamente in vitalità, creatività, potenza d'immaginazione e disponibilità alla gioia.

Gli Ḥahewuyah risvegliati giurano che questa superiorità verso il passato è anche il culmine della sincerità verso se stessi, e l'unico modo di essere veramente sinceri con gli altri. Gli si potrebbe obiettare che una società ha comunque bisogno di leggi e di tutori dell'ordine sia interiori, sia esteriori; ma vi risponderebbero che una società ha bisogno di uomini liberi e sani, e che ognuno ha soprattutto bisogno di se stesso. È un'opinione condivisibile? A loro non importa il vostro parere, pensano soltanto che sia utile e urgente, e proseguono dritti per la loro strada, lasciando che il loro fascino, il loro coraggio, le loro opere parlino per loro. Alessandro Magno era un Ḥahewuyah, e così Petrarca, che pur essendo un ecclesiastico non si fece alcun problema a dedicare un palpitante *Canzoniere* alla signorina Laura de Sade; sono Ḥahewuyah provocatori celebri (si pensi a Beppe Grillo) e anche eroici, come Nelson Mandela e Herbert Marcuse, che in *Eros e civiltà* (lo sapesse o no) teorizzò proprio l'energia del suo Angelo; narratori specializzati nel crimine, come Raymond Chandler; e attori e attrici famosi anche per la loro vita fuori dagli schemi, come quella specie di Robin Hood dell'*entertainment* che fu Robin Williams. Quale professione si trovino a esercitare gli Ḥahewuyah in contesti più tranquilli dei precedenti, non ha alcuna importanza per loro. Sicuramente qualsiasi carica direttiva li fa sentire più a loro agio, e nelle pubbliche relazioni sono perfetti, ma non sono tipi da lasciarsi condizionare dalle regole dell'impiego: ovunque troveranno il modo di diventare leader, di crearsi un palcoscenico dal quale impressionare chi li circonda. Inoltre, hanno una grazia tutta particolare nel licenziarsi, appena un posto viene loro a noia, e non mancano mai della grinta per trovare poco dopo qualcosa di meglio. Sanno usare le circostanze, invece di venirne usati – e anche in questo non fanno che ribadire i punti essenziali del loro personale Vangelo.

Difetti, ne hanno moltissimi: ma in genere li portano con eleganza – e poi, più che di difetti veri e propri, si tratta di «deformazioni professionali», derivate dalla loro unica vera professione che è, appunto, quella di profetico agitatore della libertà individuale. Proprio in quanto tali, gli Ḥahewuyah sono spesso agitatissimi e iperattivi (se si mettono calmi hanno la sensazione di star perdendo tempo), eccentrici (per opporsi alle esistenze troppo quadrate che vedono intorno), emotivamente immaturi (bambini, come già dicevo). Solo se eccedono in tale immaturità possono risentirne qualche contraccolpo: nell'immaginarsi troppo «capibanda», e perciò responsabili delle persone che cominciano a credere in loro; nell'idealizzare qualcuno attribuendogli tutti i pregi possibili, come appunto fanno a volte i bambini con i loro idoli; o nell'innamorarsi della propria perenne curiosità e ansia di novità, fino a perdere la capacità di concentrarsi seriamente su qualcosa. Ma lo slancio con cui sanno superare ogni volta il loro passato li mette rapidamente al riparo dalle delusioni e dai problemi che potrebbero derivare dall'infantilismo: se li lasciano alle spalle («Ho sbagliato, e allora?») e proseguono nella loro opera di conversione universale, sempre segretamente protetti e guidati da superiori volontà, come avviene quando si sa di agire per il bene degli altri.

Dominazioni

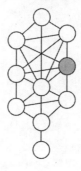

IN ebraico si chiamavano *Ḥašmaliym*: oggi, in Israele, sarebbe il plurale di «elettricità»; letteralmente, *ḥašmal* (למשח) era

- un impeto (שח)
- che riempie un orizzonte (מ)
- e va oltre (ל).

Li si immagini dunque come fulmini e tuoni, ma non di tempesta: secondo la Qabbalah, il loro colore è l'azzurro del cielo, immagine luminosa dell'infinito, e il loro compito è insegnare un'infinita abbondanza. Nella loro sfera, le anime che verranno al mondo imparano ad aumentare tutto ciò che appartiene a loro o che con loro ha a che fare: qui è il «crescere e moltiplicarsi» e il «date e vi sarà dato». Chi comincia a utilizzare questa qualità, trova un unico limite: il proprio io, che gli apparirà sempre troppo stretto per le grandi cose che lo attendono. Dovrà perciò superarsi continuamente, intendendo tutte le proprie conquiste come inizi di altre vie.

25
Nitihayah
nun-taw-he

«Ogni cosa ben riuscita può superare se stessa»

Dal 23 al 28 luglio

È L'ANGELO dei cosiddetti poteri sovrannaturali. Compito dei suoi protetti è esclusivamente scoprire le connessioni tra il visibile e i mondi spirituali, e i modi migliori per adoperarle. Ma attenzione: *scoprire* è il punto essenziale, per i Nitihayah. Non sono maghi né sacerdoti: non hanno bisogno, cioè, né di maestri (i maghi hanno sempre le loro scuole) né di gerarchie che diano ai loro adepti precisi ruoli e regole da rispettare, per differenziarli da altre scuole o religioni. I Nitihayah appartengono piuttosto alla categoria delle «streghe», tanto ingiustamente infamata in epoche passate. «Strega» (femmina o maschio che sia) è chi si è accorto di saper cercare e trovare *per suo conto*, sul confine tra Aldiqua e Aldilà – come scriveva il Nitihayah Antonio Machado:

Caminante son tus huellas
el camino y nada más;
caminante, no hay camino
se hace camino al andar.

Viandante, le tue orme
sono il cammino, e nulla più;
viandante, non c'è cammino,
il cammino si fa andando.

Perciò in alcune lingue si usano, per indicare le streghe, parole che letteralmente significano «le sapienti»: per esempio *witch*, in inglese, e *ved'ma*, in russo, l'una e l'altra derivate dalla radice indoeuropea VID-, che significa «conoscere». Si tratta insomma di personalità libere e coraggiose, indifferenti ai tabù, e, al tempo stesso, di mentalità decisamente pratiche, che non si accontentano di un sapere erudito, ma hanno urgenza di trovare applicazione concreta per tutto ciò che scoprono nell'astratto.

Tali sono, per loro natura, i Nitihayah e devono soltanto accorgersene. Certo, è inevitabile che queste loro caratteristiche li rendano temibili, per tutti coloro che vorrebbero far restare il mondo così com'è; e infatti sono notevoli le difficoltà che i Nitihayah devono superare per diventare se stessi. La solitudine, soprattutto: la gente li trova strani, quando parlano di quel che a loro veramente interessa; si vedono perciò costretti a coltivare la loro sapienza in segreto, in margine alla società. Se sono colti ed estroversi – come Carl Gustav Jung – vengono ritenuti eretici dai loro colleghi; se sono più modesti, li si prende facilmente per pazzi, e li si compatisce o li si deride, almeno all'inizio. A ciò si aggiungono le loro resistenze interiori: la lotta che devono combattere in se stessi contro tutte le cose che hanno imparato nelle scuole (luoghi notoriamente razionali, dai quali i mondi spirituali sono rigorosamente esclusi) e nelle chiese (dove le «streghe» sono da sempre malviste); e vanno messe in conto anche le aspettative dei genitori, che tanto spesso ambiscono, per i loro figli, soprattutto a uno stipendio fisso e alla pensione; e i rapporti sentimentali, che altrettanto spesso impongono richieste ai quali i Nitihayah non riescono a ottemperare, tutti presi come sono dalla loro eccezionale vocazione alla scoperta.

Anche per queste ragioni è risaputo, tra le «streghe», che la prima e ineludibile condizione per accedere ai cosiddetti poteri soprannaturali sia la *saggezza*. I dubbi, i conflitti interiori ed esteriori, le malinconie, le crisi di identità dei Nitihayah principianti possono essere superate solamente quando, con saggezza appunto, essi arrivano a porsi al di sopra di tutto quello che, nel mondo altrui, li potrebbe trattenere. Devono dunque sviluppare una superiore, benevola, equilibrata comprensione del loro prossimo: allora divengono sufficientemente limpidi e forti, per cominciare a scoprire davvero. Inutile dire che non tutti ci riescono – e che pochi vi riescono prima di una certa età.

Fino a che non arrivano a tanto, si sentono anime in cerca, alle quali qualcosa impedisce di trovare: *I can't get no satisfaction*, come appunto cantava il Nitihayah Mick Jagger. Possono anche aver successo in qualche tipica professione da cercatori: come sinceri idealisti (fu un Nitihayah Simon Bolivar) o persone di mondo, assetati sempre di riconoscimenti, di successi mondani (Jacqueline Kennedy) o come artisti (soprattutto nello spettacolo, come George Bernhard Shaw, Alexandre Dumas figlio, lo stesso Jagger, e anche Machado fu autore teatrale); ma non amano veramente nulla di ciò che raggiungono in tal modo, sono perennemente insoddisfatti e spinti a cercare altrove. Nel peggiore dei casi, è alto il rischio che le loro ricerche li portino verso le droghe, o anche che determinino vampate di cupo disprezzo e di odio per ciò che nel mondo li ha delusi.

L'unica via è, ripeto, nella saggezza e nel coraggio di scoprirsi «streghe», cioè incompatibili con i più. Non appena smettono di cercare nell'Aldiqua, trovano nell'Aldilà: e fanno un ottimo affare.

Da un lato, nei territori dell'Aldilà i Nitihayah non solo si sentono aiutati e guidati nelle loro scoperte (e lo sono davvero), ma traggono da quelle altre dimensioni grande energia, proprio come se invisibili alleati si incaricassero di scortarli e proteggerli sempre. Celeberrimo è l'esempio del Nitihayah Alexandre Dumas padre, con il suo incontenibile, inspiegabile vigore – e nelle sue opere sono ben evidenti i segni delle sue conoscenze esoteriche.

Dall'altro, oggi più che mai, il mondo è pronto ad accoglierli: quelli che una volta si chiamavano «poteri soprannaturali» consistono sostanzialmente nell'*agire a distanza* e nello sfruttare proprietà segrete delle cose. E noi viviamo nell'epoca delle telecomunicazioni e delle *emergent properties*, cioè della scoperta che qualsiasi sistema (vivente o artificiale) può mostrare capacità inspiegabili in base alla conoscenza che si ha del sistema stesso.

I Nitihayah oggi si trovano bell'e pronto un destino di pionieri: è sufficiente che considerino come Aldiqua lo stato presente delle conoscenze, in un qualsiasi ambito che a loro piaccia, e come Aldilà ciò che loro cominceranno a scoprire di nuovo; poi, si mettano all'opera e facciano prodigi.

26
Ha'a'iyah
he-alef-alef

«La mia anima cerca le grandi imprese»

Dal 28 luglio al 2 agosto

CIME *tempestose*! Il titolo dell'appassionato romanzo dell'Ha'a'iyah Emily Brontë sembra proprio un'allusione alle due *alef* del Nome di quest'Angelo, che raffigurano un'enorme e inquieta potenzialità: un eccesso d'amore – di eros soprattutto – e di vigore, un'incontenibile voglia di dare inizio a grandi cose, di allargare il mondo. E quanto dovette soffrire Emily, che trascorse invece la sua breve vita nella casa paterna, sulle quiete colline dello Yorkshire, con due sorelle a formare tutto il suo pubblico! Gli Ha'a'iyah sono nati per la folla – come un'altra scrittrice inglese, di tutt'altro tipo, J.K. Rowling. Lottatori, e conquistatori di masse, aspettano, come un altro aspetterebbe un taxi, di poter cogliere al volo una di quelle correnti ascensionali che trascinano gli individui in alto, verso la popolarità, e che in qualsiasi città del mondo sono molto più numerose di quel che si potrebbe immaginare: gli Ha'a'iyah sanno riconoscerle, imbrigliarle, e poi non mollarle mai, fino alla fine, senza che nessuna vetta faccia loro girar la testa.

Come non esserne affascinati, mentre salgono così? Sono genî della comunicazione. Perfetti quando si sbracciano su un palcoscenico, su una tribuna: come l'Ha'a'iyah Mussolini, l'unico statista che sia mai riuscito a parlare in versi a maree di gente troppo estasiata per accorgersi che era soprattutto la metrica a ipnotizzarli. E spesso imponenti nella figura: come l'Ha'a'iya Schwarzenegger, divo e governatore. E aggressivi quanto basta, ma abilissimi nel giustificare la propria aggressività come indignata ribellione a qualche ingiustizia. Esemplare, a questo proposito, la battuta di Schwarzenegger nel film *True Lies*, quando alla moglie che gli chiede se ha ucciso qualcuno, risponde: «Sì, ma erano tutti cattivi»; o la disinvoltura con cui Mussolini, ex socialista, riuscì a far passare il colpo di Stato fascista per una rivoluzione popolare.

E non è che siano o vogliano essere, in ciò, del tutto insinceri: le ingiustizie commesse da altri scatenano davvero la loro collera; ma la collera, per loro, diventa rapidamente un pretesto per adoperare in grande stile la loro arma prediletta: l'intuito del politico ambizioso, che cerca situazioni di crisi per utilizzarle a proprio vantaggio, per ergersi a difensore, e plagiare coloro che difende. A ciò si aggiunge l'altra sorprendente dote politica degli Ha'a'iyah: la capacità di *inventare* ideali che galvanizzino molti, e di costruire su quegli ideali regole rigorose e interi codici morali, per usarli poi, spesso, come il pifferaio di Hamelin usava il suo piffero – o come il capitano Ahab usò il suo odio per Moby Dick, nel romanzo dell'Ha'a'iyah Hermann Melville. Il guaio è che allora il loro senso di giustizia può ingigantirsi fino a diventare una specie di delirio paranoico, terribilmente convincente finché c'è un fervido Ha'a'iyah a proclamarlo, e strano, assurdo, a ripensarci dopo, quando l'Ha'a'iyah non c'è più.

La moderazione sarebbe il loro migliore alleato. Basterebbe un po' di senso della misura per rendere veramente fruttuose tutte le loro qualità che ho elencato, e soprattutto quell'innata conoscenza della psicologia di massa che le sostiene tutte quante. Gli Ha'a'iyah sono, inoltre, grandi organizzatori, lavoratori indefessi, pragmatici, abili nelle questioni finanziarie: e, quando non si lasciano prendere troppo la mano dalla loro voglia di dominare, possono diventare l'anima di qualsiasi ufficio, o i costruttori del successo di qualsiasi azienda commerciale o produttiva – come avvenne nel caso di Henry Ford, che, tra l'altro, obbedì pienamente al suo Angelo inventando l'utilitaria, l'auto di massa. Quando hanno abbastanza pazienza per dedicarsi accuratamente allo studio, la loro mente, vasta davvero, può farne dei teorici di tutto rispetto, bravissimi ovviamente a imporre le loro idee, come sir Karl Popper, filosofo della scienza e della sociologia: molto ha'aiano fin nel titolo è il suo celebre trattato *La società aperta e i suoi nemici*, del 1945.

Quando invece esagerano, non solo rischiano di apparire ridicoli e patetici, ma incorrono facilmente in quello che si rivela poi un errore per loro fatale: il tentare raggiri. Se appena si permettono qualche disonestà, è come se il loro stesso senso di giustizia si rivoltasse contro di loro e facesse in modo che li si scopra e li si punisca con durezza. Finché denunciano malefatte altrui, possono far innamorare la gente: ma se cominciano a ingannare, tradire, truffare, diventano d'un tratto la parodia di se stessi, chiacchieroni ammorbanti, insopportabili, e tutti li abbandonano.

Tristissimo, allora, diviene lo spettacolo che offre l'Ha'a'iyah che, rimasto solo, sgomento, usa le sue vecchie armi di lottatore unicamente nel sospettare cospirazioni inesistenti, o nell'immaginare invano riscosse e vendette contro non si sa bene chi, mentre il senso di colpa lo corrode all'interno. Rispettino dunque scrupolosamente le regole del gioco duro che loro stessi si sono scelti: eroi e mai bugiardi (nemmeno nella vita privata!) e allora sì, potranno aspirare a una vera grandezza.

27
Yerate'el
yod-reš-taw

«Io bramo che ognuno superi se stesso»

Dal 3 al 7 agosto

POTREBBE essere l'Angelo di D'Artagnan: il famoso moschettiere ha veramente *tutti* i tratti dei protetti di questa Dominazione, tanto da far seriamente pensare che Dumas, nel progettarlo, avesse consultato qualche prontuario di angelologia. D'Artagnan è infatti rissoso, impaziente, temerario, incorruttibile, cavalleresco e, soprattutto, splendidamente generoso con gli amici. Al tempo stesso, è afflitto da un segreto senso di colpa, che in un modo o nell'altro lo intralcia puntualmente nel guadagnare per sé solo; e da un senso d'inferiorità che, se da un lato contribuisce molto alla sua passione per i duelli, dall'altro gli fa cercare sempre qualcuno da venerare (che, ne *I tre moschettieri*, è Athos); e da un troppo burrascoso senso d'indipendenza, che ha spesso l'effetto di metterlo in pessima luce agli occhi dei superiori. Verificate negli Yerate'el che avete conosciuto, e ne misurerete facilmente le intersezioni con tale modello.

Di tutti questi vettori della personalità yerateliana, il principale e il più dannoso sembra essere proprio il senso di colpa: immotivato, di solito (non riferibile cioè a qualche cattiveria compiuta), eppure profondo, invincibile, tumultuoso. È certamente alla radice della proverbiale aggressività degli Yerate'el, che divampa sempre e soltanto contro chi abbia fatto o voglia fare qualcosa di male. Si direbbero paladini perennemente a caccia di felloni (non sembra un caso, dunque, che proprio sotto la presidenza dello Yerate'el Barack Obama siano stati uccisi Gheddafi e Bin Laden);

ma, a giudicare sia dall'accanimento che mettono nello scovare e smascherare gli individui che ritengono malvagi, sia dalla malinconia che li affligge quando non ne trovano, è evidente che questi loro atti di giustizia sono il prodotto esteriore di una lotta che gli Yerate'el conducono continuamente dentro se stessi: si tormentano talmente per le loro colpe più o meno immaginarie, che potersela prendere ferocemente con qualcuno che ha veramente fatto del male è per loro un sollievo. È probabile che vi sia stata anche questa dinamica, a spingere gli Stati Uniti a usare la bomba atomica su Hiroshima, il 6 agosto del 1945.

Sempre a causa del suo senso di colpa lo Yerate'el ha tanto bisogno di un ideale, e di superiori che gli affidino un incarico, possibilmente audace: perché dà per scontato che il suo io, la sua volontà, i suoi ragionamenti siano immeritevoli – «Che diritto ho, io?» sembra domandarsi sempre, in fondo al cuore. Anche l'amore del rischio ne è una conseguenza, poiché lo interpreta come una forma di abnegazione, come una voglia di assumersi lui le fatiche più dure – e uno Yerate'el stia alla larga, perciò, da ogni tipo di gioco d'azzardo, perché dietro alla speranza che la fortuna gli sorrida ci sarà sempre un gran desiderio di *perdere*, per vedersi ancora una volta punito (giustamente, ai suoi occhi) dal destino.

Del resto, non se la passano meglio gli Yerate'el più prudenti, più scettici o più miti; in loro le torture del senso di colpa sono soltanto più recondite e perciò ancora più dolorose: causano in loro un senso di perenne sconfitta, o peggio ancora quella speciale repulsione nevrotica verso la gioia e le vittorie, per la quale arrivano a credere di non poter ottenere successi nella vita senza che su di loro o su un loro caro si abbatta una disgrazia. E appunto perciò fanno pochissimo per sé e molto per gli altri, e se non hanno amici per cui indaffararsi possono anche ritrovarsi per anni a non far nulla di preciso.

Inutile nutrire illusioni al riguardo. Questa non è una situazione che si possa modificare in alcun modo. La scelta fondamentale della loro vita si pone, bensì, tra due modi di intendere tale nevrosi, in loro congenita: come una condanna, un karma pesante sotto il quale languire, oppure come uno stimolo all'azione. Nel primo caso, si avrà lo Yerate'el pessimista, burbero, infelice, bramoso di rovesci della sorte, oppure un *outsider* tormentato, come Percy B. Shelley, tanto disordinato e tragico; o come Maupassant, che morì in manicomio; o come i protagonisti dei film dello Yerate'el John Huston (dal *Tesoro della Sierra Madre* a *Moby Dick*); o come Carlos Monzon.

Nell'altro caso, invece, gli Yerate'el possono trasformarsi in perfetti eroi, ed è precisamente il compito a cui il loro Angelo li ha avviati. Occorre soltanto che *prendano sul serio* quel senso di colpa e lo portino all'estremo. Non possono approvare e amare il loro io così com'è? Non si sforzino di farlo, lo superino, lo trascendano, per dedicare veramente agli altri le loro potenzialità. Godono nel credere di non meritare alcuna ricompensa dal destino? Continuino a godere tranquillamente di questa convinzione, e abbraccino una professione in cui possano aiutare altri a ottenere le ricompense e la felicità che meritano, o a non farsele sottrarre: agenti, produttori, consulenti, avvocati, giudici, agenti di polizia, medici anche – e in tal caso grandi lottatori contro le malattie, come lo Yerate'el Alexander Fleming, lo scopritore della penicillina. I benefici anche per loro saranno enormi: oltre a trovare finalmente un concreto e stabile sollievo al loro senso di colpa, si sentiranno amati, utili e necessari, il che per loro è quasi la porta dell'autentica felicità.

28
Še'ehayah
šin-alef-he

«Il mio slancio va verso ciò che ancora non si vede»

Dall'8 al 14 agosto

Šᴇ'ᴇʜᴀ, in ebraico, vuol dire «irrompere», «fare il vuoto dinanzi a sé», e *šo'ha* è «distruzione». Non per nulla Nagasaki venne distrutta proprio un 9 agosto, da quella replica assolutamente superflua della bomba di Hiroshima: l'energia di Še'ehayah ha davvero una carica distruttrice, un'impazienza esplosiva che, proprio come una bomba, potrebbe sfuggire al controllo e cadere quando e là dove non occorre. È bene che i nati in questi giorni lo sappiano e imparino a rispettarne il potenziale, e ad adoperarlo, saggiamente, per mandare in frantumi soltanto edifici pericolanti, oppure ostruzioni dell'energia vitale loro o altrui.

Alcuni, i più abili, possono trasformare tale distruttività nel suo contrario, e cioè in una competenza in fatto di disastri, che aiuti a rimediare a catastrofi minacciate o già avvenute: un po' come fanno gli omeopati, che curano le intossicazioni somministrando microdosi delle stesse sostanze che le causano. Si trovano così, tra gli Še'ehayah, ottimi ortopedici, chirurghi e traumatologhi (hanno infatti una notevole Energia T); tecnici della protezione civile; psichiatri, esperti appunto delle catastrofi della mente; o anche economisti d'avanguardia, ristrutturatori di aziende in pericolo, pianificatori dello sviluppo. Tra i registi, furono Še'ehayah Cecil B. De Mille, che amava tanto riprendere la distruzione dei suoi fastosi scenari in incendi, battaglie e altri sfaceli, e Alfred Hitchcock, specializzato nel tema šeianissimo della paura di venir distrutti da qualcuno o da qualcosa. Tra gli

105

statisti, Fidel Castro e soprattutto Napoleone Bonaparte, nella cui biografia le crisi rivoluzionarie, la distruzione e la costruzione di stati e di imperi si alternano a ritmo addirittura frenetico, intercalati a spaventose battaglie, con decine di migliaia di caduti ogni volta – e pare che Napoleone fosse uno Še'ehayah di quelli cupi, che dalla distruzione si lasciano spesso ipnotizzare: si narra infatti che, dopo le carneficine, amasse passeggiare a cavallo tra i mucchi di morti e di storpiati, e commentarli con i suoi generali, come a un'esposizione di quadri. In lui si espresse, nettamente, anche il tratto più insidioso degli Še'ehayah: il periodico impulso alle decisioni irrazionali, che solo a volte risultano geniali, e spesso invece sciagurate; fu così che commise i suoi più gravi errori, e scelse vari collaboratori pessimi, e alla fine decise tutt'a un tratto d'intraprendere la spaventosa campagna di Russia, che segnò la sua fine.

Da quel genere di decisioni, gli Še'ehayah devono cercare di tutelarsi. Evitarle è impossibile: la stabilità li esaspera; per quanto comoda possa essere una situazione in cui sono venuti a trovarsi, di tanto in tanto (in genere ogni sette, otto anni) si sentiranno sicuramente presi dalla voglia di mandare tutto all'aria, ed è raro che non riescano nell'intento. In quei momenti la loro voglia di radere al suolo ci mette poco a diventare più forte di qualsiasi attaccamento, o anche di amore. Ma di nuovo: è sempre possibile scegliere *cosa* mandare all'aria, e calibrare il tiro su quegli aspetti delle situazioni, che risultino veramente stantii e privi di possibilità di rinnovamento. Per quelli che vivono o lavorano con loro ciò rappresenterà naturalmente un'indimenticabile fonte di stress, ma con il passare del tempo finiranno per accorgersi che, tutto sommato, è stato meglio così.

Quanto all'amore, del resto, i protetti di questa Dominazione hanno inclinazioni talmente speciali, da non riuscire a comprenderle essi stessi. Di solito, sanno soltanto di non trovarsi a loro agio nei legami di cui il resto del mondo si accontenta: e alcuni temono che possa nascondersi in ciò qualche perversione, e non osano indagare oltre; altri tentano qualche esperimento strano, ma ne rimangono per lo più delusi. La questione, in realtà, è che la loro libido ha la stessa vastità della loro carica distruttiva, tanto da far pensare che si tratti di due facce della stessa medaglia: e così come non vi è nessuna situazione della quale si possano veramente accontentare, allo stesso modo non vi è né individuo né serie di avventure che possa mai bastare al loro desiderio. Potranno innamorarsi, semmai, di una grande azienda, come Napoleone era innamorato di tutti i battaglioni della sua Guardia; o di un popolo, come Emiliano Zapata; soltanto con questi partner collettivi gli Še'ehayah si accorgeranno di provare le gioie e i tormenti della passione. Sono nati così, ed è inutile tentare di ridimensionare o razionalizzare questo loro aspetto paradossale.

Da tale punto di vista, un loro simbolo *pop* fu John Holmes, l'attore statunitense che negli anni Settanta divenne il primo grande divo del cinema pornografico, e il cui vero e unico amante era il pubblico, con cui Holmes si congiungeva attraverso lo schermo. Holmes fu, purtroppo, uno Še'ehayah anche nella distruttività e nell'autodistruzione: partecipò, assurdamente, a efferati episodi criminali, si lasciò annientare dalla cocaina, e terminò la sua vita con il triste privilegio di essere stato uno dei primi casi di AIDS conclamato. In quest'ultima cosa agì, molto probabilmente, anche la sua Energia T, che, come sappiamo, usa vendicarsi quando viene trascurata. Ne tengano conto gli Še'ehayah e a maggior ragione trovino il tempo, nell'orientare le loro doti, di dedicarne il più possibile al benessere del prossimo.

29
Reyiy'el

reš-yod-yod

«Io apro gli occhi a molti»

Dal 14 al 18 agosto

QUANDO tutto in loro va per il verso giusto, i Reyiy'el sanno impegnarsi appassionatamente nel liberare qualcun altro dai suoi guai e dalle sue paure: e nel farlo appaiono maestosi, perfetti, come se una qualche forza magnetica li guidasse. Che siano psicologi, avvocati, preti o semplicemente amici premurosi, quando si mettono all'opera per voi potrebbero farvi pensare a Reyiy'el famosissimi come il colonnello Thomas Edward Lawrence, altrimenti noto come Lawrence d'Arabia, il romantico agente inglese che in abiti da sceicco guidò la lotta degli arabi per l'indipendenza; o come Robert De Niro, quando ne *Il cacciatore* salva l'amico, o in *Taxi Driver* si trasforma in un arsenale vivente per liberare la fanciulla dai suoi sfruttatori. Vincere i vostri nemici è il loro compito, e non importa che si tratti di nemici in carne e ossa; o di qualche virus (Luc Montagnier è nato il 18 agosto); o di pericoli pubblici o magari di ombre e incubi della psiche: li sbaraglieranno comunque. Rivive, in ogni Reyiy'el, l'antica figura del cacciatore di demoni, assistito e ispirato certamente da strane forze superiori che lui solo conosce.

Napoleone diceva di essere nato anche lui in questi giorni, precisamente il 15: e per qualche suo tratto giovanile potrebbe anche darsi – benché la sua potenza distruttiva e il suo piglio di dittatore lo facciano assomigliare più al temibile Angelo precedente, Še'ehiyah. I Reyiy'el, infatti, hanno una giusta fama di liberatori, ma non sono necessariamente aggressivi: a loro importa scacciare, e non distruggere, chi vi fa del male. E soprattutto, non sono veri e propri capi: il loro talento è operativo, preferiscono l'azione alla supervisione, la tattica alla strategia. È indispensabile, per loro, avere alle spalle un'incarnazione tangibile di quelle forze superiori dalle quali si sentono animati. Così anche il colonnello Lawrence aveva Churchill, a guidarlo. Inoltre, sono per lo più troppo idealisti, troppo eroici, per sapersi districare tra i compromessi e le trappole che non mancano mai nell'esercizio del potere, e anche per sopportare l'idea di imporre qualcosa agli altri: i protetti di questa Dominazione sono venuti a togliere catene, non a metterne.

Ma tutto ciò vale soltanto, come dicevo, nei casi in cui i Reyiy'el abbiano saputo assumersi e mettere in luce quelle loro doti davvero straordinarie. I più non ci riescono, le trovano troppo faticose e troppo altruiste; e allora le doti si trasformano fatalmente in difetti e problemi di difficilissima soluzione. Invece di essere dei liberatori, i Reyiy'el egoisti diventano loro stessi vittime di ogni genere di parassiti visibili o invisibili: falsi amici o partner vampireschi, oppure ossessioni, fobie – e al Reyiy'el Roman Polanski avvenne che le ossessioni si trasformassero in realtà, con il seguito di sciagure che lo colpirono dopo il film *Rosemary's Baby*.

I Reyiy'el che all'egoismo aggiungono anche la pigrizia, vanno invece incontro a vere e proprie paralisi esistenziali, che fanno loro sembrare il mondo intero un luogo al tempo stesso troppo complicato e troppo noioso. Invece che maestosi, risultano semplicemente vanitosi; invece che trascinatori, sono vacui chiacchieroni, corrosi da un senso segreto di frustrazione che li rende meschini, ridicolmente suscettibili; e invece di sentirsi guidati da una qualche forza superiore, non osano staccarsi mai dalla famiglia d'origine e seguono inerzialmente, anche nella professione, le orme dei genitori, senza mai osare qualcosa di nuovo.

Può anche accadere che qualche Reyiy'el, magari senza accorgersene, diventi lui stesso un tiranno tra le pareti domestiche, o addirittura un parassita, un pesantissimo *low energy*, come usano dire gli psicologi americani: un individuo cioè capace di abbassare il tono vitale di chiunque gli viva accanto, o che si trovi per qualche tempo in sua compagnia.

Quando si arriva a questo punto non c'è rimedio che funzioni – all'infuori, s'intende, di una brusca conversione di rotta, che li riporti nella loro giusta ed entusiasmante corrente energetica. E niente potrebbe sembrare più improbabile, a chi guardasse un Reyiy'el ozioso, infelicemente assopito sul suo divano, preoccupato soltanto di qualche sua ipocondria o confuso rancore: ma si pensi, di nuovo, a *Taxi Driver*, che per i protetti di quest'Angelo è per molti versi un ottimo manuale di istruzioni. Anche lì il protagonista è, all'inizio, un uomo distrutto *dalla sua specialissima energia inutilizzata*. Poi d'un tratto si ridesta, e si trasforma in un san Giorgio in lotta con il drago: è sufficiente che baleni per un attimo davanti ai suoi occhi un'occasione, l'immagine di un debole oppresso (la prostituta bambina, nel suo caso). Il vigore che allora ricomincia a manifestarsi in lui è davvero quello di un Angelo tempestoso: dopodiché tutto il mondo riacquista un senso ai suoi occhi, e diventa un luogo di speranze.

30
'Omae'el
alef-waw-mem

«La mia grande energia cerca un modello a cui obbedire»

Dal 18 al 23 agosto

NELL'alfabeto ebraico antico, a lettera *m* (מ) è il geroglifico dell'orizzonte protetto e protettivo, del ventre materno, della casa anche, e di tutto ciò in cui ci si può sentire «come a casa»: la scuola, per insegnanti entusiasti e per allievi fiduciosi; l'azienda, per un impiegato devoto; una squadra sportiva, per coloro che nello sport amano soprattutto obbedire – e così via. E proprio in מ come queste i protetti di 'Omae'el desiderano rinchiudersi, e da lì guardare ogni tanto, con un dolce senso di sicurezza, a ciò che c'è fuori – e che non li attira affatto.

Ma sbaglierebbe chi li ritenesse pigri o pantofolai. Diventano sempre le colonne (*'omnah*, in ebraico) della casa, dell'ufficio, dell'istituzione in cui hanno deciso di consolidarsi: si sentono responsabili di chi vive o lavora con loro, e sanno dar prova di un'operosità, di una generosità e di una dedizione senza pari (si pensi alla passione con cui la documentarista Leni Riefenstahl lavorò per il partito nazista, o all'impegno con cui Edmond de Rothschild servì, dal suo castello, la causa del sionismo).

Gli ambiti in cui gli 'Omae'el danno il meglio di sé sono naturalmente, oltre alla scuola, quelli legati all'economia, all'amministrazione (l'"Omae'el Bill Clinton fu, tutto sommato, un buon presidente), all'architettura d'interni. Sono geniali nel mettere in ordine cose e persone: e un genio della moda e della cosmesi fu infatti Coco Chanel. Naturalmente, amano rispettare essi stessi una disciplina rigorosa: e non è un caso che siano 'Omae'el anche Carla Fracci e Gene Kelly – dato che nessuna arte richiede più disciplina della danza.

Felicissimi, poi, quegli 'Omae'el che, dopo aver contratto un saldo matrimonio (altra מ, anche quello), abbiano potuto dedicarsi alla riproduzione: prolifici e teneri genitori, si muovono tra le pareti domestiche come in un'importantissima torre di controllo, come se covassero in petto la convinzione che da quel che fanno in casa loro dipenda il benessere dell'intera umanità. Tanto grande è, d'altra parte, il valore che queste belle anime attribuiscono alla maternità o alla paternità, da provarne spesso un timore reverenziale, che li spinge – paradossalmente – a rimandare il più possibile la loro prima gravidanza. Hanno come l'impressione che, quando saranno divenuti genitori, avrà inizio per loro il periodo decisivo, maiuscolo della vita, e appunto perciò esitano, prolungano l'attesa, trasformandola in un equivalente di quella tormentosa paura del successo che affligge tante persone di grandi doti. Certi provano a giustificare razionalmente tale loro blocco nella procreazione, convincendosi per esempio che *prima* occorra fare carriera, perché poi si avranno troppi problemi: ma questo, per gli 'Omae'el, *non è vero mai*. Le gravidanze, al contrario, fanno sbocciare in loro uno straordinario vigore, che può guidarli rapidamente verso le mete più ambiziose – beninteso, nei campi a loro congeniali. Non cadano dunque nell'equivoco. Se poi le gravidanze non fossero proprio possibili, un loro nobile surrogato sarà l'impegno a far crescere i lati migliori e i talenti delle persone a loro vicine, allievi, amici o partner che siano: quanto a questo «la creazione è sempre prossima a partorire», come diceva san Paolo, e gli 'Omae'el sono i migliori assistenti al parto che si possano trovare.

Il peggiore rischio che corrono è il pessimismo, che in loro è sempre il prodotto di un'esagerazione del loro disinteresse per il mondo che c'è fuori casa. Quel disinteresse può diventare voglia di evasione fantastica, come fu per Emilio Salgari, romanziere esotista che non viaggiò mai fuori dal Nord Italia; oppure sfiducia nella gente, paura, o anche oscuro terrore: H.P. Lovecraft, nei suoi racconti, riempì sia la terra sia i cieli di potenze antiumane;

Edgar Lee Masters dispose i personaggi della sua *Antologia di Spoon River* in un cimitero, in cui il mondo appare solo come oggetto di rancore o delusione, o come repertorio di occasioni perdute. Da questo snobismo cupo gli 'Omae'el che non scrivono poesie si tengano alla larga: in un libro fa certamente il suo bell'effetto, ma nella vita è una malattia.

Quanto invece ai difetti caratteristici di chi nasce in questi giorni, è divertente notare come siano tutti iscrivibili nelle dinamiche famigliari e scolastiche. Un certo egoismo, una certa competitività che caratterizzano spesso gli 'Omae'el, si possono interpretare facilmente come una memoria mal digerita dei tempi in cui, da bambini, volevano essere i prediletti dai genitori e dagli insegnanti, e sgomitavano a tale scopo in mezzo ai fratelli o agli amichetti. I loro slanci improvvisi di euforia ricordano molto la vivacità dei bambini durante le ricreazioni. La loro tendenza all'introversione e a una meticolosità un po' nevrotica si direbbe anch'essa una sopravvivenza della gran concentrazione che mettevano, tanti anni prima, nel fare i compiti a casa. Nulla di grave, insomma: non c'è partner minimamente affettuoso, o capoufficio o allenatore che non possa ridimensionare queste piccole pecche con un semplice sorriso e una carezza sulla testa, ottenendo subito dopo dai suoi 'Omae'el la più grande gratitudine e dedizione.

31
Lekabe'el
lamed-kaf-bet

«Dall'alto io controllo tutte le case»

Dal 24 al 28 agosto

È L'ANGELO di Ivan IV, il terribile zar di tutte le Russie; di Hegel, filosofo dell'«Assoluto» (il che è come dire: di tutto); di Goethe, che si sentiva il sovrano della cultura tedesca; e di Montgolfier, che inventò il pallone aerostatico per guardare dall'alto la terra. Dominare, comprendere tutto, dirigere e verificare: queste sono le aspirazioni dei Lekabe'el – e diventano una missione nei più evoluti, una necessità nevrotica negli altri. Si esprime in loro uno dei sogni più ambiziosi della mente umana: porsi a fianco di Dio stesso (*lek be 'El*, in ebraico, suona come «cammina insieme con Dio»), dietro le quinte dell'Universo, e avere accesso alla stanza dei bottoni, da dove si manovrano sia la materia sia lo spirito. Nacque in questi giorni anche Lavoisier, uno dei fondatori della chimica moderna, scopritore della composizione dell'aria e dell'acqua, delle leggi della conservazione della massa e degli elementi; e Jorge Luis Borges, che perfezionava nei suoi racconti il personaggio dell'onnisciente curatore di fantastiche biblioteche universali e che per decenni esplorò le letterature e la mistica di ogni tempo alla ricerca dell'«Alef», del principio di ogni segreto. Al pari di questi, tutti i Lekabe'el sono infaticabili raccoglitori di informazioni, cercatori di verità sempre insoddisfatti di ciò che i loro contemporanei si accontentano di sapere.

E nel loro cercare amano soprattutto due cose: il processo stesso della ricerca (tanto che ogni scoperta è, per loro, quasi una delusione, il rammarico che la caccia sia finita) e il potere che l'accumulo di conoscenza dà loro. Esigono che la gente li ammiri; godono nel sentirsi carichi di responsabilità, nel progettare accuratamente soluzioni di problemi altrui, mentre chi passa davanti alla loro porta cammina in punta di piedi per non disturbarli. Meglio ancora se le questioni che affrontano sono complicate e ramificate, e coinvolgono molti, moltissimi: tanto più alta sarà la stima che si nutrirà per loro, e tanto più numerosi quelli che obbediranno alle loro decisioni. Perciò i Lekabe'el si trovano perfettamente a loro agio anche nella politica (Arafat, per esempio) o nel gestire vaste organizzazioni, possibilmente benefiche (madre Teresa di Calcutta).

Certo, con tali predisposizioni il loro Ego corre seriamente il rischio di gonfiarsi a dismisura: ma non appena trovano la propria strada, sanno compensare questo difetto con il loro fascino personale, che è sempre intenso (innamorarsi dei Lekabe'el è facilissimo) e che, quando lavorano a pieno regime, diventa addirittura magnetico. Un ottimo esempio è Sean Connery, che – da buon Lekabe'el – cominciò la sua carriera vincendo la corona di Mister Universo, e la proseguì interpretando trionfalmente il ruolo di James Bond, sempre impegnato in difficilissime avventure per salvare l'umanità intera: neppure per un istante, quando Connery-Bond è in azione, il suo egocentrismo risulta fastidioso – se non eventualmente per i suoi superiori, che glielo invidiano.

Quando invece un Lekabe'el non trova un degno campo d'applicazione, può diventare una persona veramente insopportabile. Si sente inutile, sventurato e incompreso, e non riesce a tollerarlo: non ammette che gli altri e il mondo possano fare a meno di lui. Se ha un po' di saggezza, se la cava convincendosi che si tratti di un periodo di riflessione, utile per affinare le sue doti e preparare una brillante riscossa. Se invece prevalgono in lui l'impazienza e l'orgoglio, non resiste alla tentazione di utilizzare comunque le sue capacità organizzative, *tramando* per causare problemi, invece che per risolverne; e quanto più si sentirà frustrato dalla sorte, tanto più occulte saranno le sue trame e le sue intenzioni – un po' come se l'agente 007 avesse deciso tutt'a un tratto di passare dalla parte della Spectre. Di nuovo, qui, va citato Goethe, che nel suo personaggio più celebre, il dottor Faust, delineò perfettamente questa variante cupa del Lekabe'el: profondo studioso ed esperto di tutto – filosofo, giurista, medico, teologo, alchimista – e da tutto e da tutti deluso, il vecchio Faust chiede aiuto al Diavolo in persona, per poter vivere esperienze davvero entusiasmanti. E Mefistofele acconsente: vola insieme a Faust da un luogo all'altro, manipolando da dietro le quinte uomini, avvenimenti e interi regni, perché il dottore possa soddisfare la sua brama di conquiste; e nonostante i disastri che causa, nessun rimorso basta mai a trattenere Faust da sempre nuove macchinazioni. Alla fine, per di più, tutto gli viene perdonato e la sua anima è accolta in cielo.

Nei Lekabe'el malriusciti, le aspirazioni faustiane si cristallizzano in forme più o meno controllate di paranoia, in manie di persecuzione che si capovolgono in manie persecutorie, con le quali, non avendo potuto farsi ammirare, si fa cordialmente odiare dal prossimo. Invece che alle magie di Mefistofele potrà ricorrere all'aiuto di qualche organizzazione segreta; invece di conquistare regni, si accontenterà magari di rovinare qualche famiglia, ma sempre sentendosi nel suo pieno diritto di farlo, come se fossero esperimenti scientifici. In questi casi, non resta che attendere un nuovo guizzo della sua intelligenza, che lo riporti nel versante luminoso delle sue magnifiche doti.

32
Wašariyah
waw-šin-reš

«Io pongo un limite a chi vuole imporsi»

Dal 29 agosto al 2 settembre

LE lettere *š* (ש) e *r* (ר) formano una serie di parole ebraiche connesse al buon esercizio del potere: *šarar*, «saper governare»; *šaruy*, «dare il permesso»; *šarah*, «esser presenti a se stessi»; *širyon*, «corazza»; *šeret*, «servire»; *šoreš*, «andare alla radice». E sono tutte qualità che anche Wašariyah conferisce ai suoi protetti, perché scoprano la loro vocazione di ottimi dirigenti e consiglieri preziosi, sempre realistici e profondi, e di nemici giurati d'ogni forma di disordine, di ipocrisia, di arbitrio. Certo, devono prima affrontare quella *waw* (ו) che compare all'inizio del loro Nome angelico: individuare cioè quel che in loro stessi o nel loro ambiente ostacola l'esercizio delle loro importantissime virtù di capi. Se ci riescono e non se ne lasciano intimidire, saranno loro a porre giusti limiti agli altri, per tutta la vita. Altrimenti (e purtroppo non è raro) si sentiranno come sapienti in esilio, depositari di valori che non riescono a esprimere, perché l'epoca non è pronta; o, peggio ancora, dispereranno talmente della capacità del prossimo di ascoltare la voce della ragione, che butteranno all'aria valori e doveri e diverranno loro stessi le *waw* gli avversari di quel che avrebbero dovuto portare nel mondo: esempi di indifferenza morale, di prepotenza, di sistematica menzogna.

Ma quest'ultima evenienza è piuttosto rara: nella storia si ricordano pochi Wašariyah che siano giunti così in basso – come l'imperatore Caligola, che non per nulla finì pazzo, e Commodo, che fu strangolato. Esempi belli del pessimismo wašariano –

della sensazione cioè che il mondo civile non sia pronto a lasciarsi governare da chi lo meriterebbe – furono invece Mary Shelley ed Edward Rice Burroughs. La Shelley è l'autrice di *Frankenstein*, storia, com'è noto, di una creatura mostruosa ma mite che il male del mondo rende distruttiva; Burroughs fu il creatore di *Tarzan*, il buon selvaggio che preferisce la foresta e il suo regno di scimmie alla moderna e mediocre Inghilterra in cui erano nati i suoi nobili genitori. Ed entrambi questi personaggi mostrano bene, d'altra parte, le due principali componenti del rigore etico dei Wašariyah.

Il corpo del mostro di *Frankenstein* era costituito da membra di cadaveri, ciascuna delle quali portava impressa nelle proprie fibre la dura memoria di ingiustizie subite o commesse; e davvero la coscienza morale dei Wašariyah si forma attraverso l'osservazione delle sofferenze che i comportamenti altrui possono produrre, e alle quali sono sensibilissimi. Riflettono sul bene e il male che vedono fare, come se si trattasse sempre di una questione che li coinvolga in prima persona. E lo diviene, infatti: si impegnano con coraggio, forza, determinazione, a far valere i principî di giustizia che quelle riflessioni hanno fatto loro scoprire.

E così come Tarzan era re nella sua foresta, allo stesso modo i Wašariyah – appena i loro principî cominciano a consolidarsi – hanno la precisa sensazione di non avere alcun'altra autorità a cui far riferimento, all'infuori della loro personale saggezza: e molti non riescono a nascondere la consapevolezza di appartenere a un tipo d'individui molto più evoluti della restante umanità, proprio come l'eroe di Burroughs lo era rispetto ai suoi sudditi quadrumani. È inevitabile che qualcuno trovi i Wašariyah piuttosto antipatici, per tale motivo; ma non potrà, in ogni caso, non riconoscere quella superiorità ogni volta che ne ascolterà il parere, o ne valuterà l'intelligenza e la coerenza nel perseguire gli obiettivi o nel difendere gli ideali che si sono posti nella vita.

Spesso tutte queste caratteristiche dei Wašariyah li spingono a diventare, invece che capi, ottimi educatori: avere a che fare con bambini e giovani li fa sentire tanto guide quanto (inutile negarlo) sovrani, e in tale veste sono perfettamente a loro agio e danno il meglio di sé. Era Wašariyah Maria Montessori. Oppure è il palcoscenico ad attrarli: a farli sentire sufficientemente in vista perché sia notata da tutti la loro superiorità intellettuale; a volte, tale superiorità assume forme strane, come il tenace desiderio di Michael Jackson di schiarirsi la pelle, per prendere le distanze da ogni razza; altre volte, quale che sia il loro successo, i Wašariyah saranno in pace con se stessi solo se lo intenderanno come un sistema d'amplificazione di qualche valore morale che intendono difendere: così è per Gere, con la sua battaglia per il Tibet, o per Salma Hayek, nei suoi interventi per la tutela delle donne e degli immigrati.

Ma anche quando non approdano all'insegnamento o allo spettacolo, quale che sia il loro posto di lavoro i Wašariyah vi si sentono come su una cattedra o sotto le luci dei riflettori: colgono ogni occasione per dare lezioni o porsi come modelli di stile, per assegnare voti di merito o per far capire all'interlocutore che non ha altra scelta se non essere parte della *pièce* di cui loro sono protagonisti, o semplice pubblico che deve applaudire alla fine. *Non possono fare altrimenti*: troppo urgente è il compito di guida morale a cui devono assolvere per sentirsi vivi. Ci terranno che altrettanto esemplari e perciò istruttivi siano la loro casa, curata fino al perfezionismo, e anche la loro vita privata: non c'è dissidio o contrattempo famigliare che i Wašariyah non avvertano come una bruciante sconfitta, come un danno non soltanto a loro stessi, ma anche ai valori che sentono di dover rappresentare. In genere, sanno tuttavia riemergere da tali contrattempi, e nove volte su dieci con la coscienza perfettamente a posto, per tornare poi subito a fare il possibile (tanto o poco che sia) perché il mondo migliori.

Potestà

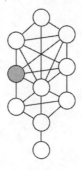

Le chiamarono *Potestates* i teologi che scrivevano in latino, ed era la traduzione del greco *exousìai*, che significa «poteri». In ebraico si chiamavano *Ḥayyot*, che letteralmente sta per «animali», e si riteneva che fossero le forze motrici (d'un colore blu intenso) della potenza divina, come buoi o cavalli lo erano per i carri. Da queste *Ḥayyot*, le anime che devono nascere apprendono appunto la forza e la voglia di dominare le circostanze, e di non sottostare a nessuna autorità che non meriti veramente rispetto. Ogni volta che dinanzi a uno stato di fatto – non importa quanto grande e consolidato – sorge nella nostra mente la coraggiosa domanda «Perché?», possiamo intenderla come un eco della scuola di libertà e di giustizia di questa Sfera dell'Albero delle Vite. E così pure ogni volta che, ragionando sulle nostre azioni, ci domandiamo «Posso o non posso?» è bene che nel rispondere si tengano presenti le caratteristiche delle otto *Ḥayyot* che qui seguono, grandi maestre di risolutezza.

33
Yeḥuwyah
yod-ḥet-waw

«Io pongo leggi e limiti»

Dal 3 all'8 settembre

NACQUERO in questi giorni Elisabetta I d'Inghilterra e Luigi XIV, il Re Sole, e persino Freddy Mercury, che giunse al successo con un gruppo musicale chiamato – guarda caso – i Queen. Agli Yeḥuwyah, evidentemente, si addice la regalità, quasi più che ai disincantati Angeli dei Re (Hasiy'el, Fuwiy'el, Yabamiyah), di cui pure condividono molte brillanti qualità. Yeḥuwyah conferisce infatti ai suoi protetti una determinazione inflessibile e una mentalità assolutamente pratica ed estroversa: vuole che imparino a regnare, che coltivino il desiderio e il gusto del potere, del successo, della prosperità. Le qualità regali si manifestano perciò, in loro, in forma esuberante e felicemente egoistica. Non perdono tempo a dare consigli ad altri, o a criticare i progetti altrui: ciò che imparano, lo adoperano in prima persona; quando scorgono errori, l'unica loro preoccupazione è ricordarli bene, per non cascarci essi stessi. Della gratitudine e della stima altrui non si preoccupano più di quanto basti a mostrarsi cortesi: un po' perché non hanno bisogno di questo tipo di conforti (hanno sempre una lucidissima coscienza della proprie capacità e potenzialità), e un po' perché troppo acuto è il loro sguardo, nel penetrare anche i più segreti pensieri e calcoli di chiunque. Inutile, perciò, pensare di ingraziarseli con lodi o complimenti: se vedranno in voi una qualche utilità concreta per gli scopi che in quel momento si sono prefissi, vi prenderanno in considerazione; se no, vi liquideranno con un cenno d'assenso, e fileranno via con aria indaffarata. «Efficienza!» è, infatti, la loro prima parola d'ordine, «Competitività!» è la se-

123

conda: e le due cose determinano in loro un'appassionata iperattività, tale da esaurire ben presto tutti gli obiettivi possibili nell'area in cui si sono scelti. Allora si scelgono un'altra area, e poi un'altra e un'altra ancora, gongolando sempre della novità delle sfide. Fu così, per esempio, per l'avventuroso marchese La Fayette, che dai vent'anni in poi venne a trovarsi sui più diversi fronti rivoluzionari: prima durante la Guerra d'Indipendenza americana, poi in Francia, durante la Rivoluzione e l'Impero napoleonico, e infine nei moti che seguirono alla Restaurazione – apparentemente cercando, ovunque, un re o un capo a cui obbedire volentieri, e in realtà rallegrandosi o fremendo nel constatare che come leader nessuno fosse più bravo di lui.

Ed è così anche per gli Yeḥuwyah più prudenti: non possono farci nulla, la loro voglia di primeggiare è diretta conseguenza della molteplicità dei loro talenti – ne hanno veramente troppi (come Nicanor Parra, matematico, fisico e poeta) per potersi accontentare di una qualsiasi posizione che non sia direttiva. Oltre che psicologi nati, sono magistrali organizzatori, strateghi, cercatori instancabili di novità da importare – o da copiare, eventualmente, se hanno fretta – abilissimi nelle questioni finanziarie, rapidissimi nell'apprendere, e ottimi anche nel fantasticare, e nel trarre in un lampo, dalle loro fantasticherie, spunti per progetti da concretizzare con notevole vantaggio (si contano, tra gli Yeḥuwyah, due dei più famosi produttori statunitensi, D.F. Zanuck e Samuel Goldwyn Jr., nonché il patriarca dei Kennedy, Joseph).

Va da sé che per tipi del genere non c'è diretto superiore che, alla lunga, non debba rappresentare un intralcio. Se per un po' ne sopportano uno, è perché sta garantendo loro il dominio su un territorio sufficientemente vasto, e perché il loro fiuto politico li sta spingendo alla pazienza – hanno infatti la straordinaria capacità di valutare sempre con precisione i rapporti di forze, e di decidere di conseguenza quando andare alla carica e quando no. Applicano questa qualità anche nei rapporti con i sottoposti, ed è perciò molto difficile che qualcuno di questi abbia mai da ridire a loro riguardo: gli Yeḥuwyah sanno bene che qualsiasi potere si regge anche sulla popolarità di cui gode tra i sudditi, e si curano perciò di conquistarla e di trasformarla in fedeltà, affetto, devozione addirittura.

Regale è anche il loro modo di comportarsi nei riguardi degli affetti privati. Attribuiscono alla famiglia la massima importanza: se non hanno molto tempo da dedicare al coniuge e ai figli, badano che ogni ora trascorsa con loro sia irreprensibile (la prosperità, dicevo, è un loro obiettivo primario, e non hanno perciò alcuna intenzione di metterla a repentaglio con dissapori o problemi irrisolti). Oltre alla famiglia, per gli Yeḥuwyah è fondamentale la casa: tra i loro progetti vi è sempre, fin dalla prima giovinezza, una residenza esemplare, una specie di reggia della quale compiacersi sia tra sé e sé, sia con gli amici. E in genere arrivano a realizzarla, ed è quello un periodo radioso della loro vita, in cui si dedicano teneramente alla scelta delle suppellettili e alle rifiniture di quel monumento alla loro carriera, di quella prova evidente di come nulla, nel benessere, li possa in alcun modo intimidire.

Assai meno arredato rimane invece, fino alla fine, il loro spazio interiore. Ci sono stanze dell'anima, e anche della coscienza, in cui uno Yeḥuwyah non entra mai, sia perché non gli risulta che contengano nulla di indispensabile per la sua riuscita professionale, sia perché quelle che utilizza di solito gli paiono molto ben armonizzate tra loro. E poi, estroversi come sono, traggono dai rapporti con gli altri tutta la realtà di cui hanno bisogno, senza doverla integrare con approfondite autoanalisi. Soltanto gli ultimi anni sono, per molti Yeḥuwyah, il momento della scoperta anche della dimensione interiore: come avvenne per Chateaubriand, altro iperattivo del periodo napoleonico, lui pure avventuriero in America, attivista e teorico politico in Francia, e in vecchiaia autore d'una filosofeggiante autobiografia, *Memorie dall'oltretomba*. Coronamento dell'intelligenza degli Yeḥuwyah è, naturalmente, far durare il più a lungo possibile questi anni di riflessione – magari provando a inaugurarli un po' prima della pensione, perché non capiti che il momento dell'interiorità sia troppo breve, e che la loro storia non debba finire senza che si sia saputo chi fosse davvero il protagonista.

34
Leheḥiyah
lamed-he-ḥet

«La mia crescita spirituale cerca la sua legge sempre più in là»

Dall'8 al 13 settembre

I PROTETTI di questa Potestà crescono come bambini, per tutta la vita. Il mondo, la mente, il corpo – anche il loro proprio corpo – sono e rimarranno sempre, per i Leheḥiyah, luoghi di scoperte: ciò che ne sanno oggi, lo supereranno domani; e qualunque cosa ne possano imparare dagli altri, diverrà per loro una sfida ad andare oltre. Era un Leheḥiyah l'esploratore Henry Hudson, che nel Cinquecento cercava il passaggio a Nordovest del continente americano; e Lev Tolstoj, che fino a ottant'anni continuò a distruggere sistematicamente le certezze altrui, senza che né le persecuzioni del regime, né la scomunica della sua Chiesa bastassero a fermarlo; e D.H. Lawrence, con la sua sete inesauribile di viaggi.

In più, amano vincere le loro sfide: trionfare è una loro esigenza fondamentale – come lo per Jesse Owens, l'atleta nero che a Berlino, nel 1936, non si limitò a far infuriare il Führer battendo gli ariani nei cento metri, ma come per dispetto vinse subito dopo altre tre medaglie d'oro. E amano vincere anche contro se stessi: non basta, a loro, dimostrare che un'opinione o una teoria altrui è insufficiente, e strutturarne dettagliatamente una nuova, ma ben presto avranno bisogno di superare anche questa. Quale che sia il campo a cui abbiano scelto di dedicare la loro ansia di scoperta (studi scientifici o ricerche di nuove forme espressive, o di primati da battere, di nuovi mercati o di una nuova morale), diventano perciò con grande facilità individui di spicco. Li aiuta, in questo, anche l'abilità con la quale sanno farsi valere, suscitando irresistibilmente il rispetto sia dei colleghi sia anche, e soprattutto, dei superiori.

I capi, in particolare, li amano: avvertono, nei Leheḥiyah, un modo di pensare simile al loro, una competenza dirigenziale, e non è raro che accanto a un direttore generale o presidente di qualcosa si trovi un consigliere o magari un coniuge o un amante nato in questi giorni, che gli dà consigli e gli comunica energia. I Leheḥiyah si accorgono presto di avere questa prerogativa con i potenti, e di solito sanno sfruttarla bene. Più avanti (superandosi sempre, com'è loro uso) arrivano anche a intuirne le ragioni profonde: si accorgono di vedere, nei superiori, la parte migliore di se stessi, di scorgere in loro qualità che essi stessi devono sviluppare, o modi efficaci di correggere qualche difetto che in se stessi avevano notato prima. E questa identificazione esercita un inconscio potere fascinatorio a cui nessun capo riesce a sottrarsi.

Ma non appena i Leheḥiyah si accorgono di tale dinamica, cessano di averne bisogno: la loro crescita diviene allora un autonomo slancio dello spirito e trova forme sempre più anarchiche e innovative, tali che nessuno *status quo* può più contenerle. Allora, veramente, cominciano a cambiare il mondo, come avviene a molti protagonisti tolstoiani e come avvenne a Tolstoj stesso nell'ultima parte della sua vita.

Due gravi rischi minacciano tuttavia questa bella evoluzione dei Leheḥiyah. Il primo è la collera, insidia immancabile di ogni crescita spirituale. La loro insofferenza per la routine può trasformarsi in un'indignazione, in un odio addirittura, per coloro che nella routine si sono rassegnati a vivere: questo è, da ogni punto di vista, un errore, un voltarsi indietro invece di guardare avanti, un *fermarsi* a esigere l'approvazione di chi non ha e non comprende le loro doti. È una debolezza che nasconde, in realtà, una paura delle altezze che il Leheḥiyah potrebbe raggiungere. Ma è anche una tentazione fortissima: l'indignazione inebria, è emozionante sentirsi eroi, profeti, davanti alla gente che ancora non sa. Purtroppo quella gente è, nel mondo, una schiacciante maggioranza, e un Leheḥiyah che si abbandoni alla collera nel guardarli può precipitare facilissimamente nella disperazione, se non ha modo di farsi ascoltare come vorrebbe, o persino nella spietatezza verso i suoi sottoposti, se nel frattempo ha acquisito un qualche potere (come avvenne per Marcos, dittatore delle Filippine), o magari verso i parenti, se il Leheḥiyah è il capo famiglia.

L'altro loro rischio è il ripiegarsi su se stessi, il trasformare la voglia di superare i limiti altrui in un'eccessiva attenzione per i propri. Il vigore con cui i Leheḥiyah sanno distruggere le vecchie certezze diviene allora una dolorosa ansia di perfezione personale che fa di ogni loro difetto, anche minimo, un problema eccessivo. Il perfezionismo – che è un sintomo di nevrosi – per i Leheḥiyah può diventare una passione infinita da cui, senza accorgersi, si lasciano avvolgere. L'introversione ossessiva che ne deriva può portarli alla paralisi esistenziale. E l'antidoto sarebbe semplice: un po' di autoironia, di leggerezza, nel pensare a se stessi; ma occorre cogliere per tempo i sintomi del perfezionismo, prima che le enormi energie dei Leheḥiyah se ne lascino ipnotizzare.

35
Kawaqiyah
kaf-waw-qof

«Io imparo a dominare ciò che limita e opprime»

Dal 13 al 18 settembre

QUESTA Potestà può rivelarsi un maestro particolarmente severo con i suoi protetti. Li dota di alte aspirazioni, di talenti creativi, di un intenso bisogno di crescita spirituale, e al tempo stesso sembra disporre apposta le circostanze della loro vita perché li ingarbuglino in una serie di conflitti faticosi – con rivali o, più ancora, in famiglia. Il loro desiderio di orizzonti più ampi non fa che crescere, e intanto i loro pensieri e le loro forze sono sempre più assorbite da problemi e amarezze: poi gli anni passano, e i Kawaqiyah cominciano a sentirsi decisamente infelici, ad abituarsi alle tensioni dolorose e a sviluppare solo quei tratti della propria personalità che permettano di sopportarle.

Diventano, in tal modo, esperti delle attese troppo lunghe e delle sconfitte (come Mickey Rourke), con un'unica consolazione: imparare a vedere quanta parte della vita del prossimo sia simile alla loro, e in quale misura ciò influisca complessivamente sul malessere della società in cui vivono. Si direbbe che abbiano ricevuto dal loro Angelo il compito sia di mostrare a tutti come si possa resistere a lungo allo stress delle speranze deluse... ma così è soltanto fino a che i Kawaqiyah credono di desiderare quei loro ampi orizzonti esclusivamente per se stessi.

La loro vera vocazione è invece quella di guidare altri. Sono maestri, e le loro pesanti esperienze servono appunto a formarli in tal senso: non appena se ne accorgono, diventano i migliori educatori delle aspirazioni altrui, i più comprensivi verso le altrui frustrazioni, acuti analisti dei meccanismi segreti della viltà, dell'odio (come Agatha Christie, o Oliver Stone) della rassegnazione, e solo aiutando gli altri a superare tutti questi mali dell'esistenza li superano loro stessi, trovando finalmente il proprio posto nel mondo.

Shakespeare conosceva questo Angelo? Se no, è una coincidenza davvero sorprendente che sia riuscito a darne un ritratto talmente preciso, nella prima parte dell'*Enrico IV*. Lì, il giovane e intralciatissimo erede al trono, Enrico V, dice di sé, in uno dei suoi momenti più bui:

> Imiterò il sole,
> che permette alle nubi basse e infette
> di soffocare la sua bellezza e di sottrarla al mondo:
> ma quando si compiace di esser se stesso nuovamente,
> desiderato qual era, suscita ancor maggiore meraviglia.

E poi si riscatta: riesce a liberarsi sia dalle umiliazioni subite, sia dalle cattive compagnie, sia dal peso della delusione paterna, proprio mettendosi a guida di molti per riportare la pace in patria; tale ritratto scespiriano è tanto più significativo in quanto il vero Enrico V d'Inghilterra era nato proprio un 16 di settembre.

I Kawaqiyah consapevoli della propria funzione sociale diventano ottimi psicologi, avvocati civilisti, memorabili insegnanti di ogni ordine di scuola, o sacerdoti capaci di considerare i problemi dei fedeli più importanti dei propri. Capita che amplino moltissimo la scala del loro impegno altruista, come Oscar Rafael Sanchez, presidente del Costa Rica, che per le sue coraggiose attività umanitarie ebbe il premio Nobel per la pace, nel 1987. Oppure che dedichino i loro talenti a fare semplicemente più bella e luminosa la vita degli altri – come da decenni sta facendo Renzo Piano con la sua gioiosa architettura.

Da avvicinare con prudenza sono invece quei Kawaqiyah che non soltanto non siano riusciti a trascendere i propri tormenti personali, ma si siano adeguati a ciò che essi detestano della vita famigliare e del loro mondo. Invece di cercarne una fuga o una migliore comprensione, si incaricano di riprodurre a loro volta i problemi di cui hanno sofferto: nel loro ambiente finiscono per rappresentare gli elementi più conservatori, impegnandosi spesso – ansiosamente addirittura – a tarpare e raffreddare gli animi altrui, come per vendicarsi su di loro delle castrazioni subite in gioventù.

Allora capita che siano tiranni meticolosi e ottusi (come lo fu, in tarda età, il messicano Porfirio Diaz), o maestri di conformismo e codardia, tanto più pericolosi in quanto raramente se ne accorgono: quando riflettono su se stessi, si convincono immancabilmente delle loro ottime intenzioni, e per giustificare i propri errori, ne danno la colpa ad altri o alle circostanze. Pochi sono più sordi di loro; pochi godono più di loro nel fare danno a chi li ascolta.

36
Menade'el
mem-nun-dalet

«Dal luogo in cui sono rinchiuso
io posso generare abbondanza»

Dal 19 al 23 settembre

Il 20 settembre 1870 le truppe del neonato Regno d'Italia occuparono Roma, dopo una breve battaglia: fu l'ultimo giorno dell'antico Stato della Chiesa, che a quell'epoca era diventato particolarmente oppressivo. Non si sarebbe potuta scegliere una data migliore: l'energia di Menade'el spinge a liberarsi da situazioni ormai decrepite e ad andare incontro al futuro. I suoi protetti se ne accorgono bene, in genere: rimangono a lungo bloccati da circostanze difficili, o dai famigliari, o da abitudini, pigrizie, paure, ma nel frattempo sentono crescere dentro di sé le forze che apriranno la breccia. E al momento opportuno queste forze prenderanno il sopravvento, portando improvvisi cambiamenti: talento, coraggio, idee, energia mentale e fisica, gioia d'agire e ispirazione cominceranno a riempire le giornate dei Menade'el e, come per incanto, si presenteranno le occasioni e i colpi di genio o di fortuna che la Provvidenza teneva in serbo per ricompensarli. Certo, non capita soltanto ai nati in questi giorni, di partire da posizioni difficili: ma *capita a tutti i Menade'el*, e il loro compito è mostrare al maggior numero possibile di persone che gli svantaggi sono fatti apposta per essere superati. Fu un Menade'el Mickey Rooney, che per aspetto fisico sembrava destinato soltanto a una carriera di bambino prodigio, e invece fu un protagonista del cinema per tutta la vita. Ed Erich Stroheim, figlio di un modesto cappellaio ebreo viennese: quando emigrò negli Stati Uniti si inventò un'altra identità, quella di Erich von Stroheim, conte austriaco, e con questa trovata si costruì il successo. E Stephen King che, di pun bianco, dopo anni duri e tristi, non solo divenne uno dei più far scrittori del mondo, ma vi riuscì proprio narrando storie di persone che riescono a liberarsi sia dalla prigione della loro esistenza troppo normale, sia dagli incubi e orrori che quell'esistenza fomenta nei meandri della psiche, nel sottosuolo di quella normalità. E Sophia Loren, che seppe uscire dal piccolo cosmo napoletano per diventare una star internazionale. E Andrea Bocelli, a cui la cecità non ha potuto impedire una grande carriera di cantante lirico. Tra i Menade'el scienziati spicca Michael Faraday, che scoprì le leggi dell'elettrolisi: di quel fenomeno, cioè, per cui gli elettroni di una sostanza immersa in una certa soluzione, al passaggio di una corrente si trasferiscono dagli ioni della soluzione stessa agli elettrodi di segno opposto – ed è appunto quel che avviene nella vita dei Menade'el, quando tutte le forze che li trattenevano in una determinata situazione si trasferiscono a una situazione nuova e mutano di segno: dalla stasi all'iperattività, da uno sconsolato senso di vuoto e di fine alla meraviglia di un ricchissimo inizio.

Dispiace, certo, che per la maggior parte di loro questo risveglio elettrolitico avvenga piuttosto avanti nella vita: a volte anche oltre i cinquant'anni; e che prima d'allora le loro energie latenti siano state inevitabilmente fruite da vampiri di vario genere o umiliate da quella categoria di persone vili, sempre numerosa, che traggono un particolare godimento dallo scoraggiare chi vale più di loro. Ma tutto serve, ai Menade'el. Quegli stessi che prima li avevano oppressi diventano poi il loro pubblico, o addirittura i loro allievi, se dall'esempio ricevuto sanno imparare a cambiare a loro volta. Inoltre, con quale senso di pienezza, di fierezza, di gratitudine per il destino i Manede'el possono, alla fine, contemplare i due versanti del loro passato, il prima e il dopo il risveglio! È come se avessero vissuto due vite invece di una: e il loro animo, ampliato da entrambe, sa cogliere sia nell'una sia nell'altra i significati, i ritmi, i valori e la speciale bellezza. Si pensi alla dolcezza con cui il Menade'el Ray Charles canta l'inno della Georgia, che era stata testimone dei suoi difficili inizi di artista nero e (anche lui) cieco.

Ma attenzione alla dolcezza del ricordo: la nostalgia può rivelarsi il principale nemico dei risvegliati. Pressoché innocua per l'altra gente, la nostalgia può assumere nei Manede'el proporzioni abnormi, e riportarli di nuovo all'inerzia, ai blocchi di un tempo. Peggio ancora è quando la loro nostalgia arriva a configurarsi in un'ideologia conservatrice: in questo caso la fortuna cessa di colpo di assisterli, e possono trovarsi molto a mal partito – come avvenne a Girolamo Savonarola, che nel prendersela con le nuove mode dei suoi tempi esagerò talmente da venir condannato al rogo. Il suo errore fu nell'invocare il ritorno al passato; se avesse guardato dalla parte opposta, nella prospettiva di un rinnovamento radicale, sarebbe stato certamente tra i precursori della Riforma. I Menade'el lo tengano presente e se ne facciano una regola: c'è sempre moltissimo mondo da scoprire, moltissimo futuro da far diventare presente; quale che sia la loro specialità o attività (e per loro tutte vanno bene, senza eccezione) vi otterranno risultati quanto più sapranno vedere ciò che incatena loro stessi e gli altri a quel che sapevano ieri. Da questo punto di vista, il loro migliore rappresentante è Ottaviano, passato alla storia come Cesare Augusto, che rivoluzionò il sistema politico romano, facendolo passare dalla repubblica all'impero, e che in ogni campo apportò rinnovamenti durati poi per due o tre secoli.

37
'Aniy'el
alef-nun-yod

«Io divento reale quando mi guardano»

Dal 24 al 29 settembre

'ANIY, in ebraico, significa «io»: e che gli 'Aniy'el siano egocentrici è dir poco. Fin da bambini si assuefanno all'attenzione altrui come a una droga, e devono consumarne in dosi sempre maggiori: possono così arrivare a compiere anche imprese notevoli, purché un pubblico li stia guardando; ma quando li si ignora, deperiscono; quando non pensano all'effetto che faranno, pensano cose sbagliate; quando credono di aver esaurito tutte le loro trovate per sorprendere o incantare gli spettatori (e capita ogni tanto), si lasciano prendere dal panico, o precipitano nella disperazione. Berlusconi, in Italia, è un perfetto esempio di 'Aniy'el in azione.

Quanto alle ragioni di questa loro ansia di celebrità, è presto detto. La loro energia è enorme e i loro bisogni individuali sono invece scarsi per svariati motivi: oscuro senso di inferiorità, tendenza al vittimismo, disamore per se stessi, vaghi sensi di colpa eccetera. Possono benissimo saltare due pasti al giorno e dormire solo cinque notti a settimana: a differenza della maggioranza delle altre persone, che si sfiniscono per garantirsi il necessario e un poco di superfluo, gli 'Aniy'el si accorgono di disporre di una valanga di vitalità inutilizzata e di essere pronti a reggere a qualsiasi sforzo – il che è esattamente ciò che occorre per diventare famosi. Allora, basta solo che adeguino la loro energia in sovrappiù *ai bisogni degli altri* (che gli'Aniy'el hanno imparato a decifrare fin da bambini) e gioco è fatto. In un dato momento la gente ha bisogno di divi vanitosi? O magari di eroi idealisti? O di leader? Ed ecco che gli 'Aniy'el diventano divi, eroi o leader *esattamente così come la gente ne vuole.* Oppure, in periodo di crisi, la gente ha tutt'a un tratto bisogno di ammirare qualcuno che sappia desiderare moltissimo, e di prenderne ispirazione per desiderare di più? Ed ecco che gli 'Aniy'el fingono di avere bisogni enormi. Proprio allo stesso modo potrebbero trasformarsi in santi (pare sia stato un 'Aniy'el anche Francesco d'Assisi) o in atei radicali, in filibustieri o in benefattori, in democratici o in dittatori, purché qualcuno gli dimostri che è quel che la gente vuole. In tal modo il loro senso di inferiorità è medicato dall'approvazione che suscitano, il loro eccesso d'energia trova uno scopo, il loro pubblico è soddisfatto, e si stabilisce uno scambio per tutti fruttuoso.

E non è che gli 'Aniy'el non abbiano da dire qualcosa di originale, di più interessante dei normali bisogni della maggioranza: ma proprio perché non vogliono correre il rischio di venire ignorati nemmeno per un po', imparano presto a mettere in secondo piano tutto ciò che la loro epoca non potrebbe apprezzare. A molti di loro questo riesce senza particolari difficoltà: così fu per Brigitte Bardot, o per il filosofo Martin Heidegger, che fu nazista quando la Germania lo era. Altri cedono alla tentazione di andare controcorrente, e allora il risultato è sempre disastroso per loro stessi e a volte anche per altri: San Francesco morì di crepacuore quando si oppose alla volontà del papato e della maggioranza dei francescani; l''Aniy'el Miguel de Cervantes mise in guardia dall'inattualità, con la vicenda del suo Don Chisciotte, che perseguiva ideali cavallereschi ormai passati e che perciò finì malissimo; l''Aniy'el Agustin de Iturbide pensò erroneamente che il Messico avesse una vocazione imperiale (e naturalmente che il miglior candidato alla carica di imperatore fosse lui), e finì fucilato, dopo che un altro 'Aniy'el, Guadalupe Victoria, gli ebbe dimostrato che aveva torto (e divenne lui il primo presidente della repubblica messicana).

Splendida, magica quasi, è invece la sorte degli 'Aniy'el che sanno adattarsi. C'è chi li detesta, ma che importa? Anche l'odio è una forma di attrazione, di cui gli 'Aniy'el sanno andare fieri. In compenso, purché molti li guardino possono addirittura fare autentici miracoli: se mentono, ciò che dicono può sembrare meravigliosamente vero; se si ammalano, l'idea stessa di essere al centro dell'attenzione dà loro la forza di guarire (o di trasformare anche la loro malattia in generoso spettacolo, come avvenne all''Aniy'el Christopher Reeve, paralizzato poco dopo aver impersonato Superman). Quanto all'ansia che sempre li perseguita, alle nevrosi che li spingono al perfezionismo e all'ossessivo controllo di se stessi e dei loro collaboratori, qualsiasi 'Aniy'el li riterrebbe un prezzo modico da pagare per la gioia di trovarsi sulla cresta dell'onda. Può avvenire, certo, che si sentano un po' soli nella vita privata, come sempre capita a chi si profonde troppo in pubblico. Ma anche in campo affettivo le loro esigenze personali sono talmente piccole, che queste malinconie non arriveranno mai a turbarli seriamente. Non temano, dunque. Il loro compito è soddisfare le masse, e le masse hanno bisogno di qualcuno che lo sappia fare. Per questo sono nati: accettino, e non avranno rimpianti.

38

Ḥaʿamiyah

ḥet-ayin-mem

«Io trovo la ragione delle perversioni
come dell'ordine morale»

Dal 29 settembre al 3 ottobre

ENRICO Fermi, che aprì la strada alla costruzione della bomba atomica; il Mahatma Gandhi, che nel frattempo stava dimostrando al mondo l'efficacia della non-violenza nel contrastare gli imperi; il romanziere Truman Capote, che nonostante il suo carattere mite si dedicò per anni a studiare nei dettagli, come affascinato, il massacro compiuto da un paio di disadattati, e lo narrò poi crudamente in *A sangue freddo*; Elie Wiesel, che si è posto come missione il non far dimenticare i lager nazisti: sono tutti e quattro Ḥaʿamiyah, e illustrano bene, ciascuno a suo modo, il duro compito che quest'Angelo delle Potestà affida ai suoi protetti. Il lato buio della mente umana, la malvagità, l'impulso alla distruzione, i modi e i mezzi, anche, che alla distruzione si offrono, sono il territorio che gli Ḥaʿamiyah possono e devono assolutamente esplorare, perché in qualche modo vi giunga la luce – sia essa la luce della ragione, del cuore, o del dominio della mente scientifica sulle energie temibili ma pur sempre immense che là si trovano. *Devono* illuminare quelle tenebre: non viene perdonata loro né la comprensibile paura dei mostri nascosti laggiù, né quella del contagio del male, o delle conseguenze che potrebbe comportare l'apertura di certi oscuri vasi di Pandora: è troppo importante, per l'economia dell'universo, che qualcuno estenda anche da quella parte i confini della coscienza. E infatti negli Ḥaʿamiyah renitenti, che vorrebbero restarsene in zone più confortevoli, quella paura genera puntualmente disturbi ingombranti:

incubi ricorrenti o fobie, oppure un continuo sforzo di reprimere le proprie emozioni, come per non destare un qualcosa di tremendo, di inammissibile che in esse sia acquattato – e quanto più le reprimono e vogliono apparire gentili e misurati, tanto più notano in chi parla con loro un senso di imbarazzo, una strana cautela... Ho anche conosciuto Ḥa'amiyah che proprio per questa ragione non uscivano quasi più di casa, o non parlavano mai di sé, o si sentivano inadatti a tutto (curiosamente, il compleanno di Charlie Brown cade il 2 ottobre).

Quella renitenza è dovuta al fondato sospetto che le cose terribili che devono indagare siano *in loro*, ma questa è solo una verità parziale: l'Inammissibile è in chiunque, e gli Ḥa'amiyah ne hanno la chiave, come la principessa aveva la chiave della stanza segreta, nella fiaba di Barbablù. Di più ancora: gli Ḥa'amiyah sanno, sentono che proprio là dentro, nel buio, nel brutto, nel pericoloso, si trovano elementi preziosi da trasformare in ricchezze dello spirito (Fermi, oltre alla Bomba, scoprì anche come costruire un reattore nucleare per la produzione di energia assolutamente pacifica); e inoltre lì, in quel buio, è l'altra faccia della verità, senza la quale la nostra comprensione di ogni destino, di ogni sentimento, *rimane incompleta e illusoria*.

Non trattengano dunque, gli Ḥa'amiyah, il loro desiderio di conoscenza: smettano di sospettare di sé e si lascino guidare dal loro istinto di principesse curiose, sia che si tratti di analizzare pulsioni distruttive o esplosivi. Secondo una tradizione della Qabbalah, il Nome di quest'Angelo fu la formula sacra che Giacobbe udì quando vide la scala che congiunge il cielo e la terra, e che suo figlio Giuseppe pronunciò nel proprio cuore quando venne salvato dal pozzo in cui l'avevano precipitato i fratelli e, in seguito, dalle prigioni egiziane. Con quello stesso potere ascendente e liberatore, gli Ha'amiyah possono aprire sia a se stessi, sia soprattutto agli altri prospettive nuove e rivelatrici. Ciò che amano più di tutto è guidare qualcuno (o magari un intero popolo, come Gandhi) fuori dai guai in cui l'hanno fatto sprofondare i suoi intimi conflitti e le sue resistenze a conoscere se stesso. Con questa loro capacità di aprire stanze segrete e di sondare pozzi profondi, possono perciò divenire luminari sia della medicina sia della pubblicità, *talent scout* o bravi magistrati, oltre che naturalmente scrittori – in special modo di thriller, come lo Ḥaʿamiyah Graham Greene. Molti sono attratti anche dalla carriera militare o dalla pubblica sicurezza: e non certo per voglia di potere o per bisogno di autorità, ma perché in quei settori si possono osservare ancor meglio che altrove le passioni oscure degli uomini; degno di nota a questo riguardo è il fatto che il gruppo musicale con cui lo Ḥaʿamiyah Sting giunse al successo si chiamasse proprio *The Police*.

Ciò che invece non interessa proprio agli Ḥaʿamiyah, sono i traguardi sociali che i più ritengono desiderabili: denaro e prestigio li irritano addirittura. E d'altra parte, come puntualmente avviene alle persone davvero disinteressate, finiscono con il guadagnare molto o moltissimo proprio là dove avevano trascurato l'aspetto finanziario di qualche loro appassionata iniziativa.

Può avvenire, certo, che a causa di traumi o tormenti di varia origine, la loro dimestichezza con l'Inammissibile ecceda e fraintenda nefandamente se stessa: così avvenne, pare, a uno dei più torbidi re d'Inghilterra, Riccardo III. Oppure che li inclini al fanatismo religioso, da telepredicatore isterico. Ma è raro. Più frequente è quel tipo di Ḥaʿamiyah irrealizzato che si ammazza di lavoro per non accorgersi di sé, o che è sempre in cerca di obiettivi che lo appassionino, nel mondo delle persone per bene. Non ne troveranno; sono venuti «non per i giusti, ma per i peccatori», come diceva la Scrittura, e solo se si metteranno a scoperchiare terribili segreti e a disintegrare vampiri potranno tornare a casa tranquilli, la sera, a godersi le gioie domestiche e un meritato riposo.

39
Raha'e'el

reš-he-ayin

«Io conduco verso l'invisibile, e supero le illusioni»

Dal 4 all'8 ottobre

IN ebraico, *rahav* significa «osare» e anche «oceano»; ma *rahah* è «aver paura»: e i protetti di questa Potestà si trovano a scegliere tra queste due prospettive. I più non osano staccarsi da riva: temono che qualche corrente li porti verso gli scogli dell'illusione – che nel loro Nome angelico è rappresentata dalla lettera *ayin* (ע). Capita, così, che non abbandonino mai la casa in cui sono nati, oppure che ereditino il lavoro del padre e non vi aggiungono nulla di nuovo, come nel timore che qualche tragica trappola li inghiotta appena proveranno a discostarsi da quel che già si sapeva prima di loro (e se osassero avrebbero invece fortuna, come Louis Lumière, che subentrò al padre nel suo laboratorio di fotografia, e lo trasformò nella prima casa di produzione cinematografica.

Altri tentano, e davvero si smarriscono: la corrente li porta troppo rapidamente perché riescano a cogliere le occasioni giuste; gli eventi li trascinano senza che nulla di ciò che vogliono riesca né a consolidarsi, né a chiarirsi del tutto; e quel che peggiora la situazione, in questi casi, è che pochi Raha'e'el riescano a resistere alla tentazione di rafforzare (illusoriamente!) il proprio animo ricorrendo al principio d'autorità, e cioè mettendosi a dare ordini ad altri, o trovando qualcuno a cui obbedire. Nel primo caso, finiscono regolarmente nella disfatta (come Juan Peron); nel secondo, diventano semplici strumenti di poteri più o meno oscuri, come è stato per Putin, colonnello del KGB, o per il tetro

Heinrich Himmler, al servizio di Hitler. Patetica, poi, e soffocante, in ogni Raha'e'el sconfitto o deluso dal proprio destino, è la tendenza a obbligare i figli a riuscire in ciò in cui lui ha fallito – come a volersi riscattare per interposta persona – senza alcun riguardo per le loro vocazioni e desideri. E se ne riceve un rifiuto, lo prende spesso come una ferita imperdonabile.

Ciò che può salvare i Raha'e'el – o che più di tutto contribuisce a distruggerli, a seconda di come la usano – è la loro grande Energia T. Potrebbero essere grandi medici e uomini di spettacolo. Quanto a Louis Lumière, è istruttivo un aneddoto sul suo rapporto con la paura: in curiosa coerenza con il Nome del suo Angelo, alla proiezione della sua prima pellicola, *L'arrivo del treno*, Lumière vide fuggire dalla sala tutto il suo pubblico, spaventato dall'immagine della locomotiva che puntava dritto verso la platea. Il medico cura sempre se stesso, come sappiamo: doveva aver avuto un po' di paura anche Lumière, mentre fermo sulle rotaie girava la manovella della sua protocinepresa; filmò dunque la sua stessa emozione, e il giorno del suo successo fu anche quello in cui, grazie alla nuova tecnologia, riuscì a far provare ad altri ciò anche lui aveva provato, perché vincessero il riflesso istintivo che li spingeva a scappare. È un simbolo della molla segreta di ogni buona terapia: quanto più un individuo dotato di Energia T riesce a inquadrare le dinamiche dei suoi personali disagi, e a dominarle, tanto più sarà in grado di agire su altri, per aiutarli a dominare e a superare i loro problemi.

E nei Raha'e'el l'autoanalisi trova un campo molto promettente. Nessuno meglio di loro può comprendere come e perché si temano e si rifuggano la propria libertà e responsabilità: e poche conoscenze tornano più utili di questa, nell'aiutare chi soffre. Se osano indagarlo, poi la loro Energia T saprà guidarli e portare risultati in varie forme di diagnosi e terapie, anche non strettamente mediche: il Raha'e'el Denis Diderot trasse abbondanti spunti dalla propria vita tumultuosa, per studiare e diagnosticare bene le ragioni dei mali sociali del suo tempo – e ne trattò non soltanto nei suoi scritti teorici, ma anche in drammi e romanzi, dedicati, guarda caso, proprio al difficile rapporto tra le generazioni, come

Il figlio naturale e *Il nipote di Rameau*. E che dire del Raha'e'el Le Corbusier? Pareva un medico che curasse i mali dello spazio abitabile contemporaneo, costruendo, opera dopo opera, la liberazione dell'architettura dai dogmi della tradizione: guarendo gli edifici – case, chiese, città – dai loro complessi di inferiorità verso il passato, voleva guarirne anche l'anima di coloro che vi avrebbero vissuto. (Tra l'altro, il lato pericoloso rahaliano ebbe la meglio su di lui, nel suo ultimo giorno: morì infatti in mare, nuotando al largo, trascinato via da una corrente.)

L'autoanalisi, il prendere luminose distanze da se stessi, è indispensabile ai Raha'e'el anche in un altro senso. La loro dipendenza dai genitori, o in genere dal passato, e anche la dipendenza che vorrebbero imporre ai figli, si rivelano, quando riescono a osservarle con calma e attenzione, come ombre proiettate da tutt'altra cosa: dal bisogno di una guida spirituale – bisogno che tuttavia può arrivare a chiarirsi solo in chi si sia elevato un po' al di sopra di quella paura del nuovo, o di quella certezza che il nuovo porti con sé la rovina, che caratterizzano i Raha'e'el mediocri. E più in alto ancora, conoscendosi ancor meglio, scoprono che anche il loro bisogno di una guida è in realtà un'ombra, che il padre spirituale che cercano è in loro stessi, e lo si può trovare soltanto vivendo come se quel padre invisibile gioisse del bene che riescono a fare per se stessi e per gli altri. Così è anche per chiunque altro, si sa: ma nei Raha'e'el le resistenze a questa scoperta interiore sono, in genere, talmente forti da trasformare la vittoria su di esse in un'impresa eroica. E questo eroismo è l'unica condizione della loro felicità.

40
Yeyase'el
yod-yod-sain

«La mia vista, la mia percezione è come una freccia»

Dal 9 al 13 ottobre

ANCHE Yeyase'el – come Lewuwiyah, di fine giugno – è un Angelo degli artisti, se con «artista» intendiamo chi sa esprimere fedelmente ciò che percepisce attraverso l'immaginazione. E ciò che agli yeyaseliani piace percepire e mostrare, sono soprattutto le possibilità nuove – in qualsiasi ambito: arte, pensiero, morale, società.

Potrebbe benissimo esser stato Yeyase'el l'Angelo che, nel racconto evangelico, si presentò ai pastori per informarli della nascita di Gesù, «avvolgendoli di luce» (Luca 2,9), cioè permettendo loro di vedere, tutt'a un tratto, con straordinaria chiarezza. Agli yeyaseliani toccherebbe far proprio lo stesso: aprire, alla gente, gli occhi dell'immaginazione, senza temerla – come esortava John Lennon, in *Imagine*:

> Imagine there's no country. It isn't hard to do,
> nothing to kill or die for, and no religion too.
> Imagine all the people living life in peace…

Naturalmente, i nati in questi giorni devono imparare, prima, a non temere essi stessi la propria facoltà immaginativa – che, appena la si lascia un po' libera, fa apparire il mondo attuale come un sistema pessimo, decrepito, troppo piccolo per l'umanità che lo abita.

Potranno avere il dubbio di star esagerando, e tale dubbio potrebbe generare in loro la voglia di bloccarsi, di esagerare nella direzione opposta: di vedere cioè in se stessi troppi difetti, troppa inesperienza, e nelle proprie giornate troppe incombenze da svolgere, e troppi vincoli, troppi doveri da rispettare – al solo scopo di mettere a tacere il loro talento angelico il più a lungo possibile. E quando poi decidono di adoperarlo, devono ancora fare i conti con altri pericoli generati da quel timore della propria grandezza: la propensione – in alcuni quasi irresistibile – a legarsi a persone sbagliate; l'ansia, sempre controproduttiva, di ricevere l'approvazione di molti, e al tempo stesso il suo contrario, disastroso anch'esso, la sensazione di essere individui eccezionali e appunto perciò tali da *dover* risultare incomprensibili o scandalosi per i più (fu il caso di Aleister Crowley, che cadde nella tentazione di trarre dalla sua immaginazione creativa una religione iniziatica). L'unico risultato a cui giungono, in questo caso, è quello di convincerci che il nostro mondo non sia un buon posto per realizzare i sogni.

Solo in un senso quest'ultima cosa è vera, per tutti gli Yeyase'el: se per mondo si intendono le possibilità che possono offrire loro le professioni consuete. Lì, non c'è proprio spazio per la loro. La loro mente ha percorsi troppo vasti ed elaborati perché riesca a esprimersi, o comunque a trovare una collocazione, entro le strutture già esistenti; deve produrne di nuove; l'arte è il loro campo, e anche come artisti saranno sicuramente sopra le righe (si pensi a Giuseppe Verdi, a Luciano Pavarotti, con la sua voglia di strafare).

Anche nelle loro relazioni, gli Yeyase'el che abbiano fiducia in se stessi non potranno aspettarsi esistenze regolari, in cui cercare quelle forme di felicità di cui la maggioranza si accontenta. Ma in realtà gli Yeyase'el non le vogliono: né l'amore, né l'amicizia, e nemmeno il rispetto, la prudenza, la modestia, la ragionevolezza, come le si pratica di consueto, potranno mai rispecchiare le loro esigenze. Ciò che per altri è un pregio o buona educazione, per loro è un limite. Ciò che è normale per i più (un po' di razionale egoismo, un po' di *routine*, un po' di conflitti tradizionali con genitori, coniugi e figli) è per loro un nemico.

E viceversa, quel che ad altri appare come difetto può divenire per loro una condizione operativa: il ritenersi fuori norma, per esempio, dà loro la forza di osare ciò che nessuno aveva osato prima (è ciò che fece l'esploratore, scienziato, diplomatico e difensore dei diritti umani Fridtjof Nansen, premio Nobel per la pace nel 1921); il non accettare consigli è il presupposto della loro autonomia, della loro originalità creativa (che ne sarebbe stato di Verdi, o di John Lennon, se avessero dato retta a qualche cauto contemporaneo più anziano?); e persino la mancanza di equilibrio, l'incapacità di affrontare razionalmente i loro problemi privati, diviene ragione e alimento della loro arte: garantisce loro un punto di vista diverso, da cui osservare e comprendere i problemi altrui, e scorgere significati e soluzioni nuove.

Ne risulterà, spesso, una condizione di *outsider*? Poco male: gli Yeyase'el *sono nati outsider*, e semplicemente non sarebbero se stessi se non si assumessero questo loro destino.

Virtù

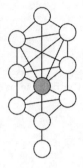

I TEOLOGI li chiamano *Dynameis*, e i latini *Virutes*: entrambe le parole significano genericamente «forze». Il loro nome ebraico è invece *Mal'akiym*, che letteralmente significherebbe «pienezze». Ciò che riempie i *Mal'akiym* è l'afflusso di tutte le energie angeliche: la loro Sfera si trova infatti nella posizione centrale nell'Albero della Vita, ed è come anche un crogiolo in cui le qualità di Serafini, Cherubini, Troni e Dominazioni, Potestà, Principati, Arcangeli i Angeli giungono, si mescolano e traboccano. Quanto alla qualità propria dei *Mal'akiym*, non può che essere la Saggezza, che sa comprendere, contenere in sé ogni dinamica. Anche perciò il colore con cui si immaginano le Virtù-*Mal'akiym* è l'oro abbagliante del Sole: l'infinita abbondanza della luce che illumina e circonda tutte le cose, e il punto fermo attorno a cui tutto gravita, a cui tutto somiglia.

41
Hahahe'el
he-he-he

«La mia anima si perde in se stessa»

Dal 14 al 18 ottobre

Umano, troppo umano: quando Friedrich Nietzsche intitolò così il suo celebre «libro per gli spiriti liberi», colse in pieno la ragione segreta delle molte inquietudini degli Hahahe'el, delle loro contraddizioni, del loro fascino anche, spesso irresistibile, e delle loro tanto frequenti delusioni. Troppo umano appare davvero, a questi «spiriti liberi», non soltanto tutto ciò che vedono attorno a sé (incluso il loro corpo riflesso allo specchio), ma anche quel tanto di invisibile che giunge alla loro portata: non c'è pensiero, desiderio, ideale, idolo o fede che alla loro anima non sembri ben presto insufficiente. «Dobbiamo parlare soltanto di ciò che abbiamo *superato*: il resto è chiacchiera, 'letteratura', mancanza di disciplina», scriveva Nietzsche in quel libro memorabile: e gli Hahahe'el infatti sono condannati a non parlare di nient'altro, e a meravigliarsi sempre un po' di come la maggior parte della gente ami invece «chiacchierare», e credere alle proprie «chiacchiere».

Dalla forma che assume in loro questa meraviglia dipende in gran parte la vita degli Hahahe'el. Può diventare tenerezza (con una punta d'invidia, magari) e allora avvertono in sé una vocazione da educatori. Sono protettivi, comprensivi; come bravi fratelli maggiori si sentono in dovere di guidare gli altri, di farli crescere fin dove loro sono giunti già da un pezzo. L'Hahahe'el Italo Calvino, soprattutto nelle sue *Lezioni americane*, diede ottimi esempi di tale tendenza. Se invece inclinano (ed è frequente) al disprezzo per quella che a loro sembra l'ingenuità o l'ottusità altrui, capita che godano nel prendersi gioco di quante più persone possibile, nel vanificare le loro certezze come se fossero illusioni, o nel servirsene per manipolarli.

Le loro qualità sono perfette sia per un caso sia per l'altro: gli Hahahe'el sono estroversi e comunicativi, abilissimi nel suscitare fiducia, lucidi nelle argomentazioni, autorevoli (o autoritari) quanto basta, sempre persuasivi, astuti, e dotati per di più di un particolare talento per la strategia, e che permette loro di organizzare con altrettanta facilità, a seconda delle propensioni, percorsi didattici per i loro allievi o trappole per le loro vittime. Nell'uno come nell'altro caso sono minacciati, d'altronde, da una serie di complicati rischi, contro i quali può tutelarli soltanto una paziente autoanalisi.

Il rischio principale è l'eccessiva fiducia in se stessi: troppa davvero, tale da sgomentare rapidamente anche loro, e da trasformarsi nel proprio contrario, cioè in un vertiginoso timore delle decisioni prese – come chi dopo aver premuto troppo l'acceleratore chiudesse gli occhi per il panico da velocità. Celeberrimo il caso dell'Hahahe'el Oscar Wilde, che dapprima abbandonò la famiglia per una passione omosessuale, poi ostentò per qualche tempo la sua diversità, facendone anche un emblema del magnifico distacco con cui guardava al conformismo vittoriano, e alla fine parve desiderare lui stesso di venir punito per lo scandalo: non si mise in salvo all'estero, quando l'omosessualità venne dichiarata un reato, si lasciò arrestare e il carcere lo distrusse.

Ad aggravare la situazione vi è il cattivo rapporto che gli Hahahe'el hanno solitamente con il proprio corpo. A loro piace usarlo come uno strumento, senza dare ascolto alle sue normali esigenze, ed è facile perciò che il corpo si vendichi quando – nella loro voglia di superare sempre quel che già hanno – finiscono con l'esaurirne le forze. Alcol e altri eccitanti, psicofarmaci, incidenti, malattie da superlavoro sono, qui, da prevenire accuratamente. E, dal commediografo Eugene O'Neill, a Montgomery Clift, a Mickey Rourke, non mancano certo esempi tristi di questo genere di esagerazioni.

Altri rischi derivano dalla loro incostanza: hanno perennemente la sensazione che, qualunque cosa stiano facendo, qualcos'altro di molto più importante stia avvenendo altrove, e che loro ne siano tagliati fuori. Ciò ne fa magnifici cacciatori di novità, e dunque leader in tutte le professioni in cui sia richiesta questa dote; ma nella vita privata li rende ansiosi, sempre insoddisfatti, tanto da spazientire alla fine anche il più gentile degli amici o dei partner. Rimangono soli, e la solitudine li esaspera presto, li spinge a buttarsi di slancio in rapporti affrettati, sbagliati, deprimenti. Gli Hahahe'el sono convinti, certo, di poterne uscire indenni – di poter superare nietzscheanamente anche quelli – ma a lungo andare è proprio la depressione ad averla vinta; e quando ne escono sono spesso talmente delusi dal mondo e incattiviti, da non poter resistere alla tentazione di abbandonarsi al lato oscuro delle loro doti – quello manipolatorio appunto. La loro irritabilissima riluttanza a riconoscere i propri torti completa poi il quadro, in chiave angosciosa.

Avrebbero bisogno di un ideale, di un maestro o di un capo che disciplini e indirizzi le loro energie e che, soprattutto, li faccia sentire ciò che sono davvero – perenni adolescenti esigentissimi – e se ne prenda cura come tali. Ma è tutt'altro che semplice trovare una personalità tanto imponente e luminosa da non poter essere superata da loro! Si dice che Hahahe'el sia l'Angelo dei cardinali: e ci vorrebbe proprio un papa, o simili, perché questi animi tempestosi accettino di farsi guidare. Alcuni riescono a temperarsi scegliendosi un ideale sufficientemente alto di cui assumersi il cardinalato, come lo fu quello socialista per gli Hahahe'el Luciano Lama e Norberto Bobbio; o la Qabbalah per Haziel, grande e metodico divulgatore; o la gloria degli Stati Uniti per il generale Eisenhower. Altri cercano invano per tutta la vita, sforzandosi per quanto possibile di limitarsi perché i loro eccessi non li portino troppo lontano. Il che è prudente, certo, ma per loro assai malinconico: è dura, infatti, per questi avventurieri, doversi accontentare di una normalità che ai loro occhi è mediocrità soltanto, nei cui valori non credono e in cui tutto e tutti li annoiano. Ne risultano incubi, come quelli di cui l'Hahahe'el Dino Buzzati popolava il mondo, nei suoi romanzi e racconti più crudeli.

42
Miyka'el
mem-yod-kaph

«Dal confine io vedo ciò che limita gli altri»

Dal 19 al 23 ottobre

LA ballata del vecchio marinaio: un Miyka'el come Samuel Taylor Coleridge non avrebbe potuto trovare un titolo migliore per il più celebre dei suoi poemi. Il compito dei protetti di questa Virtù consiste infatti nel lasciarsi attrarre da tutto ciò che è lontano, e nello scoprire le sorprendenti doti di intuizione, di lungimiranza, di veggenza addirittura, che permettono loro di connettere ciò che già sanno con ciò che si può trovare solo al di là di molti orizzonti. Sono esploratori; in altre epoche sarebbero stati sciamani; spesso, anche se non lo sanno, sono medium: in ogni caso, nulla dà loro più gioia e vigore dell'avventurarsi in culture e dimensioni diverse. Per lo più sono intermediari: tornano, cioè, a raccontare, come i Miyka'el John Le Carré e Michael Crichton, l'uno espertissimo di spionaggio internazionale, collaboratore del Foreign Office (*foreign*, si noti), l'altro esploratore di quei mondi nuovi, poco importa se reali o fantastici, che narra in *Andromeda*, *Congo*, *Jurassic Park* e via dicendo. Oppure, senza muoversi da casa, fanno in modo che quel che è lontano giunga o irrompa nella loro patria: come fu per il Miyka'el Pierre Larousse, creatore dell'omonimo dizionario enciclopedico, o per Umberto Boccioni, caposcuola del Futurismo italiano.

Ma può anche avvenire che l'intermediazione li annoi e l'amore per le lontananze prevalga su tutto, tanto da diventare fine a se stesso. Allora capita che si perdano appassionatamente nei loro viaggi, come il Miyka'el Arthur Rimbaud, l'autore de *Il bat-*

tello ebbro e di *Una stagione all'inferno*, che abbandonò la poesia giovanissimo per una vita avventurosa di soldato, disertore, mercante di schiavi, geografo – e morì pochi giorni dopo il suo ritorno in patria. Oltre all'estero, anche la spiritualità, l'Aldilà, l'inconscio, il passato remotissimo (meglio se preistorico o paleontologico, come appunto ha dimostrato Crichton) possono essere altrettante mete del loro inquieto bisogno di raccogliere, assorbire e trasportare informazioni. Da una cosa soltanto devono guardarsi: dal *restare*, non solo a casa, ma ovunque. Si deprimerebbero, si ammalerebbero, esploderebbero, se dovessero sentirsi di nuovo a casa loro in qualche posto. Diffidino perciò di chiunque li voglia trattenere: è soltanto un nemico, o nel migliore dei casi una prova, un «guardiano della soglia» da superare. Viceversa, l'emigrazione e l'esilio – così temuti da tanta altra gente – sono per i Miyka'el sinonimi di fortuna. Non c'è distanza, percorsa o da percorrere, che non lavori a loro favore. Non c'è nulla che li rilassi come un viaggio, nulla che li rianimi più di un trasloco.

L'epoca attuale si direbbe dunque fatta apposta per i protetti di quest'Angelo delle Virtù: mai come oggi sono state offerte loro tante possibilità di impiego. Qualsiasi professione abbia a che fare con mezzi di comunicazione è adatta a loro, e così pure qualsiasi campo della ricerca, la letteratura, il teatro, il cinema, la musica, lo sport, il commercio: purché viaggino! E purché, anche, rimangano soli per il minor tempo possibile, dato che esplorare l'animo altrui – animi sempre nuovi, possibilmente – è per loro un'altra necessità essenziale.

Naturalmente, questo pone ai Miyka'el una serie considerevole di problemi sul piano degli affetti. Poiché tutto ciò che è vicino li soffoca, i legami stabili non sono il loro forte: la famiglia e in particolar modo il matrimonio rischiano di apparire una prigione, a un Miyka'el che viva in casa, e viceversa diventano punti di riferimento fondamentali, dolcissimi e luminosi, durante i periodi in cui è via. Per i loro fidanzati e coniugi è uno stress ma, appunto per la ragione che ho appena detto, i Miyka'el incontrano enormi difficoltà anche nello spezzare un legame che abbia dimostrato di non reggere: appena si staccano da una persona che hanno amato, questa torna a essere per loro importante, e quanto più ne sono distanti, tanto più sentono di non poter vivere senza di lei. Per i Miyka'el meno suscettibili in fatto di morale, la soluzione di questa dicotomia potrebbe consistere nel procurarsi due legami sentimentali, magari in due luoghi diversi: ne risulterebbe una doppia fedeltà, paradossale ma efficace, nella quale il picco di passione verso un partner sarebbe raggiunto proprio nei periodi che il Miyka'el trascorre in compagnia dell'altro. Quelli che invece preferiscono un *ménage* più regolare, dovranno combattere pazienti battaglie contro la loro indole per poterlo consolidare.

Nei rapporti con l'autorità e con i superiori in genere, i Miyka'el si trovano invece perfettamente a loro agio. Non avviene mai che se ne sentano oppressi o limitati: comprendono le dinamiche di ogni tipo di gerarchia, e vi si adeguano prontamente. Sanno sia obbedire sia comandare con uguale saggezza, dato che risulta facilissimo, per loro, mettersi nei panni di chi sta sopra come di chi sta sotto, e ragionare con la sua testa. Mostrano un uguale talento anche per ciò che riguarda la psicologia dei loro concorrenti e dei loro alleati, e darebbero quindi ottima prova di sé sia come esperti di marketing, sia come analisti, pianificatori e strateghi aziendali, sia anche – in più alte sfere – in qualsiasi settore della diplomazia, dato che sono solitamente di mentalità conservatrice. Perché mai, infatti, dovrebbero provare tentazioni eversive o rivoluzionarie? Vuol cambiare le cose chi si preoccupa di rendere più confortevole, più abitabile una determinata situazione: ma ai Miyka'el non preme di abitare da nessuna parte. Piuttosto, in diplomazia o nelle politiche aziendali potrebbero provare, talvolta, a fare il doppio gioco, come certi protagonisti di Le Carré; ed è probabile, anche in quel caso, che riescano a servire egregiamente gli interessi di entrambe le parti in causa, così che nessuno abbia, in fondo, di che lamentarsi.

43
Wewuliyah
waw-waw-lamed

«Un limite dopo l'altro, io salgo»

Dal 23 al 28 ottobre

La lettera *waw* è il geroglifico del limite e del nodo, e può perciò risultare antipatica; viene usata infatti in certi famosi incantesimi come il *waw-waw-waw*, che evoca e materializza una rete avvolgente, accalappiante, e che corrisponde al famigerato numero della Bestia, essendo *waw* l'antico modo ebraico di scrivere il 6. Ma con un po' di buona volontà vi si può scorgere anche un lato luminoso: un nodo, quando lo vedi, puoi scioglierlo; e un limite è fatto apposta per essere superato, se hai il coraggio di individuarlo. Compito dei Wewuliyah è appunto scorgere e affrontare nodi e limiti, e aprirsi e aprire agli altri vie di crescita tanto faticose quanto entusiasmanti. Si adatta a ognuno di loro quel motto prediletto del Wewuliyah Pablo Picasso: «Mi ci sono voluti vent'anni per dimenticare tutto quello che mi avevano insegnato, e per cominciare a dipingere sul serio». Di altri esempi ce n'è in abbondanza: come la scultrice Niki de Saint Phalle, che dopo una lunga lotta contro i suoi incubi produsse alcune tra le opere d'arte più radiose e gioiose del XX secolo; Francis Bacon, che nei suoi dipinti sembra voler fare emergere fantasmi di *waw*, per dominarli e sconfiggerli; Paganini, con le sue sfide ora ironiche ora rabbiose contro i limiti dell'eseguibilità musicale; Danton, la cui doppia *waw* fu la monarchia da abbattere prima, e le ghigliottine della rivoluzione poi; Erasmo da Rotterdam, che si batteva invece contro i dogmi e i vizi della Chiesa. E poi celebrità che hanno esordito impersonando proprio il tipo del giovane sfavorito dalle *waw* della sorte – come

Eros Ramazzotti, o Benigni. Oppure capitani d'industria abilissimi nel superare la concorrenza, come il massimo esperto mondiale del *www*, Bill Gates. I Wewuliyah che oggi si trovano alle prese, nella loro carriera, con qualsiasi genere di nodo, difficoltà o avversario soverchiante, sappiano dunque che si tratta, per loro, solo di una necessaria fase iniziale: una specie di «guardiano della soglia» incaricato di bloccare loro il passo, non per dissuaderli o perché ridimensionino le proprie ambizioni, ma perché accumulino propulsione sufficiente a percorrere la lunga via di vittorie che li attende più in là. Li lascerà partire di scatto al momento giusto, se perseverano – salvo poi fermarli di nuovo un po' più su, quando occorrerà prepararli a ulteriori accelerazioni.

I rischi più evidenti per i Wewuliyah già messisi all'opera, riguardano il carattere: è possibile che il successo gli dia alla testa, e susciti in loro, da un lato, un senso di onnipotenza, di invulnerabilità, e dall'altro un costante bisogno di quell'eccitazione che solo le sfide possono dare – con conseguenti cadute d'umore vertiginose durante gli indispensabili periodi di relax. Allora possono anche diventare pericolosi sia per sé, sia per gli altri: quando per esempio cominciano a cercare emozioni nella velocità, in passatempi rischiosi, negli psicofarmaci o in altri abusi. La loro voglia di avere sempre una *waw* con cui misurarsi li porta anche a crearsi complicazioni nella vita affettiva, o a ingigantirne i problemi, come per il gusto di esasperare il partner: entrano in scena qui certi loro difetti caratteristici, come la suscettibilità, l'impulsività, l'autoritarismo, le tendenze manipolatorie, e anche una certa speciale, capricciosa crudeltà. Ma va da sé che i Wewuliyah non dovrebbero tollerare in se stessi simile robaccia: è solamente un colaticcio di vecchie insicurezze e frustrazioni, e d'un banale narcisismo indegno di loro.

Più interessanti sono altri due rischi, di carattere operativo, che i Wewuliyah faranno bene a tener presente fin da giovanissimi. Innanzitutto, quella che potremmo chiamare la loro *waw* interiore: la tentazione seminconscia di accontentarsi *troppo presto* di qualche risultato o progetto. È necessario che si imprimano bene in mente il seguente criterio illimitato: gli obiettivi che riescono a porsi razionalmente sono solo una piccola parte di quelli che possono davvero raggiungere. L'intuizione dei Wewuliyah è sempre più grande del previsto, e devono imparare a riconoscere i segnali con cui tale loro facoltà li esorta a guardare sempre oltre, *ad maiora*: brevi moti dell'animo (insofferenze improvvise), idee che balenano rapide (vanno colte al volo!), incontri fortuiti o frasi udite passando, che richiamano stranamente la loro attenzione, e anche coincidenze. È il linguaggio sottile della genialità: diventa il loro alleato e maestro più prezioso quando scoprono di essere nati apposta per intenderlo.

L'altro rischio è di carattere strategico. I Wewuliyah appartengono a quel genere di persone nelle quali (ne siano consapevoli o no) la crescita professionale si accompagna a un'evoluzione morale e spirituale: quanto più aumenta la loro fiducia in se stessi, tanto più soffocante diviene per loro l'idea di stare lavorando soltanto per il proprio benessere. Hanno un sincero bisogno di generosità, di sentirsi utili ad altri, a molti altri: non lo sottovalutino! È anche questo un loro segreto del mestiere: qualunque sia il loro lavoro, sappiano che ben presto i profitti, la grinta e perfino i colpi di fortuna potranno aumentare solo se riusciranno a trovarsi dei soci da far arricchire, o se sapranno includere tra i propri obiettivi principali anche il bene della società in cui vivono. L'idealismo dà forza ai Wewuliyah in carriera; l'egoismo può diventare invece un veleno psichico, che mina alle basi la loro forza di volontà, li svuota e toglie senso a tutto. Pessima, poi, sarebbe la tentazione (non improbabile, nei momenti in cui vien voglia ai Wewuliyah di esagerare) di mettere da parte il senso di giustizia e di combinare mascalzonate: non sono tagliati per queste cose, il loro istinto si ribellerà, li boicotterà piantandoli in asso sul più bello.

Quanto poi ai Wewuliyah che per una qualsiasi ragione (di solito per viltà) non osano mettersi alla prova e cercano riparo dal proprio destino in qualche lavoro impiegatizio, non mette conto neppure di parlarne. Sono tra gli esseri più insopportabili che si possano incontrare: il senso di fallimento li opprime e li consuma, e irradia da loro come un'aura greve; malevoli e sprezzanti, nella vita cercano solo conferme alla loro convinzione che nulla importa, nessuno conta e ogni parola è falsa, o lo sarà tra poco.

44
Yelahiyah
yod-lamed-he

«Io cerco la verità sempre più in alto»

Dal 29 ottobre al 2 novembre

Così come il pianeta Saturno è circondato da un complesso sistema di anelli, anche gli Yelahiyah sembrano avere intorno a sé uno speciale campo di forza, affascinante per chi lo osservi a distanza ma pericoloso, talvolta, per chi vi si avvicini in modo incauto. Chi per esempio vada a urtare, per le sue azioni o anche soltanto per i suoi modi, il permalosissimo senso di giustizia di uno Yelahiyah pienamente sviluppato, difficilmente potrà cavarsela senza venirne aggredito in maniera più o meno plateale: quel campo di forza saturniano gli si chiuderà intorno e non lo lascerà andare fino a che non gli avrà fatto rimpiangere di essere capitato in quei paraggi. Chi invece sa restarsene al suo posto e si limita a guardare, ammirerà l'energia che lo Yelahiyah sa emanare: la profondità quasi ipnotica del suo sguardo, l'agilità del portamento, la sonorità sempre suggestiva della sua voce. Se gli capitasse, poi, di vederlo su un palcoscenico o sullo schermo (come gli Yelahiyah Burt Lancaster, Charles Bronson, Bud Spencer o Gigi Proietti) o su un campo di calcio (come lo Yelahiyah Maradona), proverebbe non soltanto un'immediata simpatia, ma anche una strana sensazione di intimità, come se fra il pubblico lì presente lo Yelahiyah si stesse rivolgendo precisamente a lui, e tenesse al suo giudizio più che a quello di chiunque altro. E anche questa specie di illusione è, appunto, un effetto del campo di forza di cui dicevo.

Se tale è la tensione che questo campo può produrre all'esterno, ci si può figurare quale grado raggiunga al suo interno. Negli

Yelahiyah si agitano costantemente una serie di passioni, ciascuna delle quali basterebbe a creare seri problemi a qualunque altro individuo. L'ambizione, in primo luogo: poiché la tempestosa energia yelahiana non può certo accontentarsi di una vita ordinaria. In alcuni di loro l'ambizione può divenire una superbia cupa e paralizzante; in altri, un orgoglio che un nonnulla può straziare; in altri ancora, un gelido disprezzo a largo raggio, che coglie anch'esso ogni minima occasione per manifestarsi in giudizi taglienti, provocatori sì, ma sostenuti sempre da una logica ferrea, e corazzati dietro principî che allo Yelahiyah appariranno solidissimi, tanto da troncare qualsiasi possibilità di obiezione, o addirittura di conversazione. Oltre all'ambizione, più in profondità nell'animo di questi saturniani si agitano robusti impulsi autodistruttivi, un'oscura brama di pericoli, di lotte, e svariate fantasticherie di possesso e di dominio. Il tutto senza che gli stessi Yelahiyah ne abbiano precisa coscienza, essendo la loro mente estroversa a tal punto, da ingarbugliarsi irrimediabilmente non appena prova a esplorare una qualche parte di se stessa. Forse fu proprio a causa di questo lato più oscuro, se la Yelahiyah Maria Antonietta non pensò per tempo a mettersi al riparo, quando la Francia aveva preso a tumultuare; è tanto più probabile, in quanto a complicare loro la vita vi è anche la strana tendenza a ritenersi invulnerabili, cosa che, come è noto, se non si controlla non porta mai bene.

Va da sé che, con un animo tanto difficile, prepotente e burrascoso, la soluzione non può essere che una: diventare una star, e il più in fretta possibile. Non importa se a teatro, in un circo o in un negozio: l'essenziale è che per diverse ore al giorno lo Yelahiyah abbia a che fare con un gran numero di persone, e che venga a trovarsi il più possibile al centro della loro attenzione. L'esplosiva carica interiore degli Yelahiyah, quando riescono a comunicarla in molte direzioni, cambia spesso di segno, e da aggressiva può diventare allegra, brillante, travolgente anche, finché hanno intorno gente che li ascolta e possibilmente applaude. In tal senso può essere interpretata anche la grande fortuna di navigatore di Cristoforo Colombo, che pare sia nato il 30 ottobre: il cassero di una nave non somiglia forse a un palcoscenico? L'equipaggio deve ascoltare come un pubblico, e un pubblico, per di più, che si può comandare, maltrattare, punire senza che possa opporsi... Che gioia dovettero essere, per Colombo, i viaggi sulle sue caravelle!

Se invece lo Yelahiyah deciderà di stare per conto suo, per qualche momento di tetraggine o per esigenze professionali di concentrazione, o magari anche soltanto per riposarsi un po', la percentuale di rischio crescerà di giorno in giorno. O comincerà ad attaccare briga, com'era solito fare lo Yelahiyah Benvenuto Cellini durante i suoi inevitabili periodi di superlavoro artistico; o collezionerà problemi e malattie complicate, come lo Yelahiyah John Keats, uomo e poeta peraltro gentilissimo; o si ritroverà imbarcato in imprese pessime, in cattiva compagnia, per qualche sua improvvisa scelta di rottura – come avvenne allo Yelahiyah Ezra Pound, grande intellettuale e poeta che familiarizzò con Mussolini e aderì insensatamente al fascismo, proprio nel periodo peggiore. Tutti e tre, essendo artisti, dovevano imporsi per lunghi periodi quella solitudine in cui è difficilissimo che gli Yelahiyah non commettano errori ed eccessi.

Un altro guaio, poi, è che alla maggior parte degli Yelahiyah anche il rapporto di coppia appare come una forma di isolamento, come una solitudine a due, e finisce rapidamente con lo spazientirli. Almeno potessero contare su quella proverbiale valvola di sfogo degli Scorpioni, che è il desiderio e la bravura sessuale! Macché: il loro temperamento impossibile finisce con l'intralciarli anche in quel settore della vita privata, che diviene il più delle volte infelice. Non c'è niente da fare, bisogna proprio che vivano in pubblico e la gente diventi, per loro, quella cassa di risonanza che altri trovano, assai più facilmente, nei dialoghi del proprio io con se stesso.

45
Ṣa'aliyah
samek-alef-lamed

«Io tutelo tutto ciò che cresce»

Dal 3 al 7 novembre

È LOGICO, da un punto di vista angelico, il fatto che Vivien Leigh venga ricordata soprattutto per la sua interpretazione di Scarlet in *Via col vento*. Vivien era nata il 5, e Scarlet (Rossella) era una Ṣa'aliyah perfetta, un repertorio completo dei pregi e delle ombre di quest'Angelo delle Virtù. Impersonandola, la grande attrice inglese provò probabilmente emozioni straordinarie, quel senso di armonia, di forza, di pienezza di significato che si avverte quando si è *totalmente se stessi*, e che ha impresso per sempre il suo volto nell'immaginario dell'umanità. Come Scarlet O'Hara, i Ṣa'aliyah sono nati per proteggere e nutrire il maggior numero possibile di esseri viventi: una grande fattoria, con allevamento e piantagioni, è veramente il loro ideale. Più fanno per gli altri, e meglio stanno; sono egoisti e imperiosi quel tanto che occorre (e a volte si ha l'impressione che sia tantissimo) per irrobustire la loro fiducia in se stessi, per reggere alle responsabilità di cui il destino sembra averli caricati, ma di cui in realtà sono andati in cerca loro stessi, perché così esigeva la loro vocazione di nutritori. Hanno inoltre un'inesauribile Energia T: e chi non ricorda la scena dello sconfinato lazzaretto di Atlanta, con Scarlet che lo attraversa sgomenta, prima di correre ad assistere Melanie che partoriva? Lì entrambe le vie dell'Energia T si trovarono d'un tratto a coincidere: quella medica, in Scarlet, e quella della recitazione, in Vivien. Sincronicità hollywoodiana! Connaturata ai Ṣa'aliyah è anche l'avversione per gli arroganti, molto evidente nel modo in cui Scarlet trattava il suo innamorato, il tronfio avventuriero Rhett Butler; e poi ancora: la versatilità, la capacità di apprendere rapidamente qualsiasi cosa da cui si possa trarre un vantaggio pratico; la seduttiva disinvoltura nei rapporti con gli altri, specie per quel che riguarda il chiedere aiuto quando occorre; la tendenza a creare dipendenze, grazie anche a un indiscutibile fascino naturale; la sostanziale indifferenza per i valori morali dei più; e l'abilità sia nello smascherare le bugie altrui, sia nel far passare le proprie bugie per vere, quando non vi sia altro mezzo per tutelare il benessere loro e di chi a loro si è affidato; e infine il dono di riuscire non soltanto a reggere alle avversità, e a superarle, ma anche di trasformarle, lucidamente, in occasioni di più profonda scoperta del proprio animo.

Nella Georgia dell'Ottocento, certo, la vocazione al contempo latifondistica e imprenditoriale, che è tipica dei Ṣa'aliyah, poteva trovare applicazione più facilmente di quanto non avvenga oggi nelle nostre città. E in un appartamento, infatti, una Scarlet dei giorni nostri non può non sentirsi frustrata e deperire: non servono a nulla i malinconici tentativi di trasformare, poniamo, il terrazzo in una tenuta miniaturizzata, moltiplicandovi i vasi di fiori; o che si procuri più d'un gatto e d'un cane a cui badare; e una famiglia, per quanto numerosa, non basterà a farla sentire utile come vorrebbe. I Ṣa'aliyah devono per forza pensare in grande. Se l'agricoltura è loro preclusa, si trovino o magari si inventino un'impresa da gestire, meglio se in qualche settore legato all'alimentazione: andrà bene di certo. Oppure si occupino di beneficenza, e diverranno dei leader in quel campo; o tentino una carriera politica: daranno prova, anche lì, di brillanti capacità organizzative – per quanto sia alto il rischio, in questo caso, che il loro immoralismo e l'ansia per il benessere della loro famiglia prendano troppo il sopravvento (come avvenne al Ṣa'aliyah Giovanni Leone, costretto a dimettersi da presidente della repubblica, per scandali finanziari). Quanto alla professione medica, la loro Energia T vi si troverebbe perfettamente a proprio agio: ma in un ospedale assai più che in un ambulatorio e, attenzione, in mansioni di infermiere più che di dottore – per l'antipatia che suscita in loro chi si dà delle arie, e per il loro irresistibile bisogno di darsi da fare tra molta gente bisognosa di cure e di simpatia umana. I Şa'aliyah più intellettuali possono conseguire notevoli risultati nella ricerca scientifica – in economia, biologia e farmacologia soprattutto – ma anche lì il successo dipenderà dalla misura in cui potranno manifestare, accanto alle loro doti di scienziati, anche la loro aspirazione a proteggere, aiutare, nutrire chi lavora con loro. Marie Curie, per esempio, nata il 7, due volte premio Nobel, fu doppiamente fedele al suo Angelo: si dedicò allo studio di un fenomeno prettamente Şaliano, la radioattività (la proprietà, cioè, che hanno certe sostanza di *emettere spontaneamente energia*), ed ebbe accanto il marito, scienziato anche lui, di cui si prese sempre amorevolmente cura. Da sconsigliare ai Şa'aliyah è, invece, la letteratura: la solitudine, il nevrotico bisogno di silenzio non possono soddisfare la loro generosa brama d'azione e di contatti umani; lo dimostrò la perenne, profonda inquietudine del Şa'aliyah Albert Camus, con quell'espressione da prigioniero, che assunse quando divenne soltanto uno scrittore, e con la sua morte tanto precoce, che parve una fuga.

Cupo, sempre, è infatti il destino dei Şa'aliyah che non hanno modo di sfruttare il loro potenziale. Vedono scappare uno dopo l'altro i loro partner, soffocati e spaventati addirittura dalle attenzioni con cui li sommergono; oppure si lasciano sfruttare da parassiti che hanno individuato in loro a colpo sicuro, galline dalle uova d'oro; o semplicemente si disperano nella vita ordinaria, e arrivano a distruggere chi e ciò che hanno, pur di avere poi qualcuno da aiutare a risollevarsi, qualcosa da ricostruire.

46
'Ariy'el

ayin-reš-yod

«Tra le apparenze, come tra una nebbia, io conduco alla verità»

Dall'8 al 12 novembre

Le qualità eccezionali sono le più difficili da accettare: tutti infatti si sentono un po' speciali ogni tanto, ma a nessuno piace essere *davvero* diverso. Ogni 'Ariy'el avrebbe molto da raccontare a questo proposito – se l'imbarazzo, il timore anzi dei suoi meravigliosi talenti non l'avessero spinto fin dall'infanzia a tenerli nascosti perfino a se stesso.

In realtà gli 'Ariy'el sono tutti, per loro natura, veggenti: non sanno spiegarsi, cioè, come mai molte volte al giorno sboccino nella loro mente intuizioni tanto luminose sugli argomenti più diversi. È sufficiente che provino interesse per qualcosa o qualcuno, ed ecco che già hanno la strana, netta sensazione di saperne moltissimo, di conoscere soprattutto ciò che quel qualcuno *nasconde*. Provate a chiedere loro un consiglio su un qualsiasi argomento: nelle loro risposte baleneranno lampi di rivelazione, di cui si stupiranno anche loro, tanto quanto voi. Proprio quello stupore è la conferma del loro talento: gli antichi profeti sapevano bene che per sviluppare queste strane doti bisogna educarsi a non voler capire, a *meravigliarsi* soltanto. Ma quelli erano tempi in cui la profezia era un mestiere riconosciuto e spesso stimato, e lo si poteva imparare da qualche bravo maestro, mentre oggi queste facoltà eccessive rischiano di risultare soltanto scomode: sia di per sé, perché sono inquietanti, sia anche per l'eccesso di energia psichica che a esse si accompagna e che finisce con il diventare, spesso, un impaccio. Ognuno sa, per esempio, che nella nostra epoca è essenziale la specializzazione: ma la mente effervescente degli 'Ariy'el non sopporta limitazioni al proprio campo d'azione, scopre e smaschera ovunque, e in certi suoi settori è perennemente attraversata da flussi di illuminazioni; dieci professioni non le basterebbero, per poter mostrare ciò di cui è capace! E complicazioni analoghe si hanno nella loro vita sentimentale: raro, per un 'Ariy'el, è trovare un compagno o amici di cui in breve tempo non conosca già tutti i segreti (il che non è mai bene) o che riescano a stare al passo con il continuo moltiplicarsi dei suoi interessi.

La maggior parte degli 'Ariy'el credono che tutto ciò sia troppo anomalo, e sgomenti, preoccupati, spaventati anche da quella loro particolare genialità, si sforzano – e riescono – a fuggire a lungo da se stessi. Alcuni si trovano lavori che impongano davvero continui spostamenti e perenne distrazione: autisti, camionisti, ferrovieri, rappresentanti, interpreti; altri semplicemente si spengono, come noi spegneremmo una radio: si impongono di sembrare normali e si scelgono perciò modesti ruoli di factotum – segretarie, assistenti, trovarobe – in cui almeno una parte delle loro doti possa esprimersi senza attirare troppo l'attenzione. Ed è naturalmente una sorte triste, non soltanto perché in fondo al loro cuore rimane sempre la sensazione di aver sbagliato, ma perché il destino ha l'abitudine di accanirsi contro chi rifiuta la propria eccezionalità, e li bombarda di frustrazioni in tutti i campi. Il risultato è di solito una forma depressiva più o meno grave, nella quale gli 'Ariy'el si trovano imprigionati come il profeta Giona nella Balena, a tracciare cupi bilanci della loro esistenza. Erano 'Ariy'el sant'Agostino, il più famoso depresso precoce della storia del cristianesimo; e Dostoevskij, che dopo i primi brevissimi successi riuscì a buscarsi, invece d'una depressione, una condanna a dieci anni di lavori forzati per un'intemperanza insignificante; o Alain Delon, che per scomparire e deprimersi al contempo andò in guerra in Indocina. Ma, talvolta, proprio questi periodi cupi possono diventare la salvezza: nel malessere, nell'angoscia, nella disperazione anche, gli 'Ariy'el più fortunati si vedono finalmente costretti a fare i conti con se stessi, e hanno allora buone probabilità di trovare il coraggio di abbracciare la propria incredibile vocazione, e di stupire il mondo.

Non sarebbe stato meglio farlo subito? Se siete dunque un 'Ariy'el, o ne amate qualcuno, salvatevi e salvatelo, e l'umanità vi sarà grata. Negatevi, o negategli, qualsiasi possibilità di esitare! In fondo, l'unica cosa che occorre a questi profeti, è che imparino a fidarsi di se stessi più che del mondo intorno. Non importa se appaiono troppo sopra le righe: che possono farci, lo sono davvero! E se tutto ciò che fanno sembra incontenibile, troppo nuovo, troppo diverso, che male c'è? Non sanno fare altro, e nessuno saprebbe farlo meglio di loro. Quanto alla professione, va notato che in realtà il profeta o lo sciamano sono occupazioni inadatte ai tempi attuali solo se le si vuole svolgere come qualche migliaio di anni fa, ammantandole della stessa dignità esclusiva che avevano allora: ma un profeta o sciamano che abbia fede nelle proprie doti può dare ottimi contributi ovunque occorrano idee innovative, soluzioni brillanti o penetrazione psicologica, e le professioni che si basano su questi talenti sono numerose. Agli 'Ariy'el non ne basta una, ne vogliono molte e diverse? E perché no? È sufficiente che smettano di aver paura di sé, e decidano di meritarsi gioia e ricompense. Condizione, quest'ultima, da cui dipende anche la loro felicità privata: com'è possibile, infatti, che chi ti può amare ti ami davvero, se non osi sapere chi sei e non vuoi farlo sapere a nessuno?

47

'Ašaliyah

ayin-šin-lamed

«Io conosco le vie che dal basso conducono in alto»

Dal 13 al 17 novembre

L'ESITAZIONE è il punto di partenza e l'unico vero nemico dei protetti di quest'Angelo delle Virtù. Gli 'Ašaliyah imparano presto, infatti, a conoscere la forza di gravità che la maggioranza esercita su ogni individuo: la fittissima rete di frustrazioni, di rassegnazione, di attese (spesso infinite!) in cui i più accettano di vivere – e che nel Nome dell'Angelo è raffigurata nella lettera *ayin*, il geroglifico del cedimento, delle traiettorie che si inclinano verso il basso. Fin dall'adolescenza gli 'Ašaliyah sentono non soltanto di essere diversi da tutto ciò, ma di *doverlo* essere nel modo più evidente, perché il maggior numero possibile di persone sappia che esistono altre traiettorie, audaci, sfrontate, dritte verso l'alto. Perciò ogni volta che un giovane 'Ašaliyah si accontenta di mezze misure avverte un senso d'angoscia, e le opinioni altrui lo annoiano dopo pochi secondi; quando viene criticato – non importa se a ragione o no – i suoi occhi sfavillano di collera o di disprezzo, che soltanto con enorme sforzo riesce a nascondere. L'impazienza gli brucia in petto, il suo viso e i suoi muscoli sono quelli di un atleta che aspetta lo start: e se ancora non scatta in avanti, è soltanto perché la sua mente – vasta, profonda, limpida – non ha ancora individuato una meta abbastanza alta per lui, tra le caligini e le nuvole basse della banalità che vede attorno a sé.

Così si sentono, in gioventù. Può avvenire che aspettino a lungo, anche dieci, quindici anni, che per loro sono una tormentosa eternità. Può avvenire, nei casi più cupi, che il segnale di partenza li colga quando si sono già lasciati imbrigliare in un matrimonio opprimente o in un impiego inadatto a loro: e smuoversi, allora, è come strappar via un lembo della propria carne. Ma quando il momento arriva, non possono, non devono esitare. D'un tratto (le donne soprattutto) si lanciano vertiginosamente in qualche carriera brillante, e affrontano e superano rischi, sbaragliano ostacoli e avversari con un'energia che cresce in misura direttamente proporzionale ai successi ottenuti. A quel punto, come in un missile che esca dall'atmosfera, manca loro soltanto un ultimo stadio: ammettere dinanzi a se stessi la loro qualità più speciale, che è *l'aver sempre ragione* – un fulmineo, precisissimo istinto che permette loro di distinguere in ogni circostanza o persona il vero dal falso, il giusto dal perfido – e rifiutare da allora in avanti non soltanto le critiche ma persino i consigli di amici ed esperti, e non prendendo più in alcuna considerazione neppure le esigenze delle persone care o dei soci in affari, se contrastano con le loro. Allora nessuno li ferma più, e costruiscono imperi.

A volte sbagliano, certo, ma per loro non è un problema: sanno che nessuno sbaglia tanto bene come loro, che cioè anche nei loro errori vi sarà sempre qualcosa di provvidenziale, il germe di qualche nuova intuizione da decifrare, o magari una prova che li fortifichi, o l'occasione per una pausa durante la quale raccogliere le forze e chiarirsi le idee per ripartire più risoluti. Sanno, soprattutto, che nessun errore deve scuotere la loro fiducia in se stessi: perché in tal caso la loro traiettoria verso l'alto si incurverebbe (l'*ayin*!) e ricomincerebbe l'angoscia, e l'angoscia, appannando la loro visuale, causerebbe altri errori, poi altri ancora, e il missile della loro energia perderebbe la rotta e si infrangerebbe al suolo. È dunque il loro istinto di conservazione (e non l'orgoglio, come credono i più, guardandoli) a convincerli che non sbagliano mai.

Tutto ciò li rende personalità tanto affascinanti quanto impossibili a sopportarsi. È come se parlando con loro si percepisse di continuo il rombo di un motore in corsa. I famigliari, gli amanti, gli amici, devono tener loro dietro per non vederli svanire in una nube di gas di scarico, e poiché quasi nessuno ci riuscirebbe, gli 'Ašaliyah riescono a conservare i rapporti con le persone care soltanto prendendole come equipaggio. Si addossano cioè le spese del loro mantenimento, o se le tengono intorno come farebbe un patriarca: riservando a se stessi *tutte le decisioni*, e pretendendo assoluta obbedienza e, possibilmente, adorazione. Né si dà mai il caso che possano cambiare atteggiamento: chi protesta viene semplicemente lasciato indietro e dimenticato, quando gli 'Ašaliyah sono magnanimi, oppure sbrigativamente punito prima dell'abbandono, con memorabili accessi di furia.

Non ha senso biasimarli per questo: sono forze esplosive della natura, non hanno altra scelta se non essere se stessi, in tutto e per tutto, o andare in mille pezzi se tentano di limitarsi. Devono naturalmente scegliersi professioni tiranniche: nemmeno dirigenti, ma fondatori e proprietari di aziende o società, o primari di cliniche, o baroni universitari, psichiatri, direttori di teatri, registi famosi (molti questi ultimi: sono 'Ašaliyah Alberto Lattuada, Mario Soldati, Francesco Rosi, Martin Scorsese, Danny DeVito, Carlo Verdone), scienziati che puntino verso gli estremi confini della conoscenza (come Herschel, che scoprì il pianeta Urano). Tra gli uomini politici contemporanei, 'Ašaliyah celebri sono Gheddafi e l'assai più timido, intralciato Carlo d'Inghilterra, che la sorte ha condannato ad attendere tanto a lungo. Oppure è la lontananza geografica ad attrarli, come avvenne per Robert Louis Stevenson, l'autore de *L'isola del tesoro* e dell'ašalianissimo *Lo strano caso del dottor Jekyll e mister Hyde*, che andò ad abitare, in qualità di proprietario terriero, in un'isola dell'arcipelago di Samoa, e divenne ben presto un leader politico e spirituale per i nativi. Altri viaggi a loro congeniali sono quelli nell'invisibile, nella mistica, nella magia soprattutto, sempre in cerca di superiori conoscenze ma, ancor di più, di poteri da adoperare per la loro personale affermazione, assolutamente realistica, nel mondo terreno.

48
Miyhe'el
mem-yod-he

«Io comprendo le manifestazioni dell'invisibile»

Dal 18 al 22 novembre

A LUNGO, durante la giovinezza e anche più in là, i Miyhe'el fanno il possibile per assomigliare a chi vuol assomigliare agli altri: ma sanno che a loro non è concesso, e non capiscono perché. Solo qualche Miyhe'el più esperto, o gli Yesale'el – che conoscono gli stessi tormenti – potrebbero aiutarli a capire il problema: il fatto è che nel loro io i due (o tre, o quattro) sessi a tutti noti si sono integrati, a costituire un modo di essere, di pensare, di sentire al tempo stesso maschile e femminile, penetrante e avvolgente, in grado di dare e di ricevere in egual misura.

Che a questa ulteriore identità sessuale il mondo non sia ancora pronto, è cosa abbastanza evidente: i Miyhe'el non avrebbero, se no, tutti i problemi che hanno. Ma altrettanto evidente è che tutta l'umanità tenda, sempre più, in tale direzione: che nell'attrazione di un sesso verso l'altro si esprima la percezione della propria incompletezza, la brama di scoprire non tanto ciò che l'altro o l'altra ha di diverso da noi, ma ciò che in lui o in lei rispecchia una componente di noi, che da qualche nostra profondità non riesce ancora a emergere. Questa brama i Miyhe'el non ce l'hanno, a loro non occorre più. Per loro l'amore è amore e basta: un'anima che ne cerca un'altra a lei affine, senza che l'urgenza del desiderio spinga a produrre (come avviene ai più) illusioni di sentimenti dove non ce ne sono. E se riuscissero a essere veramente se stessi, i Miyhe'el non sbaglierebbero mai e avrebbero solamente unioni grandi, perfette, profonde. Purtroppo, dicevo, a lungo provano ad adeguarsi, e la loro vita sentimentale conosce, spesso, tutti gli spigoli dolorosi dell'inautenticità, dell'incertezza, della delusione e della soffocante rassegnazione.

Poi d'un tratto nascono, capiscono, si accettano. Può avvenire a venticinque anni o a trentotto (età classica della scoperta di sé) o ancora più in là; a destarli può essere un'ennesima delusione, o un brusco cambiamento di luogo o di lavoro, o un incontro, o lo slancio con cui, magari, si abbraccia un ideale o si abbandona una fede: comunque sia, quando succede, da una settimana all'altra tutto diventa nuovo, non solo e non tanto nei rapporti sentimentali, ma in ogni settore della loro esistenza. Il Miyhe'el butta all'aria tutti i suoi sforzi di sembrare ciò che non è, e si mette a fare di testa sua. Scopre la sua enorme energia (il doppio d'un normale individuo monosessuale), si accorge di poter pensare, anche, due volte più in grande di tutti quelli che conosce; ne è sorpreso e ne gioisce, e gioia e fierezza moltiplicano ancor di più la forza delle sue idee, dei suoi progetti, delle sue azioni. Avviene qualcosa di molto simile anche ai loro quasi gemelli Yesale'el; ma negli Yesale'el questa grande accelerazione produce per lo più la voglia di surclassare chi hanno intorno: nei Miyhe'el, invece, esplode qui un bisogno di liberazione, come una rivalsa su tutto il tempo sprecato a conformarsi. È capitato, nella storia, che queste esplosioni miheliane abbiano avuto conseguenze enormi: con Martin Lutero, per esempio, con Voltaire, o con De Gaulle: tutti e tre divennero a un tratto impavidi liberatori da una qualche oppressione, e provocatori testardi e irresistibili, dopo un periodo più o meno lungo di sottomissione alla mentalità altrui. Decisero di cambiare il mondo, né più, né meno; e anche il Miyhe'el Robert Kennedy ci avrebbe sicuramente provato, se non lo avessero assassinato. La Miyhe'el Nadine Gordimer volle cambiare invece la struttura della mente colonialista: e ci mise tutto il suo cuore, inimicandosi il governo e buona parte del popolo sudafricano per le sue battaglie contro l'apartheid; il Miyhe'el René Magritte gioì per decenni nel portare avanti, rinnovandola di continuo, la liberazione surrealista dell'immaginazione. Quanto alla più celebre tra le Miyhe'el attrici, Jodie Foster, il destino volle che il suo film più memorabile fosse proprio *Taxi Driver*, in cui recitava la parte di una bambina prostituita, schiavizzata cioè in un ruolo sessuale non suo (e quale Miyhe'el non si riconoscerebbe un po'?): e la sua liberazione distrugge d'un tratto tutto il mondo a lei noto, e suscita gran clamore. Angelologicamente inappuntabile.

In quale professione queste bombe a orologeria possono trovarsi maggiormente a proprio agio? Direi in nessuna. O meglio: qualunque professione abbiano intrapreso prima della personale rivoluzione sembrerà loro inadatta. E qui le sorti dei Miyhe'el si dividono in due grandi gruppi: da un lato, quelli che si inventano un'attività nuova, una qualche improvvisa passione da coltivare dapprima nel tempo libero, e sulla quale poi costruire una fortuna; dall'altro, quelli che per età, o vincoli vari, o magari per timore dello slancio che in loro sta crescendo, preferiscono tenersi aggrappati al loro lavoro sicuro. Questi ultimi, naturalmente, saranno ben presto i più inquieti: insoddisfatti, impazienti, irritabili, con nel cuore la sensazione di star perdendo ogni giorno qualcosa. Può accadere anche che le due sorti finiscano con il sovrapporsi: che dopo un periodo di entusiasmo innovativo un Miyhe'el torni cioè a frenarsi, e a frenare anche ciò che nel frattempo avrà messo in moto; avvenne così a Lutero, nelle sue celebri retromarce dinanzi alle impennate più rivoluzionarie delle popolazioni da lui ispirate. Ma ne risulterà solo inquietudine e rimpianto. Meglio osare: rallentare in corsia di sorpasso non porta bene. Il Miyhe'el Carlo I d'Inghilterra, per esempio, non seppe né comprendere né assecondare i mutamenti che andavano maturando durante il suo regno, e nemmeno approfittare del colpo di fortuna che gli toccò dopo il suo primo arresto, quando riuscì, rocambolescamente (e mihelianamente) a evadere; tornò a opporsi alla marea montante della rivoluzione, e fu il primo monarca dell'Europa moderna decapitato sulla pubblica piazza. Ci sono tanti modi di decapitare se stessi e le proprie possibilità: abbiano riguardo, i Miyhe'el ridestati.

Principati

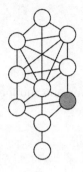

In ebraico si chiamano *Šariym*, parola densissima. La radice *šr* (שר) indica innanzitutto la stabilità, il buon governo, e *šar* vuol dire «capo», visìr, sire. Ma *šr* significa anche «armonioso», e il verbo *šar* significa «cantare», *šiyr*, «cantico».

È facile cogliere il nesso: sia nel buon governo sia nella musica tutto sta nel corrispondere a certi princìpi profondi e antichissimi, gli *archetipi* dell'equilibrio e della bellezza; e secondo la tradizione, gli *Šariym* ne sono i depositari, e i donatori. Perciò i teologi greci chiamarono questi Angeli *Arkhài*, i «Princìpi», appunto. Imparare da loro è indispensabile, per condurre una vita buona; ma di ciò che insegnano c'è poca traccia nelle istituzioni dei nostri Stati. Non per nulla *šarah* significa anche «combattere», «far valere». Chi nasce in queste settimane, o chi vuole assimilare l'energia degli *šariym*, farà bene a corazzarsi, per non sentirsi schiacciato dalla maggior parte di coloro che comandano e obbediscono nel mondo.

49
Wehewu'el
waw-he-waw

«La mia energia è da ogni parte fermata e nascosta»

Dal 23 al 27 novembre

LE tre lettere principali di questo Nome sono uguali a quelle del maestoso Wehewuyah dei primi giorni di primavera: due *waw* che raffigurano il nodo e l'ostacolo, attorno a una *he*, che è simbolo dell'anima e dell'invisibile. Ma Wehewuyah è un Serafino, cioè un Angelo della volontà suprema, e per lui le *waw* rappresentano una sfida irritante, un assedio da spezzare. Con Wehewu'el siamo invece tra i Principati, Angeli più meditativi: e le due *waw*, qui, somigliano piuttosto alle torri di un castello, in cui animi nobili trovano riparo da un mondo che a loro non piace.

I Wehewu'el hanno, in realtà, la strana caratteristica di tenere aristocraticamente nascoste le loro migliori qualità. Alla gente (e spesso anche ai propri famigliari) ne mostrano altre, costruite apposta, a servire da maschere: a volte mediocri, a volte addirittura scadenti, come se godessero nell'apparire inferiori a ciò che veramente sono. E non è per modestia. La gente, semplicemente, li ha profondamente delusi; troppa volgarità, ottusità e meschinità hanno trovato attorno a sé fin dall'infanzia: e perciò la gente non merita di avere libero accesso ai grandi tesori che ogni Wehewu'el sa di possedere in se stesso.

Gli si potrebbe obiettare che è lui a volerli vedere così, e che i nostri simili hanno pure qualche tratto buono o interessante. Ma un Wehewu'el non ne vorrà sapere, risponderà con un sorriso vago, che a moltissimi sembra ipocrita – la cosa non lo tocca minimamente. In qualche raro momento di confidenza potrà raccontarvi che ha provato anche lui a vedere del buono negli altri, e varie volte se n'è fidato, ma invano. Voi avrete, giustamente, il sospetto che in qualche modo il Wehewu'el se le sia andate a cercare, quelle esperienze tristi di cui parla: ma in tal caso potrà rispondervi che non ha fatto proprio nessuna fatica a trovarle. E lì la conversazione su quest'argomento potrà anche aver fine.

Il Wehewu'el, d'altra parte, può stare benissimo da solo. In cima alla torre più alta del suo castello interiore, può passare il tempo ragionando limpidamente sulle notizie del giornale e comprendendo come pochi altri le dinamiche politiche, sociali e soprattutto morali del momento; oppure, se ha sviluppato interessi spirituali, medita e contempla verità grandiose. Ma non ve ne parlerà mai. Forse ne racconterà qualcosa al suo gatto, o al suo cane, poiché i Wehewu'el amano molto gli animali; oppure ai bambini, altra loro passione, purché siano abbastanza piccoli da non essere stati ancora contaminati dal mondo scadente dei loro genitori.

Ricordate Harpo Marx, muto e sempre occupatissimo a rendere ridicoli gli adulti? Harpo era nato il 23 novembre. Era di quest'Angelo anche Collodi, l'autore di *Pinocchio*: e non è un caso, dunque, se finché lui visse il suo capolavoro non venne preso sul serio da nessuno se non dai bambini. Furono Wehewu'el anche Charles M. Schulz, l'autore dei *Peanuts*, che evitò di includere adulti tra i suoi personaggi; e Laurence Sterne, il più originale autore del Settecento inglese, che costruì il suo *Vita e opinioni di Tristram Shandy* sulla finta intenzione di scrivere una biografia del suo protagonista: e in settecento pagine non ne narrò che i primi quattro anni – come se solo quelli contassero.

Ma questi furono Wehewu'el generosi e perciò fortunati: riuscirono a esprimere molto di sé, a condividere con la gente le loro scoperte, e non incorsero perciò nel rischio più grave, che quest'Angelo comporta. Tra le doti wehueliane vi è una speciale variante d'Energia T, che i qabbalisti chiamano «consolazione»: una sorta di effluvio risanatore che, quando viene usato, ha il potere di dissolvere *negli altri* la rabbia, il rancore, il rimpianto e il rimorso, i quattro terribili errori psicologici, cioè, che rendono il nostro organismo più vulnerabile alle malattie. Purtroppo, proprio come l'Energia T, anche la «consolazione» si vendica di quelli che ne hanno e non la usano: causa in loro gli stessi disagi che avrebbero potuto curare. E dato che l'unico modo di usarla è *rivolgersi agli altri con simpatia e fiducia, e parlare, confidarsi, e condividere pensieri e sentimenti*, la solitudine e il riserbo in cui tendono a chiudersi tanti Wehewu'el finiscono per generare in loro una lunga serie di disagi. Ne tengano conto, i nati in questi giorni che hanno scelto professioni di second'ordine, perché ritenevano una concessione eccessiva mostrare il proprio autentico valore *ai loro coetanei*. Scendano almeno un po' dalla torre, se non altro per amore della propria salute.

Ma l'unica cosa che possa veramente costringerli a farlo sarebbe un ideale, il pensiero di avere una missione nel mondo – una qualsiasi, non importa quale. E occorre un miracolo perché ne trovino uno e pensino che il mondo lo meriti. Avviene a volte: Spinoza, Giovanni XXIII, Sai Baba seppero di avere una missione. Altri Wehuwuel l'hanno magari creduto per un po', e poi si inacidirono, si inaridirono, come Pinochet o Napoleon Duarte, odiati dai cileni e salvadoregni che dovettero subirne i regimi.

50
Daniy'el
dalet-nun-yod

«Io giudico ciò che si è manifestato»

Dal 28 novembre al 2 dicembre

D_N in ebraico, significa «giudicare», ma in base a un'idea di giustizia un po' diversa da quella che solitamente pratichiamo noi. Noi riteniamo che sia già gran cosa riuscire a punire un colpevole, in base a certi principî che la maggioranza ritiene validi; di conseguenza, per perdonare qualcuno occorre sostanzialmente rinnegare, nel suo caso, i principî di giustizia – e il rischio è, naturalmente, che a forza di perdonare in tal senso, quei principî finiscano con l'indebolirsi. *Dn* invece può significare, letteralmente, *sia giudicare sia perdonare*: la lettera *d* (ד) indica «la capacità di separare, di distinguere», e la *n* (נ) indica «un'azione». L'esercizio della giustizia consiste, qui, innanzitutto nel «separare» l'individuo dalle azioni che ha commesso: e che dunque chi ha rubato non *sia* per ciò stesso un ladro, ma semplicemente uno che a un certo punto ha commesso un furto; e, allo stesso modo, che chi ha sbagliato vita non *sia* uno che sbaglia, e chi ha patito un torto non *sia* uno che subisce, e via dicendo. Un buon *dayan* («giudice») sarebbe insomma colui che, dopo aver analizzato qualche guaio, ha il dono di dire a chi vi era coinvolto: «Ecco, è passata, sei di nuovo tu: ora puoi vedere meglio, imparare da ciò che è avvenuto e ricominciare in un altro modo». E i Daniy'el hanno precisamente questo potere, e possono trarne grande vigore, ispirazione e gioia.

Sono per loro natura saggi e sensibili, avidi di verità e altruisti: mentre la maggioranza degli uomini si ritrae inorridita o disgustata dinanzi agli errori o ai guai di un loro simile, i Daniy'el ne sono attratti per vocazione, sentono il profondo impulso a sciogliere i lacci che paralizzano il futuro altrui, come se quel futuro fosse il loro (si pensi alla generosità di cui dà sempre prova Gulliver, nei suoi magnifici *Viaggi*, opera del Daniy'el Jonathan Swift). Brillano dunque in qualsiasi campo dell'assistenza: come operatori sociali, specialisti della riabilitazione, educatori in scuole difficili. Ma, a parte questi loro ambiti più appropriati, vale sempre la regola secondo cui quanto più uno scopre e sviluppa le doti del suo Angelo, tanto più si estende il suo campo d'azione: e, quindi, quale che sia la professione di un Daniy'el, la scoperta e lo sviluppo dei suoi impulsi *a migliorare la sorte altrui* non potrà che accrescere la sua fortuna. Era Daniy'el Friedrich Engels, che trascurò la sua florida ditta per togliere dalle ristrettezze economiche Karl Marx e finanziare la diffusione delle sue opere: ed elaborò insieme con lui la più celebre delle ideologie moderne in difesa degli sfruttati e il miglior sistema – a tutt'oggi – di scindere e analizzare le componenti e le forze di una società ingiusta. È Daniy'el anche Woody Allen, che nelle sue opere analizza lui pure, meticolosamente, le dinamiche dei lacci psicologici e morali che imprigionano la personalità dell'individuo civilizzato.

E individuare un laccio, nella vita interiore come anche nella società, vuol già dire aver cominciato a scioglliersene: vale, in ciò, quella fondamentale legge del limite, per la quale nessuno che abbia visto un proprio limite ne rimane davvero bloccato, poiché sarebbe stato impossibile vederlo se non si fosse già giunti più in là di esso. Perciò i «giudizi» dei Daniy'el hanno sempre un effetto corroborante: alita dalle loro analisi lo slancio di una nuova voglia di vivere, di nuove speranze, oltre che la viva percezione di una vittoria morale, magari su noi stessi, quando vediamo che qualche nostra sconfitta è dipesa *soltanto* da un nostro comportamento errato, e (*dn*!) ci accorgiamo che nulla ci impedisce di comportarci altrimenti da lì in poi.

Quanto invece al delineare progetti concreti per un avvenire migliore, i Daniy'el non sono altrettanto precisi e attendibili.

Il loro compito è giudicare, non costruire. Il Daniy'el Winston Churchill, per esempio, fu un'ottima guida per gli inglesi nelle loro circostanze più critiche, nella Prima come nella Seconda guerra mondiale, ma rivelò una scarsa lungimiranza nei periodi postbellici. Nella direzione del futuro, l'immaginazione danieliana sembra evaporare, come se si dissolvesse non appena i guai del presente e del passato cessano di ancorarla alla realtà; e solo in arte certe loro dissolvenze riescono meravigliosamente – nelle visioni di William Blake, per esempio. Ma tant'è: i Daniy'el consapevoli avranno comunque da fare a sufficienza nel presente, per il bene di moltissimi.

Feroci sono invece le conseguenze di un loro eventuale rifiuto dei propri talenti. Un Daniy'el che decida di occuparsi soltanto del proprio personale benessere viene regolarmente assediato da inconvenienti, che gli faranno desiderare per sé proprio ciò che avrebbe dovuto fare per gli altri. La vita lo porrà in situazioni di sconfitta, di oppressione, di disperazione anche. Un'unica via d'uscita, assai magra, la troverebbe nel tenersi da parte in tutto, nascosto in una qualche professione-guscio, senza mai nemmeno tentare di conoscere la propria autentica personalità. E sono numerosi, infatti, i Daniy'el renitenti, che invece di giudicare-*dn* se stessi e gli altri si confondono nella massa, e con essa fluiscono, sperando che a quella massa non capiti nulla di male, o che eventualmente salti fuori un qualche Daniy'el sveglio e volonteroso a soccorrerla nelle fasi critiche.

51
Haḥašiyah
he-ḥet-šin

«La mia energia lavora per la conoscenza»

Dal 3 al 7 dicembre

Vɪ è un'intima parentela tra gli Haḥašiyah e gli sprezzanti Wewuhe'el: anche gli Haḥašiyah amano la solitudine e la contemplazione, e scuotono tristemente il capo guardando la società dall'alto della loro invisibile torre interiore. Sanno che molto difficilmente l'umanità migliorerà; sospirano pensando a come le immense e luminose doti dei bambini siano quasi sempre destinate a scomparire con l'età adulta, perché il mondo è troppo guasto per apprezzarle e farle fiorire. Ma gli Haḥašiyah non hanno alcuna intenzione di rassegnarsi a questo stato di cose: lo prendono piuttosto come una sfida ai loro ideali, e lottano per destare ciò che di meglio vi è nei loro simili. Certo, non sono esattamente dei vincitori, nel senso in cui il mondo intende di solito questa parola: non arriva mai, per loro, il momento in cui sentono di aver adempiuto al loro compito e di potersi concedere una felice ricompensa. Non lo desiderano nemmeno; è come se il loro animo guardasse sempre oltre: la tensione e la voglia di raggiungere mete sempre più alte e grandi valgono, per loro, infinitamente più di qualsiasi soddisfazione o applauso. È anche la loro grande Energia T ad animarli in tal modo: sono medici all'opera per guarire il destino di tutta la loro epoca – e perdere tempo a rallegrarsi per qualche successo inevitabilmente momentaneo va contro i loro solidi principî.

Ciò ha talvolta l'effetto di renderli antipatici a molti, e in particolar modo a chi lavora con loro o per loro. Corrono il rischio di apparire troppo ambiziosi ed esigenti, intolleranti, maniacali anche; accade che li si veda come veri e propri esaltati e che si parli di loro in termini orribili. Ma è bene che gli Haḥašiyah non ci facciano caso: si infurierebbero davvero, se no, vedendo tanto fraintesa la loro dedizione; e il loro amore per l'umanità potrebbe tutt'a un tratto trasformarsi in odio e in depressione. È quel che avvenne, per esempio, al Haḥašiyah Walt Disney, che – mentre nei suoi film dava gioia e rivelava profondi segreti ai bambini di tutto il mondo – in qualche suo accesso di tristezza si vendicò dell'incomprensione di alcuni collaboratori licenziandoli seccamente, e denunciandoli, pare, all'FBI come pericolosi estremisti di sinistra. Un Haḥašiyah ancor più burbero fu Pilsudski, dittatore della Polonia; e ancor più rancoroso, e tetro, e brutale fu Francisco Franco.

Gli Haḥašiyah imperturbabili, solitari, appassionati, sono bensì individui meravigliosi. Sono capaci di guardare sempre oltre in molti sensi. Sanno per esempio scorgere negli altri qualità che chiunque ignorerebbe, e sanno destarle, anche, come il Principe Azzurro desta Biancaneve: così l'Haḥašiyah Joseph Conrad costruì uno dei suoi personaggi più celebri, Lord Jim, mostrando come un vigliacco possa scoprire in se stesso una vocazione di eroe. Sanno anche intravvedere nel futuro possibilità inaudite, come se davvero scrutassero lontano da una torre; e riescono perciò a osare, teorizzare, realizzare anche, quelli che a tutti sarebbero sembrati sogni impossibili: si pensi ai capolavori dell'Haḥašiyah Bernini; alle teorie di Noam Chomsky; o, di nuovo, al motto prediletto di Disney: «*If you can dream it, you can do it!*» Tra l'altro, non temono di esplorare remote e strane regioni spirituali; hanno per loro natura quel dono che i religiosi chiamano «rivelazione»: quando sono all'opera, cioè, quando creano o quando insegnano (sono infatti anche ottimi insegnanti), capita spesso che si accorgano, improvvisamente, di sapere e di aver detto qualcosa di molto importante, che non avevano mai imparato e a cui non avevano mai nemmeno pensato prima. Se non si lasciano intimidire da questi prodigi, cominceranno a svelare misteri, che li guideranno alla scoperta di misteri ancora più grandi, e poi di altri ancora, senza fine – come annuncia, nel Nome del loro Angelo la lettera *šhin*, il geroglifico dell'estendersi della conoscenza. Poco importa se, in questo, la maggioranza degli uomini non sarà in grado di seguirli: gli Haḥašiyah riusciranno comunque a trarre, dalle loro scoperte esoteriche, vigore e contenuti per le loro realizzazioni concrete, quale che sia il campo che si sono scelti, e se la gente non capirà molto di ciò che hanno conosciuto, sentirà tuttavia aumentare sempre di più il loro fascino. Così avvenne, tra gli altri, all'Haḥašiyah Rainer Maria Rilke, forse il meno letto tra i grandi poeti del Novecento, eppure uno dei più amati, avvolto come da un'aura di santità di una qualche religione non ancora nata.

Viceversa, gli Haḥašiyah mostrano purtroppo una scarsa disposizione alla conoscenza di se stessi, e soprattutto dei loro lati più quotidianamente umani. Sono talmente presi dai loro scopi superiori, da dimenticare volentieri i propri bisogni: e i bisogni che decidiamo di ignorare si vendicano sempre di noi, degenerando dispettosamente. Può avvenire perciò che un Haḥašiyah, dopo aver trascurato troppo a lungo le esigenze del proprio corpo, ceda a una qualche forma di bulimia, o all'alcolismo, o precipiti in un esaurimento che richieda lunghe cure. O che, dopo essersi imposto una solitudine troppo rigorosa, decida di uscirne proprio al momento sbagliato, scambiando per amici persone che non sono affatto tali; o di fidarsi di ciò che una qualche setta o gruppo dice, invece di tenere in debita considerazione anche quello che quella setta o quel gruppo fa ed è. Le delusioni cocenti che ne ricevono li spingeranno allora verso una solitudine ancor più dura, verso ideali personali ancor più esclusivi, fino a un'ulteriore, inevitabile ricaduta in qualche analogo errore, e così via ciclicamente.

52
ʻAmamiyah
ayin-mem-mem

«Le apparenze limitano l'orizzonte»

Dall'8 al 12 dicembre

IL compito degli ʻAmamiyah (o'Imamiyah, come scrivono alcuni) è uno dei più difficili e scomodi dell'intero panorama angelologico. È l'Angelo dei prigionieri, o di chi ha attorno a sé un nemico soverchiante: quella doppia *m* (מ), nel Nome, è anche l'immagine di un doppio accerchiamento; e a capo del nemico, sulla porta del carcere, sta l'inganno, l'*ayin* l'apparenza che nasconde solamente il nulla e trascina giù. Gli ʻAmamiyah devono imparare e insegnare ad accorgersi di quanto la vita dei loro simili venga a trovarsi *spesso* in una situazione del genere. La gente comune non lo vede, o se anche lo vede non vuol farci caso. Così, per esempio, né l'Occidente né gran parte della popolazione sovietica voleva accorgersi di quanto orribili fossero certi aspetti dello stalinismo e del poststalinismo, quando un fervido ʻAmamiyah come Solženitsyn metteva a rischio la vita per denunciarli. Una lunga educazione all'accorgersi delle schiavitù psicologiche e religiose sono anche i libri dello ʻAmamiyah Osho, che venne avvelenato – si dice – per aver scardinato troppe porte di quelle prigioni.

Agli ʻAmamiyah, dicevo, tocca in sorte innanzitutto imparare in che cosa consista l'oppressione: e questa è naturalmente, per la maggior parte di loro, la parte più dura. Pochi hanno la fortuna o l'accortezza di cominciare presto a interessarsi di ossessioni, fissazioni, fobie, sensi di colpa e vittimismo (dei più frequenti carcerieri, cioè, dell'uomo contemporaneo) e di armarsi preventivamente contro di essi. In genere, lo 'Amamiyah si trova a sperimentare tutto questo di persona: e per anni è costretto, per la sua stessa sopravvivenza, a fare i conti con pesanti fantasmi della propria mente; o magari con gli incubi e le angosce di persone a lui vicine; oppure a subire situazioni di grande solitudine, di incomprensione, di marginalità. Scopre in tal modo che cosa significhi ritrovare se stessi, dibattersi, lottare, difendersi. Accumula ed esercita in questa scoperta un'immensa energia e finalmente – se tutto va bene – può cominciare a fare da guida ad altri.

A volte è già piuttosto tardi, e certi 'Amamiyah somigliano purtroppo all'abate Faria ne *Il conte di Montecristo*: la poetessa Emily Dickinson, per esempio, che mai poté uscire dal suo villaggio natale, e le cui opere vennero pubblicate solamente postume. Altre volte il duro periodo di apprendistato li segna profondamente, e li fa diventare individui cupi, impulsivi, distruttivi spesso, con anche la tendenza a imporre ad altri rapporti di dipendenza – come per un triste risarcimento, o per una brutta piega rimasta dai tempi delle loro personali schiavitù. Oppure appaiono emotivamente chiusi, sfuggenti, e guardano con un'ostilità sospettosa e sarcastica chiunque nel loro ambiente abbia pregi e prestigio, come se in qualche modo rubasse la scena a loro, che dopo così lunga maturazione interiore avrebbero (o avrebbero avuto) tante cose da dire.

Ne hanno, di certo. Qualunque sia la loro professione, li anima un preciso desiderio di opporsi, più o meno direttamente, a ogni forma di limitazione o anche autolimitazione della dignità umana: cercano e spesso trovano oppressori da smascherare, situazioni ingiuste alle quali ribellarsi. Sognano onestamente la riconquista di un Paradiso perduto, per usare il titolo dell'opera più famosa di John Milton, un 'Amamiyah anche lui. Come terapeuti, sindacalisti e attivisti politici possono essere abilissimi. Tutto dipende da quanto siano riusciti a liberare se stessi dai taglienti residui del loro istruttivo passato. Il più frequente dei loro rischi psicologici, quando cominciano a darsi da fare per gli altri, è l'idealizzazione eroica della propria figura: sentirsi troppo investiti di una missione non fa bene, agli 'Amamiyah; il loro senso della realtà tende ad appannarsi, e mentre danno la caccia o aggrediscono un nemico, un oppressore (magari solamente presunto tale), non si rendono conto di venir presi loro stessi per individui opprimenti. E capita che lo diventino davvero, gravemente, come fu per Andréj Vyšìnskij, famoso pubblico ministero durante le purghe staliniane.

È necessario che si abituino a sorvegliarsi, che coltivino l'autocritica, e possibilmente che, tra tutte le armi per lottare contro le servitù, imparino a preferire l'ironia – la quale tra l'altro ha il vantaggio di potersi applicare, non appena sia necessario, anche contro chi la usa. Tutte queste cautele sono indispensabili per gli 'Amamiyah, anche perché permettono loro di non eccedere nel senso di responsabilità personale: se agiscono in totale autonomia e si prendono troppo sul serio, tendono infatti a soverchiarsi di impegni e soprattutto di tensioni, fino a fiaccare la loro fibra fisica e nervosa – come avvenne a Jim Morrison.

Quanto agli 'Amamiyah che non si sentono toccati da impulsi altruistici, il loro destino è tra i più tristi. Non solo restano bloccati nella prima fase della loro crescita interiore – nella scoperta dell'oppressione: e passano così da una prigionia all'altra, nei loro rapporti umani, e da una fase ossessiva all'altra, nei loro rapporti con se stessi – ma cresce e ribolle in loro una particolare perfidia: sviluppano la tendenza a trovarsi dei capi, per poi rapidamente tradirli; a incensare un amico e conquistarsene la fiducia, per poi calunniarlo. È perché confondono malamente i legami d'affetto o di stima con limitazioni della loro libertà. È l'ombra brutta del compito che avrebbero dovuto svolgere; ha carattere compulsivo (costituisce solo un altro carcere, dunque) e c'è poco da fare, a quel punto: se non se ne liberano da soli, non ne verranno fuori mai.

53
Nana'e'el

nun-nun-alef

«Soltanto nelle grandi opere il mio spirito agisce»

Dal 12 al 17 dicembre

LA Torre di ghisa, assurdamente bella, che il Nana'e'el Alexandre-Gustave Eiffel costruì a Parigi nel 1889, deve servire da esempio ai protetti di quest'Angelo dei Principati. Fu tra i monumenti più fortunati al mondo (seconda solo, per popolarità, alla Statua della Libertà, a cui pure Eiffel dette il suo contributo), e divenne l'emblema di una capitale, di uno stile, dei tempi moderni d'allora: la si amò tanto più dolcemente, quanto più ci si accorse della sua assoluta inutilità e mancanza di significato, della sua boria – che ancor oggi suscita un irresistibile sorriso – e di tutto il vuoto che contiene. Morale della Torre: non temano, i Nana'e'el, quello che ogni altro dovrebbe temere, e cioè di apparire palloni gonfiati, giacché nessuno saprebbe farlo meglio e più a proposito di loro. Il loro successo – sono nati per il successo – dipende esclusivamente dalla loro capacità di pensare in grande, non importa in quale campo: conoscono certi segreti della statica e della dinamica, per i quali quanto più voluminoso è ciò che hanno in mente, tanto più risulterà leggero ed elegante (ciò valse anche per altri due magnifici architetti Nana'e'el: Vladimir Tatlin e Oscar Niemeyer). Viceversa, quanto più modesta sarà la loro immaginazione, tanto più avvertiranno il peso della materia: e non vi è nulla che opprima e schiacci talmente i Nana'e'el come le piccole cose quotidiane, e nulla in cui possano star certi di fallire, come nel progettare affari di poco conto.

Ciò rende, di solito, molto difficili i loro inizi, quando ancora nessuno si fida di loro, e i capitali e gli intenti delle loro iniziative sono necessariamente modesti: corrono il rischio di non salpare mai, tanto li deprime il piccolo cabotaggio. È bene che saltino senz'altro le prime fasi, che azzardino spacconate, scavalcando apprendistati e gerarchie e puntando direttamente al massimo. In quale campo non importa, purché abbia in qualche modo a che fare con la costruzione di qualcosa: di edifici o di reti di comunicazione, di forme d'arte o di strategie finanziarie (fu un Nana'e'l J.Paul Getty, fondatore della Getty Oil, e del Getty Museum; è un Nana'e'el Ben Bernanke, presidente della *Federal Reserve* durante la recente crisi).

Quanto ai finanziamenti, già all'inizio, li troveranno senz'altro: vi è infatti una particolare ispirazione che guida *sempre* i Nana'e'el con grandi idee, e fa sì che i loro progetti siano perfettamente in consonanza con ciò che la maggior parte dei loro connazionali predilige o è pronta ad apprezzare in quel preciso momento. Non è solo fortuna. È che fin da adolescenti i Nana'e'el sanno vivere in armonia con la maggioranza, condividendone del tutto naturalmente il modo di sentire. In un certo senso, possiamo dire che pensino *soltanto* in grande in ogni aspetto della loro esistenza. Se, per esempio, hanno interessi spirituali, si riconosceranno fiduciosamente nella religione predominante nel Paese in cui risiedono; se hanno passioni politiche, aderiranno senz'altro al partito di governo o a movimenti vastissimi. I loro obiettivi personali si calibreranno sempre sui livelli di prestigio che, nel loro tempo, sono considerati desiderabili; e anche nella sfera privata, tutto ciò che potrebbe piacere a minoranze, sia passatiste sia troppo progressiste, incontrerà il loro deciso sfavore. Non possono fare altrimenti. Il Nana'e'el Gustave Flaubert raffigurò limpidamente, in *Madame Bovary*, il tragico dissidio tra la protagonista e i valori, i doveri che nel suo ambiente la maggioranza, appunto, riteneva necessari: Emma Bovary non amava il marito, cercava qualcuno, qualcosa che le permettesse di sottrarsi alla vita in provincia, ma riuscì soltanto a correre verso la rovina, proprio perché, in animi nanaeliani come il suo, nulla, nemmeno il disamore, è più potente del conformismo. Non tentino la fuga, dunque, questi colossi: si radichino bene, e prospereranno.

Oltre che nel corpo sociale, è indispensabile che imparino a trovarsi benissimo anche nel loro corpo fisico: vale anche qui quello stesso magnifico rapporto nanaeliano tra grandiosità ed efficacia. Quanto maggiore, infatti, è l'importanza che sanno attribuire *alle proprie doti fisiche*, tanto più sicuramente le avranno sempre al proprio servizio: si pensi non soltanto alla voce sapiente del Nana'e'el Frank Sinatra, ma anche all'affascinante sicurezza che sapeva emanare da ogni tratto del suo corpo, la cui gracilità non sembrò mai imbarazzarlo minimamente. E viceversa, quando il corpo appare loro un fatto trascurabile, perché tentano di trascenderlo per le esigenze dell'anima, ne vengono regolarmente traditi: celeberrimo il caso del Nana'e'el Beethoven, che divenne sordo poco dopo i trent'anni, come se le sue fibre avessero voluto punirlo per lo slancio eccessivo, quasi mistico, della sua spiritualità.

Davvero la materia è la chiave di volta dei destini nanaeliani: lo confermano anche due Nana'e'el scrittori di fantascienza nati proprio lo stesso giorno (16 dicembre), l'inglese Arthur C. Clarke e lo statunitense Philip K. Dick. Dick è l'autore di *Blade Runner*, e di altri romanzi su robot androidi, cioè di corpi umani costruiti con materia non vivente; Clarke, in *2001: Odissea nello spazio* narrò il duello tra l'astronauta e il suo computer HAL: anche lì, l'astronauta simboleggiava la mente, l'anima che tenta di opporsi alla materia, e riesce a disattivarla, sì, ma solo per perdersi poi nell'infinito. E non volle fare qualcosa di simile anche il Nana'e'el Nerone? Il suo ordine di incendiare Roma fu un'altra rivolta contro la materia; e poi si perse nella follia e nella catastrofe. Serva anche questo da monito: nessuna fuga, piedi saldamente piantati a terra, petto in fuori e geniali occhiate verso nuove e vastissime imprese costruttive: sono gli ingredienti essenziali del benessere dei Nana'e'el, e certamente anche del benessere di chi li circonda.

54
Niyita' el
nun-yod-taw

«Il mio agire è fruttuoso quando guardo oltre ciò che già c'è»

Dal 17 al 22 dicembre

Fu proprio un 17 dicembre, centodieci anni fa, che il biplano dei fratelli Wright riuscì per la prima volta a decollare e ad atterrare intatto. L'era del volo a motore non sarebbe potuta cominciare sotto migliori auspici celesti: Niyita'el è l'Angelo dei nuovi cammini. I suoi protetti guardano impazienti sia il proprio orizzonte interiore, sia gli orizzonti di cui la loro epoca si è accontentata, e fin dove giunge lo sguardo non trovano nulla che dia senso alla vita. È come se ciò che la gente già sa intralciasse la visuale dei Niyita'el; le certezze li opprimono; non c'è posto, nel loro animo, per cose come la stabilità, il senso di sicurezza, di protezione; soprattutto la quieta vita borghese appare, ai loro occhi, come un oppiaceo, dolciastro e mortale, con cui tanti si suicidano – e loro no.

Devono viaggiare: come scriveva Guido Gozzano:

«Dove andrà?» – «Dove andrò? Non so… Vïaggio.
Vïaggio per fuggire altro vïaggio…
Oltre Marocco, ad isolette strane,
ricche in essenze, in datteri, in banane,
perdute nell'Atlantico selvaggio…»

La signorina Felicita

Sì, partire, per loro, è smettere di morire. E scoprono in se stessi un'energia tanto più grande, quanto più si lasciano alle

190

spalle qualche limite. Gioiscono, poi, anche nel fermarsi un po', al di là di qualche confine appena superato, per mandare notizie e lasciare indicazioni a chi vorrà superarlo a sua volta. Non importa se siano confini geografici, estetici, scientifici, o morali: Paul Klee fu un eccellente Niyita'el nella pittura; Jean Genet nella letteratura, con il suo gusto di scuotere le convinzioni morali; e David Bohm fu il più nitaeliano tra i fisici moderni, poiché studiò non soltanto la struttura della materia ma anche il modo in cui la nostra mente la percepisce – e per poter studiare la mente bisogna per forza costruire un punto d'osservazione al di là di essa!

Qualche secolo prima di Bohm, anche il Niyita'el Paracelso aveva imboccato la stessa strada, sostenendo che i processi chimici sono gli stessi nel nostro corpo e nella natura (che voglia d'immenso, anche in questa idea!); venne perciò sbeffeggiato dai colleghi, nelle università: per tutta risposta, Paracelso diede scandalo smettendo di insegnare in latino, lingua allora d'obbligo nelle materie scientifiche, e tenendo le sue lezioni in tedesco, così che anche la gente comune lo potesse ascoltare e capire. Poi viaggiò a lungo, fino in Russia, Asia e Africa, mostrandosi sempre insofferente alle autorità riconosciute. *Alterius non sit, qui suus esse potest*, era il suo motto: non decida di appartenere a un altro, chi può appartenere a se stesso! Ottimo mantra, di cui i Niyta'el potranno servirsi come talismano contro la loro peggiore tentazione, che è quella di *placarsi*, di non cercare più.

Fino a che osano più di chi li circonda, anche i loro difetti possono risultare pregi: i modi provocatori, la testardaggine, l'ambizione, e addirittura la frettolosità con cui liquidano le opinioni altrui, non appena vi annusano tracce di conformismo. All'opposto, questi difetti possono divenire altrettanti tormenti per loro stessi e soprattutto per gli altri, quando i Niyita'el, invece di partire, rimangono, o invece di insubordinarsi si adeguano, accettando un qualsiasi impiego che non richieda spostamenti frequenti o continui rinnovamenti di prospettive. Quando cascano in queste trappole, la loro ambizione si trasforma in ansia, in terrore di perdere il poco che hanno (è sempre poco, per loro), e in gelosia, in invidia; la testardaggine, in ottusità; la voglia di provocare, in cinica rabbia. Fu il caso di Stalin, che dopo una carriera di rivoluzionario e viaggiatore si trasformò in un tremendo ostacolo allo sviluppo del suo Paese.

In buona parte dei Niyita'el, questa inversione del loro talento è periodica: l'umore cupo riappare ogni volta che rallentano, e svanisce quando ricominciano ad accelerare. Tutt'altro che facile è, di conseguenza, la loro vita sentimentale; il matrimonio, specialmente, rischia di deluderli con grande rapidità. Possono sopportarlo soltanto a condizione di continue infedeltà: ma quanta fatica, quanto stress dovranno mettere in conto, in tal caso! Faranno meglio a trovarsi come compagno un altro Niyita'el, oppure un viaggiatore come Miykae'l (19-23 ottobre), che li comprendano e possibilmente li accompagnino nei loro slanci verso nuove mete. Altrimenti si sentiranno come come aquile in gabbia, disperate, penose.

55
Mebahiyah
mem-bet-he

«Io plasmo e produco forze spirituali»

Dal 22 al 27 dicembre

GRANDE energia e abnegazione, tenacia, coraggio, vivace immaginazione e un acuto desiderio di libertà: queste le doti caratteristiche dei Mebahiyah; e in più la loro mente, se hanno cura di ali-
mentarla, fa in fretta a scoprirsi lucida, metodica, estroversa. È un
ottimo equipaggiamento per intraprendere opere grandi e nuove,
senza lasciarsi intimidire né da quel che già esiste, né dalle resistenze che il nuovo incontra sia nei singoli individui, sia nella
società intera: dunque risulterebbe del tutto legittima, dal punto
di vista dell'angelologia, la tradizione secondo cui dovettero essere questi i giorni in cui nacque Gesù di Nazareth – come anche
la tradizione greca che fissava al 25 dicembre il compleanno di
Dioniso.

Il 26 nacque Mao Zedong, che tra le qualità del suo Angelo
sviluppò soprattutto quelle simboleggiate dalla lettera *m* (מ), cioè
la sensibilità per le aspirazioni di un intero popolo e la capacità
di abbracciare con lo sguardo vasti orizzonti, e dalla lettera *b* (ב),
cioè la forza di imporre norme – che in un Mebahiyah non possono non essere rivoluzionarie. E il 25 nacque anche Sadat, che
perse la vita per aver voluto cercare un accordo tra Egitto e Israele: cosa che – lui lo sapeva benissimo – sarebbe stata intollerabile
per il mondo arabo; ma tipico dei Mebahiyah è il mettere in conto
anche il martirio, quando credono in qualcosa. L'altra lettera del
Nome dell'Angelo, la *h* (ה), simboleggia l'aprirsi dell'animo
all'ispirazione, alla scoperta dell'invisibile: e qui vanno citati

i Mebahiyah Nostradamus, che esplorava sistematicamente il futuro, e Champollion, che giovanissimo decifrò i geroglifici egiziani; si noti, d'altronde, come anche in questi due agiscano l'elemento normativo e la visione d'insieme: Champollion ricostruì un sistema linguistico, Nostradamus articolò, nelle sue *Centurie*, un ampio disegno metastorico.

Ciò che invece non trova appiglio nell'animo dei Mebahiyah è l'elementare logica del guadagno: la prospettiva di accumulare denaro non solo non li stimola, ma li infastidisce addirittura. Traggono slancio dall'altezza dei loro ideali, dalla tensione che occorre per raggiungerli, dall'immagine eroica che in tal modo possono avere di sé: con la conseguenza che quanto più disinteressata è una loro impresa, tanto maggiori finiscono per l'esserne anche gli introiti (non è un caso, quindi, se *Casablanca*, il film più famoso di Michael Curtiz, fu girato in fretta, con pochi mezzi e pochissime aspettative) e viceversa, quanto più si sforzano di preoccuparsi del tornaconto, tanto meno riescono a impegnarsi in ciò che fanno. «Cercate prima di tutto il Regno di Dio e la sua giustizia, e tutte queste altre cose vi saranno date in aggiunta», come diceva appunto Gesù, in perfetto stile mebahista. Si avverte anche in questo snobismo economico una profonda esigenza di libertà, una ricerca dell'assoluto: e proprio questo è l'unico vero bisogno dei Mebahiyah, a cui tutti gli altri loro bisogni più concreti vengono sacrificati volentieri.

In ciò può certamente consistere la loro forza principale, quando riescono a osare e a farsi valere nella loro professione, o missione (i due termini devono diventare sinonimi per i Mebahiyah, perché il loro cuore sia in pace); ma talvolta si trova qui anche il loro punto più debole, per quanto riguarda la vita privata. Tendono infatti, da un lato, a essere troppo ottimisti nel valutare i loro partner e amici: proprio perché i Mebahiyah non sanno prestare orecchio ai propri bisogni, e si accontentano di troppo poco, capita loro di circondarsi anche di persone troppo dappoco, e di lasciarsene prendere al laccio: dopodiché, tutti intenti nelle loro attività o presi dai loro scopi sublimi, non hanno né tempo né sufficiente concentrazione e volontà per riuscire a liberarsi. Si pensi alla trappola che, secondo la tradizione, Gesù si lasciò tendere dal suo amico Giuda Iscariota: per evitarlo sarebbe bastata un po' di perspicacia quotidiana; ma che farci, tanti Mebahiyah sono attratti soltanto dal sublime, e la loro attenzione punta solo in alto, per lo più.

D'altra parte, quando si guardano attorno capita regolarmente che si indignino della pochezza di chi hanno intorno («Oh, generazione incredula e perversa! Fino a quando dovrò sopportarvi?» Matteo 17,17) e che, misurando in un momento cupo la larga differenza tra gli ideali del loro cuore e la dozzinalità del prossimo, siano tentati di considerare insensato ogni tentativo di migliorare il mondo. Si ha allora il tipo di Mebahiyah eremita: come Carlos Castaneda, che pone ai lettori la condizione di staccarsi dal mondo al di qua (dal *tonal*) per poter capire i suoi libri; o lo zar Alessandro I, che dopo aver sconfitto Napoleone e avviato notevoli riforme, si ritirò a vivere da asceta, in Siberia.

Oppure la delusione per la poca levatura dei contemporanei produce, nei Mebahiyah, un'inversione dei talenti: la loro forza d'animo diventa soltanto animosità; i loro altri valori etici si riducono a moralismo; e a tutto ciò che riguarda la spiritualità, reagiscono con scetticismo e sarcasmo. Ma allora, come sempre avviene con tutti i sistemi che adottiamo per difenderci da noi stessi, ne deriva una lunga, sottile spirale di infelicità più o meno segreta. Purtroppo casi simili sono frequenti. I Mebahiyah non invertitisi non possono che essere, in ogni epoca, fuori moda: ed è, questa, una condizione alla quale possono reggere solo caratteri molto robusti, audaci, geniali – dunque, inevitabilmente rari.

56
Fuwiy'el
peh-waw-yod

«La mia bocca si chiude per l'indignazione»

Dal 27 al 31 dicembre

PEH in ebraico significa «la bocca», e la lettera *p/f* (פ), nell'alfabeto geroglifico, è anche il simbolo del viso che si rivolge agli altri per parlare, o per mostrare la propria bellezza. Il viso dei Fuwiy'el, per lo più, vorrebbe invece volgersi via da un mondo umano che a loro appare irrimediabilmente brutto, ostile e ottuso. Il loro Angelo è maestoso, parente stretto di Hasiy'el e Yabamiyah: e proprio come questi due, dona ai suoi protetti una vista acuta, una mente limpida, ma anche un animo immune da illusioni e da brame di carriera – che nella maggior parte delle persone sono invece la regola. Li ho chiamati Angeli dei Re: di chi *nasce già re*; e di tale regalità tocca in sorte ai Fuwiy'el l'aspetto più difficile: l'acuta percezione della differenza tra la superiore armonia che abita in loro, e le tante agitazioni, voglie e frustrazioni che annebbia le vite degli altri.

Un Fuwiy'el ha avuto grande successo nel trasporre questa differenza in opere di fantasia: Stan Lee, il creatore di tanti famosi personaggi dei fumetti della Marvel – i Fantastici Quattro, Daredevil, Thor, Hulk, Iron Man, gli X-Men, Spider Man… Ma non tutti sono così inventivi. «Non mi ascolteranno, non capiranno mai», pensa spesso il Fuwiy'el riguardo alla gente che ha intorno, e stringe le labbra, e i suoi occhi osservano come da un'immensa lontananza. In quest'espressione, d'altra parte, la sua bellezza appare ancora più intensa: l'aristocratico sguardo della Fuwiy'el Marlene Dietrich, freddo e struggente al tempo stesso, ne dà un'immagine indimenticabile.

E pensare che potrebbero avere tutto: i Fuwiy'el dispongono di enormi doti e nulla impedisce loro di riuscire in ogni campo. «Ma perché?» si domandano. «A che scopo?» E rischiano di esitare sempre tra essere e non essere, come Amleto nel suo monologo. L'amarezza può diventare sconforto, e allora altro che Marlene Dietrich! Appaiono chiusi e incerti, votati all'esclusione e alla sconfitta, e innamorati della loro stessa delusione, come certi personaggi di Manuel Puig. O ancora, quando l'amarezza vuol farsi valere e magari prendersi rivincite sul mondo deprimente, possono mostrarsi presuntuosi e scostanti, e squadrarvi dall'alto in basso, come infastiditi *a priori* da voi e da chiunque.

Sono, queste, tendenze quasi irresistibili nei Fuwiy'el: ma è bene che facciano leva su quel *quasi*, e si impegnino a trasformarle. Le potranno volgere fruttuosamente nel loro contrario, in particolar modo se decidono di specializzarsi in una qualunque attività che riguardi il viso, la voce e più in generale l'espressione, e più in generale ancora la bellezza; oppure la bocca (non per nulla Puig ebbe fama internazionale da un romanzo intitolato *Il bacio della donna ragno*), i denti, l'alimentazione. Si direbbe che proprio le difficoltà che i Fuwiy'el hanno dovuto affrontare fin da piccoli nel rapporto con gli altri, forniscano loro competenze di prim'ordine per la professione, per esempio, di esperto della comunicazione: dal docente in una scuola di giornalismo, di canto, di recitazione, al logopedista, all'otorinolaringoiatra. La loro bellezza interiore può ispirarli potentemente in tutti i campi legati all'estetica. E quanto ai denti e alla nutrizione, un famosissimo Fuwiy'el fu Louis Pasteur, che introdusse nella conservazione dei cibi il processo che da lui prese il nome; e scoprì anche l'antidoto per la rabbia, trasmessa, com'è noto, dai morsi. Le predisposizioni Fuwieliane favoriscono, d'altra parte, anche lo studio dell'immunologia, dell'epidemiologia: di tutte quelle scienze e tecniche, insomma, che mirano a curare o difendere l'organismo da ciò che nel mondo è infetto. Simon Wiesenthal intese questa dote a modo suo, dedicandosi per tutta la vita a scovare e far incarcerare ex-criminali nazisti, con la stessa determinazione cui un medico lotta contro un virus.

Se poi dovesse capitare loro di entrare a far parte di una reggia o qualcosa di simile (non certo per loro ambizione, ma per un qualche seguito di circostanze determinate da altri), con l'indole regale che hanno vi si troverebbero perfettamente a loro agio: Madame de Pompadour era una Fuwiy'el, e non solo fu utilissima a Luigi XV, ma seppe volgere la reggia in favore degli illuministi, ancora mansueti a quell'epoca. Certo, dato il loro pessimismo di fondo, i Fuwiy'el giunti a un posto di comando non si aspetteranno mai che il mondo cambi davvero: potranno magari essere idealisti o addirittura rivoluzionari per un breve periodo, ma si può star sicuri che, tra i loro colleghi, finiranno per rappresentare l'ala più moderata, e non perché gli ideali che hanno sostenuto non siano abbastanza buoni, ma perché, secondo chi è nato nei giorni di un Angelo dei Re, quanto migliore è un ideale, tanto meno il mondo si merita di vederlo realizzato. Vincere questa loro idea, superarla, rappresenta per i Fuwiy'el una magnifica impresa, dalla quale sia loro sia tutti trarranno motivo di gioia.

Arcangeli

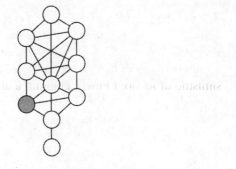

ARKHÀGGELOI – letteralmente «i capi dei messaggeri» – è il termine vago con cui i teologi greci definirono i *Bene 'Elohiym*, cioè «i figli del Dio creatore», ai quali la Qabbalah assegna il compito di insegnare agli uomini a non temere la gloria. Furono *Bene 'Elohiym* quegli Angeli che in principio si unirono alle «figlie degli uomini» (*Genesi* 6,1-4) e generarono una nuova umanità, capace di compiere il grande balzo in avanti chiamato «Diluvio». Alcuni bigotti pensano che tali amori angelici fossero da condannare. Tutt'altro! Avvennero anche in seguito, e produssero sempre evoluzione: Maria di Nazareth concepì quando un Arcangelo venne a parlarle; fu un Arcangelo a istillare in Maometto il Corano – e anche in queste occasioni nacquero stirpi gloriose. Perché non dovrebbe avvenire anche a noi? Tutte le energie angeliche attraversano ininterrottamente il nostro mondo: dunque le si può incontrare, e ascoltare, e accogliere, se solo si impara a conoscerle – incluse quelle arcangeliche, che spingono a superare i nostri limiti consueti, a pensare molto in grande, facendo diventare possibile quello che a tanti altri sembra impossibile. Inoltre, si dice che le ali degli Arcangeli siano *di ogni colore*: significa che li si può trovare ovunque, se si comincia a cercarli. Intanto, ecco qua i loro aspetti fondamentali, così come si concretano nei nati in queste settimane arcangeliche.

57
Nemamiyah
nun-mem-mem

«Il mio agire è fruttuoso dove ha grandi ostacoli»

Dal 1° al 5 gennaio

GLI Arcangeli sono solitamente raffigurati, nel cristianesimo, con indosso lucenti corazze da condottieri: e Nemamiyah ha davvero un piglio da generale. Le due *m* (מם) che compaiono nel suo Nome raffigurano al tempo stesso una fortezza da assediare e la capacità di avere una visione d'insieme, una strategia vastissima; in più, *nm* (מ נ) in ebraico, è la radice di *nimna'*, che vuol dire «impresa impossibile»: e sono proprio il genere di cose che piacciono ai nati in questi giorni. Nelle sfide, nei rischi, in tutte le resistenze che il destino può opporre – e dinanzi alle quali tanti altri girerebbero prudentemente al largo – i Nemamiyah trovano le chiavi del proprio successo. Sposeranno felicemente la persona che all'inizio non voleva saperne; nel lavoro, avranno le più brillanti soddisfazioni là dove tutto sembrava al di là della loro portata; dei loro progetti per il futuro, si realizzeranno magnificamente quelli che saranno cominciati nel modo peggiore: e viceversa, ciò che i Nemamiyah si rimprovereranno di più nella vita, sarà certamente di aver rinunciato a qualche battaglia che appariva troppo dura.

Così è, perché conoscono un segreto che in realtà ci riguarda tutti: ogni ostacolo o avversario nasconde in sé un qualche lato oscuro di chi lo affronta. Le resistenze che i nostri progetti incontrano nella realtà esterna sono concrezioni di una nostra resistenza interiore a realizzarli: superare quelle si può soltanto scoprendo e superando quest'ultima, cioè liberando forze che dentro di noi sono bloccate. I Nemamiyah sono per loro natura esperti di quest'arte, ed è bene che ne diano l'esempio, meglio se in grande stile, perché molti vedano e imparino che tra conquistare mete impossibili e scoprire se stessi non c'è differenza.

Dev'essere questa la ragione per cui sono dotati, solitamente, di un così grande vigore sia fisico sia intellettuale, e soprattutto di un'insaziabile curiosità: non c'è campo che non possa interessarli, e in cui non sperino di trovare nuove sfide – e un nuovo pubblico, anche, che possa apprezzare il loro coraggio e capirne il senso. Va da sé che nella maggior parte dei casi sono nevrotici, perfezionisti, sempre insoddisfatti, soggetti a repentini sbalzi d'umore; ma anche questo fa parte del gioco: serve a caricarli, come pugili prima dell'incontro. E quanto al fatto di risultare spesso antipatici, non se ne curano quasi, presi come sono dal loro perenne superlavoro.

Di esempi illustri se ne contano in quantità: fondatori di imperi, come Lorenzo de' Medici, che nel tempo libero amava raccogliere intorno a sé le migliori menti dell'epoca, per vedere come riuscivano a fare quello che, verosimilmente, se fosse stato al posto loro avrebbe tanto voluto fare lui stesso; fondatori di sistemi, come Isaac Newton (scopritore tra l'altro della legge dell'uguaglianza di azione e reazione, che davvero si direbbe una trasposizione scientifica di quel segreto dei Nemamiyah a cui accennavo prima); l'enciclopedico Jakob Grimm e l'altrettanto enciclopedico Umberto Eco; fondatori di discipline, come l'antropologo James Frazer; costruttori di interi mondi fantastici, come J.R.R. Tolkien e Isaac Asimov; e lottatori instancabili, come J. Edgar Hoover, direttore dell'FBI dal 1924 al 1972.

I Nemamiyah si ispirano pure a queste possenti personalità, senza porsi limiti di modestia. Professioni consigliate: tutte, senza eccezione, purché una volta abbracciata una se ne trovino subito anche qualcun'altra – o perlomeno estendano il più possibile il loro campo d'azione, così da trasformare, poniamo, il loro negozio in un supermercato, il loro studio medico in un poliambulatorio, le loro lezioni in classe in un laboratorio sperimentale multidisciplinare, e via dicendo. Faranno sicuramente parlare di sé con ammirazione, poiché non solo sono grandi organizzatori, ma hanno anche sufficiente lucidità e senso pratico per potersi promuovere egregiamente. Non per nulla sono così numerosi i Nemamiyah registi (sempre decisi ad aprire nuove strade): da Stanislavskij a Béjart, a Carlos Saura, a Miyazaki, Sergio Leone, Mel Gibson.

Un ultimo consiglio. Tra le resistenze che l'uomo scopre in se stesso, una delle più forti è la paura dell'invisibile, di forme di conoscenza, cioè, diverse da quelle usate dalla stragrande maggioranza delle persone: e i Nemamiyah sono portati a superare con successo anche questa barriera. Li rappresenta bene, in questo, Louis Braille, inventore del sistema di lettura per i ciechi. Rispetto a certi orizzonti della psiche, chiamati solitamente «Aldilà», noi tutti siamo un po' ciechi; ed è giusto che i Nemamiyah se ne lascino attrarre più vivamente di altri: possono infatti diventare buoni veggenti, sviluppare telepatia e precognizione, e soprattutto trarre, dalle loro facoltà superiori, ispirazioni ancor più audaci del solito per risolvere i loro problemi di strategia. La loro determinazione non si appanna affatto, quando cominciano a collaborare con qualche Spirito guida: sanno *allearlo* alla propria razionalità, come pochi altri. E se all'inizio il pensiero di potersi avventurare in quegli strani territori li imbarazza o li spaventa, tanto meglio: vorrà dire che anche là si nasconde qualche nuovo aspetto oscuro delle loro energie, che porterà loro fortuna quando avranno imparato a illuminarlo.

58
Yeyale'el
yod-yod-lamed

«È la mia vista superiore a condurmi in alto»

Dal 6 al 10 gennaio

«A ME gli occhi!» La lettera *yod* è infatti il geroglifico dell'attenzione, della mano che indica e dello sguardo che le obbedisce, e gli Yeyale'el sono maestri nel dirigere e nell'attrarre gli sguardi del prossimo. Sono anche dotati di una massiccia Energia T, che deve assolutamente prorompere da loro in forma terapeutica o in qualche tipo di spettacolo.

Nel primo caso, saranno portati certamente all'oculistica, alla neurologia, o alla psicologia, magari, che permette anch'essa di vedere meglio le cose. Nel secondo, basterà che salgano su un palcoscenico per accorgersi che nulla può dar loro più gioia del captare ed entusiasmare l'attenzione dei molti: e lo hanno dimostrato generosamente molti Yeyale'el ipnotizzatori del pubblico, da Elvis Presley a Domenico Modugno, da Joan Baez a Celentano a David Bowie a Paolo Conte.

Oppure sono loro stessi a vedere al di là del possibile, forti della loro doppia *y*: come Bernadette Soubirous, che contemplò più volte Maria Vergine in persona, o il mistico Kahlil Gibran, o l'astrofisico Stephen Hawking, esperto dei *black holes* che segnano i confini del nostro universo. Seguono poi, nel vasto repertorio di potenzialità degli Yeyale'el, le varie professioni legate al mostrare, al rivelare, allo smascherare: critici d'arte, tecnici delle luci, pubblicitari, acconciatori, chirurghi estetici, illustratori (celeberrimi Gustave Doré e Boris Vallejo), giudici istruttori, specialisti nelle intercettazioni, o viceversa prestigiatori, falsari e ogni genere di ingannatori che semplicemente hanno deciso di adoperare l'energia del loro Arcangelo per far sembrare reale ciò che non è – e che inevitabilmente crollano non appena, nei loro raggiri, il voler *nascondere* qualcosa prevalga su quel tanto di creatività che occorre per far passare per vere le bugie. Esemplare, a tale riguardo, fu il caso di Richard Nixon, che riuscì, sì, nell'intento di farsi credere quel leader di spicco che non era, ma sprofondò per non essere riuscito a tener segreto il suo abuso di spionaggio interno. In generale, a scanso di guai, vanno consigliate agli Yeyale'el una franchezza estrema verso gli altri, e una costante ricerca di limpidezza interiore, anche a costo di puntare su semplificazioni che a chiunque altro potrebbero apparire eccessive: rimarranno meravigliati nel constatare come la più elementare voglia di vederci chiaro basti a risolvere a loro vantaggio anche i problemi più complicati – come se d'un tratto si destassero in loro *e anche attorno a loro* potenti forze amiche.

Se ne accorgono presto, in genere, e queste forze li appassionano, stimolando il loro coraggio, la loro fede negli ideali, e spingendoli a un'iperattività che sanno gestire benissimo. È raro che si esauriscano, anche quando si lasciano prendere talmente da qualche impresa da non essere più capaci di riposarsi. Unica condizione perché il loro vigore continui ad aumentare è l'estroversione: dal contatto con gli altri – con quanta più gente possibile – sembrano attingere slancio (è il caso dell'attivista Rigoberta Menchú, del predicatore Sun Moon); e non perché assorbano energia altrui, ma al contrario: perché ne hanno talmente tanta in se stessi, che se non potessero condividerla con altri ne sarebbero soffocati.

La sorte degli Yeyale'el che commettono l'errore di isolarsi è, infatti, davvero pesante. L'Energia T che non utilizzano si volge ben presto contro di loro, dissestandoli nel fisico o – quando sono più fortunati – nell'umore. Si sentono allora facilmente sconfitti dal destino, sventurati, abbandonati; il loro animo diventa terreno di saccheggio per le micidiali quattro R di cui già altre volte abbiamo parlato: il Rimorso, il Rancore, la Rabbia, il Rimpianto, che negli Yeyale'el possono crescere fino all'ossessività.

Anche le due *yod* del Nome dell'Angelo non li perdonano, allora, di averle lasciate inattive: la loro mente comincia a ingannare se stessa e a ingigantire paure e incubi, con cui dà forma a un mondo illusorio che per i poveri Yeyale'el solitari diventa più reale di qualsiasi altra cosa. Elvis Presley dovette sperimentare qualcosa del genere, nei suoi ultimi, disastrosi anni.

È inutile, a quel punto, cercare di far breccia in quel loro guscio angoscioso: sono e rimangono sempre loro i maestri sia della verità sia dell'apparenza, e ogni tentativo di dissuaderli, di aiutarli a vedere meglio, non potrà che risultare dilettantesco dinanzi alla loro sconfinata abilità naturale in questo campo. L'unico rimedio potrebbe consistere nell'aiutarli a tornare in mezzo alla gente e nel lasciare che ritrovino il gusto di comunicare, di far credere agli altri invece che soltanto a se stessi. Ma ci vorrebbe perlomeno un altro Yeyale'el per poterli persuadere.

59
Haraḥe'el
he-reš-ḥet

«Io porto l'invisibile nel mondo concreto»

Dall'11 al 15 gennaio

I PROTETTI dell'Arcangelo Haraḥe'el appartengono alla categoria degli animi generosi, ampi: di coloro, cioè, la cui crescita spirituale ha già quasi superato la dimensione dell'«io», e che trovano quindi insufficiente tutto ciò di cui la maggioranza si accontenta o va addirittura orgogliosa. Agli altri basta guadagnare per se stessi e per i loro cari? Agli Haraḥe'el sembrerebbe una prospettiva soffocante. Gli altri sono contenti di abitare nel loro presente, e credono sia già una gran cosa capire la propria civiltà? Gli Haraḥe'el hanno invece bisogno di spaziare, di conoscere e far conoscere l'altrove, non importa se futuro o passato. Si sentono al tempo stesso esploratori e intermediari, incaricati di far giungere alla loro epoca ciò che è stato dimenticato o ciò che ancora non è stato scoperto. Può trattarsi di antiche tradizioni popolari da far conoscere al grande pubblico, come fu per Perrault, scopritore di fiabe; oppure, nei casi più eroici, di ideali, di grandi sogni ancora irrealizzati: «*I have a dream...*» tuonava lo Haraḥe'el Martin Luther King nel più celebre dei suoi discorsi.

O, più semplicemente, si tratterà di idee che in un Paese sono ancora sconosciute: quando è questo che li interessa, un particolare istinto guida gli Hahaḥe'el verso ciò che è più all'avanguardia in qualche altra nazione, e se ne impadroniscono, lo divulgano, lo trapiantano là dove abitano, preoccupandosi che metta radici e dia frutto. Quando invece si interessano più degli individui che delle idee, quello stesso istinto permetterà loro di

cogliere in voi qualità e possibilità che, talvolta, voi stessi igno-
ravate o sospettavate appena: e sapranno incoraggiarle, educarle,
promuoverle, rivelandosi ottimi agenti e *talent scout*.

Allo stesso modo potrebbero essere archeologi, geologi (come
Arthur Holmes, che calcolò l'età della Terra) o antiquari di successo; o detective degli archivi, in cerca di manoscritti preziosi; o
magari cacciatori di fantasmi – e anche in questi casi non avrebbero difficoltà a far diventare clamorose le loro scoperte, trasformandole in congrue fonti di reddito: tutti gli Harahe'el hanno infatti il dono, e la vocazione, di produrre e moltiplicare ricchezze.
D'altronde l'oro non è forse il simbolo di ciò che aumenta le possibilità della vita? È anch'esso, a suo modo, una materializzazio-
ne dell'altrove, un condensato di potenzialità: appunto così lo intendono gli Harahe'el, e perciò lo amano e, solitamente, ne sono
amati. Jack London, quanto a questo, è uno dei loro più vigorosi
rappresentanti, con la sua mitologizzazione della *Gold Rush*
nell'estremo Nord, in cui gli ultimi pionieri americani, seguendo
le tracce dei giacimenti, andavano in realtà in cerca dell'assoluto.

Vi è poi anche la variante più estrema: gli Harahe'el che si
spingono ancora più in là ed espandono il loro «io» fino a capolavori di generosità: come il dottor Albert Schweitzer in Africa;
oppure fino all'Altrove con la maiuscola, con la voglia di servire
da veicolo tra i mondi – intento del tutto comprensibile: i limiti
del qui e ora, lo *status quo*, hanno una forza di gravità che impone, a chi la voglia superare, una propulsione tale da dar luogo facilmente a slanci eccessivi. In generale gli Harahe'el, per seguire
davvero i loro impulsi verso il futuro o verso il passato lontano,
devono imparare a essere particolarmente duri contro il passato
prossimo: contro le forze, le barriere formatesi durante le due o
tre generazioni precedenti, che impigliano sempre le nostre vite
più di quanto siamo disposti ad accorgerci. Molto di ciò che chiamiamo «presente» è, infatti, solamente sopravvivenza di questioni non risolte trenta, quarant'anni fa: debiti e crediti esistenziali
da sanare, promesse da mantenere, rimorsi, rimpianti dei genitori,
dei nonni... E fin da piccoli gli Harahe'el lo intuiscono, e sentono
tutto ciò come una pena e una sfida: il loro compito è vincerla, a

muso duro, e non c'è dunque da stupirsi se nel farlo non brillano per senso dell'umorismo, o appaiono bruschi, arroganti, o addirittura spietati – come il grande scrittore Yukio Mishima, tutto preso dal sogno di liberare il Giappone dall'umiliazione della sconfitta subita nel 1945.

Devono mettercela tutta: il rischio che corrono, altrimenti, è di sentirsi sconfitti dalle forze di quel passato e di diventarne i complici. In questo caso, tra sé e sé centellineranno per tutta la vita una sensazione di profondo fallimento, che li renderà amarissimi e cinici, e nei rapporti con gli altri farà di loro proprio l'opposto di quel che l'Arcangelo avrebbe preteso: conservatori acerrimi, freni di tutto ciò che è nuovo e promettente, raggelatori degli animi, come se volessero negare anche ad altri ciò che non è stato possibile a loro.

Non hanno mezze misure nemmeno nella vita privata: in amore – e nel sesso – cercano l'assoluto, sostenuti in ciò anche dalla loro prepotente energia fisica, e possono scavalcare coraggiosamente alti ostacoli per raggiungerlo, se l'hanno intravisto, lasciandosi indietro anche legami e fedeltà. Nei periodi, invece, in cui non intravedono occasioni nei dintorni, e *desistono troppo a lungo dalla ricerca*, tanto più difficilmente scampano alla tentazione di avvolgersi in mummie di pregiudizi, timori e senilità precoce, preparandosi così a fornire ai loro eredi un carico di passato prossimo non meno pesante di quello che loro stessi avevano ricevuto da papà e mamma. Devono amare molto, insomma, e desiderare moltissimo. «*I have a dream.*» E allora hanno e danno gloria.

60
Mezara'el
mem-zade-reš

«Al confine dei territori noti, io proseguo per vie tortuose»

Dal 16 al 20 gennaio

MEZAR, in ebraico, è «istmo», e la mente di chi è nato in questi giorni ha la capacità di scorgere stretti passaggi che conducono verso qualcosa che ad altri sembra troppo lontano: come istmi tra due terre, appunto, e quanto più sono sottili, e sinuosi, e incerti, tanto più un Mezara'el ha voglia di percorrerli per primo.

Possono essere istmi tra un'epoca ormai vecchia e l'epoca che le seguirà; o tra due concetti che tutti riterrebbero incompatibili l'uno all'altro; oppure tra una condizione di malattia (tra le caratteristiche di questo Arcangelo vi è una grande Energia T) riportano a una condizione di salute: in simili frangenti, i Mezara'el possono servire egregiamente da guide – ed essere dunque avanguardie, innovatori, terapeuti. Un loro ottimo rappresentante fu, quanto a ciò, Benjamin Franklin, che non soltanto partecipò alla trasformazione delle colonie nordamericane in Stati indipendenti, ma passò alla storia anche per aver inventato (guarda caso!) il parafulmine: un istmo metallico, cioè, tra le energie del cielo e quelle della terra.

Tuttavia, gli istmi si possono percorrere in entrambe le direzioni, e ciò implica qualche rischio, soprattutto nel passaggio tra salute e malattia psichica. Un Mezara'el può diventare un ottimo psichiatra, o risultare molto vulnerabile alla follia. Tutto sta nel come decide di dirigere quella che è la sua principale dote terapeutica: l'estrema sensibilità nei riguardi del prossimo.

Se la utilizza per cogliere innanzitutto le vie di scampo che sempre si aprono in una psiche malata, otterrà splendidi risultati. Se invece si lascia attrarre e condizionare dalla morbosità, ne verrà contagiato. In particolare, tale contagio da mettere in conto nel caso dei Mezara'el che per una ragione o per l'altra ignorano la propria Energia T – che, come sappiamo, si vendica sicuramente di chi la trascura.

Si trovano così, tra questi arcangelici, molti gangster famosi (da Al Capone, ad Arnold Rothstein, Joe Masseria, Enoch Johnson) ed Edgar Allan Poe, lui pure affascinato e travolto da aspetti orrendi dell'umanità; e Muhammad Alì-Cassius Clay, che fu splendido come atleta e come attivista finché usava la sua Energia T per dare spettacolo (altra vocazione propria dell'Energia T), e quando si ritirò sviluppò una grave malattia del sistema nervoso; e Federico Fellini, che per tutta la vita lottò tra una terribile attrazione per gli incubi e l'impulso a esprimere ciò che di dolce, gioioso, radioso vi era nei suoi contemporanei.

Meglio, dunque, che i nati in questi giorni comincino il più presto possibile a pensare a se stessi come operatori di bene, e si corazzino contro le componenti deprimenti del mondo – che nel loro caso si trasformano troppo facilmente in tentazioni a deprimere altri. Si accorgeranno di essere, tutti, candidati alla genialità, la quale altro non è che la capacità di cogliere istmi; e a maggior ragione, di doversi proteggere ancor più scupolosamente: ogni nostro pensiero, intuizione, progetto o impulso geniale è, infatti, all'inizio, esitante e delicatissimo, come i germogli quando spuntano dal seme – ai quali somiglia molto la lettera ebraica z (צ) che compare nel Nome di quest'Angelo.

In quei primi momenti non ci vuol nulla a lasciarsi scoraggiare da un sarcasmo, da un dubbio, o anche soltanto dal ricordo di qualche vecchia delusione (magari di un genitore, o di compagni); basta poco a spezzare un germoglio: e depressi, deprimenti, cupi, malvagi o pazzi si diventa a forza di lasciarsi spezzare. Imparino a difendersi, i Mezara'el: e sappiano che non c'è modo migliore, dell'*abituarsi a fare a meno dell'approvazione degli altri*; si convincano perciò di essere diversi, di costituire, nel loro ambiente, vere e proprie incognite, la cui soluzione deve venir trovata da loro stessi soltanto.

La maggior fortuna, per loro, è naturalmente che qualcuno li esorti fin da ragazzi a prendersi estremamente sul serio: un genitore, un mentore, un fidanzato paziente, che sappia amare e comprendere anche le loro fragilità ed esitazioni, e li persuada che, nonostante le apparenze, il mondo ha estremo bisogno di individui come loro.

Al contrario, sarà per loro un fastidioso contrattempo sistemarsi in qualche impiego ordinario: è escluso che un Mezara'el possa rimanere sano di mente sforzandosi di diventare un buon funzionario, o un impiegato capace di coordinarsi con i colleghi, o un avvocato attento alle minuzie e indifferente ai momenti di noia della sua professione...

A lui occorre creare, esprimere, inventare molto, e guarire, aggiustare, salvare molti – per non doversi trovare lui stesso nella condizione di non riuscire in nulla, neppure nelle minime cose, senza che qualcuno lo assista.

61
Umabe'el
waw-mem-bet

«Io rispetto e mostro le norme»

Dal 20 al 25 gennaio

È L'ANGELO dei rabbini, dei maestri della legge: di quegli individui, cioè, che *per loro natura* sono connessi con un qualche supremo senso della misura (chiamato nella tradizione ebraica «la
Legge») e che provano una profonda felicità quando si presenta
loro l'occasione di annunciare a qualcuno le utilissime informazioni che quella connessione trasmette al loro cuore. Che cosa è
opportuno, che cosa è sconveniente, che cosa è giusto, che cosa
è deleterio: questo è ciò che gli Umabe'el sanno – e sanno dire –
sempre.

Il loro problema fondamentale è il coraggio: non è facile, infatti, indicare a un altro i suoi errori e prendersi il diritto di corregger-
lo e di guidarlo. Agli Umabe'el verrebbe spontaneo: senza alcuna
presunzione, dolcemente e candidamente lascerebbero parlare
quella loro sapienza al solo scopo di facilitarvi la vita. Ma come
non temere che li si prenda per ficcanaso e rompiscatole, e che li si
inviti a farsi i fatti loro? Il solo pensiero di una reazione del genere
toglie purtroppo ogni forza a molti Umabe'el, sia perché nel farsi i
fatti loro non brillano di certo (il loro talento rabbinico vale soltanto nell'interesse altrui; nella propria vita sono puntualmente caoti-
ci, ora indecisi, ora impulsivi, spesso inconcludenti), sia perché il
loro animo è tenero, e bisognoso di molto affetto, e l'ultima cosa
che desiderano è di contrariare il prossimo.

Perciò spesso tacciono, per scoprire poi puntualmente che
avrebbero fatto molto meglio a parlare: non solo perché i loro pa-

reri sono *sempre* saggi e importanti, ma perché a vederlo dall'esterno, il loro sforzo di trattenersi risulta quasi sempre antipatico: «Mmh! Quel tipo mi nasconde qualcosa!» pensano di loro, ed è vero, sì, ma non viene in mente a nessuno che gli Umabe'el si impongano di tacere per modestia e ipersensibilità.

Devono tagliar corto, dunque, e seguire impavidamente le loro ispirazioni morali. Che si tratti della nuova fidanzata di un loro amico o di un suo nuovo posto di lavoro, è bene che gli Umabe'el dicano chiaro e tondo quel che ne pensano, anche a costo di ferire qualcuno: saranno ferite salutari. D'altronde, non pretendono di essere obbediti. Non si erigono mai a maestri. Il loro compito nel mondo consiste soltanto nel testimoniare che esiste quella «Legge», e che la si può applicare praticamente: sono insomma come bussole che in ogni circostanza indichino i punti cardinali, permettendo così alla gente di orientarsi – se ne ha voglia!

E proprio per poter svolgere questo loro compito, gli Umabe'el sono tutti caratterizzati da un gran bisogno di vita sociale. Meglio che se ne accorgano presto, e si regolino di conseguenza; la loro fame d'amore (qualunque cosa possano pensarne prima di aver scoperto se stessi) è infatti talmente grande da non potersi accontentare delle diete normali: se agli altri basta avere qualche amico, agli Umabe'el ne occorrono a decine; se alla maggior parte degli altri basta un partner, per gli Umabe'el non c'è relazione in cui non si sentano presto soffocare. Il loro ideale di vita sarebbe una casa dalle porte sempre aperte, una sinagoga, una piazza in cui tutti si avvicinino a loro per chiedere consigli. Questo soltanto può soddisfarli: e allora sarebbero davvero liberi di amare molto, e sarebbero molto amati.

Alcuni ci sono riusciti in grande stile. Francesco Bacone, ai primi del Seicento, fece da bussola nella filosofia, progettando una teoria della conoscenza e una classificazione di tutte le scienze; Rasputin fu una guida, tutto sommato benefica, alla corte dell'ultimo zar (tra l'altro, sconsigliò vivamente di prendere parte alla Prima Guerra Mondiale); David Wark Griffith, negli Stati Uniti, e Sergej Eizenštein, in Unione Sovietica, furono punti di riferimento per il cinema (ed entrambi fecero il possibile per inserire nelle loro opere grandi insegnamenti morali). Ma è molto più frequente imbattersi in Umabe'el pessimisti, profeti inascoltati e divenuti amari o disperati (magari dopo aver cercato invano un partner che a loro bastasse): come il burrascoso lord Byron, o Virginia Woolf. Colpa del mondo, incapace di apprezzarli? O colpa loro, convintisi – ciascuno per i suoi motivi – che i loro contemporanei fossero troppo scettici per poter ascoltare un maestro di vita?

È utile per ogni Umabe'el rifiutare a priori entrambe queste ipotesi, e confidare. Di professioni adeguate al loro compito non ne mancano: dallo psicologo all'estetista (che anche lei, come i bravi psicologi, tiene a lungo le persone davanti a uno *specchio*), dal barman al consulente famigliare, al parroco, al poeta, al farmacista e via dicendo. E da ciascuno di questi piedistalli un Umabe'el può cominciare a predicare, per sentirsi in pace con la propria coscienza e con l'universo intero.

62
Yahehe'el
yod-he-he

«Io guardo soltanto verso l'invisibile»

Dal 25 al 30 gennaio

IL NOME di quest'Angelo descrive un'illimitata spinta ascensionale: e in ciò consiste infatti la vocazione degli Yahehe'el, e anche la principale causa dei loro conflitti terreni. Sono equipaggiati per salire sempre più nelle diafane regioni dello spirito: dispongono, per loro natura, di una larga saggezza, che li trattiene dal partecipare e persino dall'interessarsi alle tensioni, alle lotte, agli affanni quotidiani della restante umanità; guardano tutto e tutti dall'alto – nel senso migliore del termine – e inoltre la loro vista è talmente buona, che anche se volessero non potrebbero spiegare al loro prossimo tutto ciò che vedono in lui, intorno a lui e nel suo futuro; non avvertono, dunque, neppure il bisogno di voltarsi a insegnare, a riferire... E non li trattiene nemmeno l'ostacolo più ovvio e tenace di chi vuol salire: le passioni del cuore o del corpo. Il principio femminile e il principio maschile della personalità degli Yahehe'el si trovano infatti fin dalla nascita in perfetto equilibrio, e non richiedono alcuna compensazione né da un sesso né dall'altro (potrebbero intendersi bene, quanto a questo, soltanto con i protetti degli altri due Angeli ermafroditi, Yesale'el, dei Cherubini, e Miyhe'el, delle Virtù), dimodoché anche la loro capacità d'amare può volgersi intera e libera verso nuovi livelli del sublime.

In altre epoche, gli Yahehe'el avrebbero facilmente trovato qualcuno che li indirizzasse alla carriera monastica, e in breve tempo, nel silenzio e nella contemplazione, si sarebbero accorti di essere fatti apposta per la santità. Ma oggi è molto dura, per loro. Le principali religioni, nel loro sforzo di avvicinarsi il più possibile al mondo profano, hanno decisamente trascurato i propri aspetti spirituali ed esoterici: nessuna apprezza più l'ascesi (la tollerano, semmai), e anche il mondo, di conseguenza, ha smesso di apprezzarla – così che questi eterei Yahehe'el si ritrovano abbandonati a se stessi, incompresi e incomprensibili, e costretti a scendere a compromessi con le esigenze materiali.

I loro compromessi non riescono quasi mai, e se riescono è peggio ancora. Capita, per esempio, che uno Yahehe'el, per non sentirsi troppo diverso dagli altri, si fidanzi e si sposi: il coniuge ne sarà sicuramente innamorato (come non innamorarsi di un'anima tanto equilibrata, alta, irraggiungibile?), la famiglia sarà magari allietata da qualche bambino, ma a meno che sia il coniuge sia i figli siano nati nei suoi stessi giorni, lo Yahehe'el avrà sempre l'opprimente, segreta sensazione di vivere in un equivoco, di aver finto e di dover fingere. L'immagine che dà di se stesso in famiglia non è dunque *la sua vera*, non è lui che i suoi amano, ma solo una persona che non esiste, inventata, recitata. Vivere con un simile fardello sul cuore è tutt'altro che piacevole, e può condurre i nati in questi giorni a varie forme di depressione, più o meno autopunitive (come mostra il famoso caso di Leopold von Sacher-Masoch).

Qualcosa del genere avverrà nel lavoro: anche se facesse l'insegnante – che tra tutte le professioni è forse quella meno inadatta a lui – uno Yehehe'el avrebbe presto o tardi l'impressione di essere complice di un mondo a lui estraneo, di dover preparare i suoi allievi a una vita che lui, per sé, non desidererebbe mai; e si porrebbe problemi di coscienza che nessun suo collega neppure si sogna. Per non parlare poi del tempo libero, delle conversazioni e dei divertimenti degli altri, in mezzo ai quali uno Yahehe'el tace e per lo più sogna tra sé e sé, sentendosi come un palloncino legato a terra da un filo lunghissimo e sottile, che di nascosto sta tentando sempre di allentare, o spezzare.

Mozart era di quest'Angelo, e solo i suoi biografi più ottusi presentano il suo disinteresse per le faccende normali come un sintomo di caoticità interiore; era, al contrario, uno Yahehe'el perfettamente coerente con se stesso: semplicemente non gli importava nulla del mondo, e non aveva voglia di fingere. Componeva e basta. E così anche Lewis Carroll, che scriveva i suoi libri per la piccola Alice e costruiva, felice, in un universo tutto suo, fatto di esseri fantastici e di matematica. Lontani da tutti, liberi, ma al contempo pieni anche di comprensione e di gentile ironia verso i normali esseri umani furono gli Yehehe'el Anton Čechov e Ernst Lubitsch, le cui opere hanno il gran pregio di comunicare anche ai loro ammiratori la voglia di guardare l'umanità da molto in alto.

L'unica cosa che potrebbe veramente rafforzare il filo dei palloncini yeheheliani sarebbe un legame – d'amicizia magari – con una persona saggia: con una piccola Alice, appunto, che li capisca, o con qualcuno che li faccia sentire protetti, e che occupandosi dei problemi quotidiani permetta loro di sognare in pace di tanto in tanto: come fu per Mozart suo padre Leopold. Allora, così garantiti, può anche avvenire che si divertano, anche, a scendere un po', per poi subito risalire, e poi scendere ancora, a sperimentare questa o quell'occupazione o abitudine o passione dei terragni. Rarissimo è il caso che in uno Yahehe'el si sviluppi invece un elemento di ostilità verso chi è più in basso: ma quando ciò avviene possono diventare temibili, e trarre piacere da una crudeltà fredda, imperturbabile, fiabesca quasi, se si pensa a certi tetri personaggi di fiaba; così avvenne a Ceaușescu. Ma sono davvero casi che potrebbero contarsi sulla punta delle dita: il riserbo yaheheliano vela, di solito, soltanto sapienza e immensa nostalgia dell'eterno.

63
'Anawe'el
ayin-nun-waw

«Nell'aspetto materiale delle cose
è il nodo che devo sciogliere»

Dal 30 gennaio al 4 febbraio

VASTO, esigente, impetuoso, l'Arcangelo 'Anawe'el impone talenti talmente impegnativi, che la maggior parte dei suoi protetti può rimanerne sgomenta e addirittura paralizzata a lungo. Da un lato, gli 'Anawe'el si scoprono, fin dall'infanzia, animati da un'intensa spiritualità, da alti ideali di purezza, bontà, abnegazione, e dal desiderio di una felicità libera e profonda, per sé e per tutti; dall'altro, si accorgono sempre più chiaramente di desiderare e di saper accumulare la ricchezza materiale – che secondo tutte le nostre grandi religioni, almeno da qualche millennio a questa parte, è notoriamente incompatibile con le alte aspirazioni spirituali. Ma non solo: crescendo, gli 'Anawe'el avvertono in sé anche una tumultuosa aggressività, una vera e propria carica di violenza guerriera e al tempo stesso un'indubbia Energia T – il bisogno cioè di capire, curare, interpretare i mali altrui. Infine, a complicare ulteriormente la situazione, si aggiunge una prepotente vocazione, se non proprio al potere, perlomeno al ruolo di leader, di personaggio pubblico, che impedisca loro di tenersi per sé le proprie contraddizioni: «Risolvile!» sembra ordinare loro l'Arcangelo che li protegge, «e mostra alla gente come si possa uscire da un simile labirinto!»

A lungo, dicevo, molti 'Anawe'el tentano di cavarsela reprimendosi, mantenendo cioè le loro forze al più basso livello possibile, che riduca allo stato di latenza almeno una parte di quei loro talenti. Ma è come cercare di nascondere tigri e leoni nell'armadio. Fremono, tumultuano. Quei talenti repressi producono in loro disturbi d'ogni genere, fisici o psichici; danneggiano, anche, le scelte principali della vita – nella professione, nei sentimenti – come se non volessero permettere agli 'Anawe'el nessuna vera realizzazione, fino a che non avranno fatto i conti con *tutti* i compiti che sono stati loro affidati.

Fare quei conti è molto difficile, sì, ma non impossibile. Occorre l'umiltà (*'anaw*, in ebraico) di accettarsi così come si è, di non ritenersi cioè tanto esperti di cose umane da poter decidere che una loro qualità sia in contrasto con un'altra. Adoperino tutto di sé, e vivano la loro vita strapiena ed entusiasmante: troveranno il giusto equilibrio! Il conflitto tra la spiritualità e l'amore per la ricchezza, per esempio, si può risolvere lasciando che la loro abilità finanziaria agisca (e metterla in moto è per gli 'Anawe'el una gioia indicibile) e accumulando capitali non per sé stessi, ma per qualche impresa utile a molti. E se l'Energia T avrà preso la forma della vocazione per la medicina, l''Anawe'el creerà cliniche, ospedali o finanzierà coraggiosamente le proprie ricerche; se invece avrà preso la forma d'una vocazione teatrale, l''Anawe'el diverrà una star estremamente combattiva, e appunto come tale potrà favorire iniziative benefiche o sostenere forti e luminosi ideali. Quanto all'aggressività guerriera, può tornare utile anch'essa, come impeto per estendere sempre di più la propria sfera d'azione: per superare resistenze e ostacoli, e infondere vigore nei propri collaboratori. È un programma troppo ambizioso? Sì, per un io che tema di mettersi in gioco e che si preoccupi di se stesso – della *propria* idea di purezza, bontà e mitezza – più che del benessere del suo prossimo.

E tengano presente, gli 'Anawe'el, che non verrà loro perdonato nessun compromesso. Come sappiamo, ogni Angelo trasforma in rischi o difetti le qualità che i suoi protetti hanno avuto in sorte e che non usano: e l'Arcangelo 'Anawe'el non solo non fa eccezione, anzi, si segnala per speciale durezza. L''Anawe'el Franz Schubert, per esempio, volle vivere ritirato, dedito soltanto alla sua dolcissima musica, e più volte gli capitò, tutt'a un tratto, di abbandonarsi a eccessi di violenza, quando in qualche locale pubblico qualcosa gli dava ai nervi. Il presidente americano Roosevelt – 'Anawe'el anche lui – usò magnificamente i suoi talenti di leader, di economista, di promotore di ideali e di stratega, salvando l'America dalla Grande Depressione: ma evidentemente trascurò la sua Energia T, dato che fu poliomielitico. Un 'Anawe'el felice fu invece Rabelais, che fece proprio tutto: dapprima francescano, poi medico, poi curato (ovvero ricco leader locale, alla sua epoca) e al tempo stesso maestro di pensiero del Rinascimento, e narratore, guarda caso, di storie di titani irruenti, come Pantagruel e suo padre Gargantua.

Ai giorni nostri, ciò che più frena gli 'Anawe'el è probabilmente il timore che nutrono verso gli elementi aggressivi del loro carattere (e che appaiono loro tanto più agghiaccianti quanto più li reprimono); ma sarebbe relativamente semplice placarli: sfogandoli per esempio nel tiro con l'arco. E semplicemente rendendo omaggio in tal modo, un paio di volte a settimana, a quel loro *animal spirit*, otterrebbero l'effetto di rischiarare l'orizzonte delle proprie profonde esigenze e vocazioni: perché non provare? Poi si potrebbe proseguire risvegliando l'Energia T; e poi approvando e cominciando a mettere all'opera la propria voglia di ricchezze, e poi tutto il resto verrà certamente da sé.

64
Meḥiy'el
mem-ḥet-yod

«Io comprendo le norme e le indico»

Dal 4 al 9 febbraio

Meḥiy, in ebraico, significa «colpo», «gesto deciso» che separa, allontana, o che viceversa avvicina d'un tratto – da cui *meḥiy'at*, «l'applauso», il battere i palmi l'uno contro l'altro. E certamente i Meḥiy'el sono persone che vogliono far colpo, bisognose come pochi altri del plauso della gente. Si segnalano anche per i loro periodici colpi di testa, per l'impulsività nell'unire e nel dividere, nel trarre conclusioni, nel dare giudizi. Tale inclinazione deriva loro da un difficile rapporto tra la mente e l'istinto. Bravissimi nel ragionare, nel distinguere, nell'orientarsi all'interno di schemi precisi (come Dmitrij Mendeleev, inventore della Tavola Periodica degli elementi) rischiano invece di temere tutto ciò che proviene dal profondo e che si muove, laggiù, in vaste correnti che a loro appaiono soltanto misteriose, imprevedibili: vogliono, vorrebbero imporre un controllo razionale anche agli impulsi del cuore e del resto del corpo; hanno o vogliono avere la sensazione di esserci riusciti, e puntualmente l'istinto prende invece il sopravvento quando meno se lo aspettano, o talvolta addirittura senza che se ne accorgano. Non sono rari, infatti, i casi di Meḥiy'el che si impegnano a convincere chiunque, e anche se stessi, dell'assoluta logicità di qualche loro comportamento che, considerato con un minimo di obiettività, risulta invece assai irrazionale. Somigliano allora a bambini che dicono le bugie, con l'unica differenza che i bambini sanno di dirle e loro no: soltanto il loro cuore lo sa, ma allora più che mai lo mettono a tacere.

Quanto poi al bisogno d'approvazione, va da sé che sia determinato dall'insicurezza, dai dubbi che i Meḥiy'el sopprimono (bruscamente, di nuovo) in se stessi: e diventa perciò un bisogno di vedere approvata l'immagine che vogliono dare di sè, e non la loro personalità autentica – il che, comunque vada, li lascia sempre profondamente insoddisfatti, e con un sempre più inappagato bisogno di conferme.

Nella letteratura, e ancor più nel cinema, questo tipo di personalità ha avuto enorme fortuna, proprio grazie ad alcuni Meḥiy'el applauditissimi che seppero scorgere quelle loro particolarità e prenderne la distanza necessaria a raffigurarle ironicamente: Charles Dickens ne *Il circolo Pickwick*; Jack Lemmon in *A qualcuno piace caldo*, *L'appartamento*, *Irma la dolce*; François Truffaut nei film dolceamari dedicati al personaggio molto meḥieliano di Antoine Doinel (*I quattrocento colpi*, *Baci rubati*) e in *L'uomo che amava le donne*.

Nella realtà, quel conflitto tra ragione e istinto rischia di avere conseguenze assai meno divertenti. Dall'istintualità non traiamo soltanto l'energia delle nostre passioni, ma anche il gusto e il significato di esse; è istintivo ridere, gioire, sperare, aver paura e vincere la paura, prendere sul serio e giocare; e quando tutto ciò è troppo a lungo sottoposto a controllo, comincia a indebolirsi il senso stesso dell'esistenza, e si aprono nella coscienza varchi di panico davvero temibili. Qualcosa del genere dovette causare la triste fine del Meḥiy'el James Dean, e determina in tanti suoi fratelli d'Angelo crisi professionali e famigliari angosciose. Serva da monito anche la vicenda del Meḥiy'el Charles Lindbergh, che nel 1927 trasvolò per primo l'Atlantico. Trenta ore ai comandi del suo aereo, mantenendo un perfetto controllo sul corpo e sulla mente, sopra un oceano minaccioso: cosa potrebbe esservi di più meḥieliano? E di lì a poco il bambino di Lindbergh venne rapito, per estorcere un riscatto, e morì durante il rapimento. La notizia produsse in tutto il mondo quella straordinaria impressione che solo certi avvenimenti simbolici arrivano a suscitare: come era avvenuto per Dedalo e Icaro, allo slancio tecnologico, iperrazionale di un uomo verso il cielo faceva seguito un tremendo colpo (*meḥiy!*) vibrato ai suoi affetti più profondi. Nei Meḥiy'el ciò che l'iperrazionalità mette davvero e sempre in pericolo è *il bambino interiore*: è questo che rischiano di perdere, quanto più si sentono ai comandi del piccolo velivolo della loro mente.

Proprio perciò, probabilmente, due dei Meḥiy'el illuminati che ho citato, Dickens e Truffaut, seppero trovare il modo e il sentimento per dedicare tanta della loro opera ai bambini – da *Oliver Twist* a *Gli anni in tasca*, da *La bottega dell'antiquario* a *Il ragazzo selvaggio* –, schivando così la peggiore minaccia d'infelicità che incombe sui protetti di questo Arcangelo. Provvedano a fare altrettanto – negli affetti, nella giocosità, nel tempo libero – i Meḥiy'el che il destino porta in alto. Salire per loro non è difficile, devono solo badare a chi e alla parte di loro che rimane a terra. L'ascesa professionale l'avranno, garantita, in qualsiasi professione intellettuale: nell'editoria, nell'ingegneria, in ogni lavoro in cui si tratti di mostrare originalità rimanendo tuttavia ligi a regole, alla tradizione o alle leggi (grandi cuochi, avvocati, notai eccetera). Il successo di Ronald Reagan mostra che ottima, per i Meḥiy'el, sarebbe anche l'idea di dedicarsi a una qualche attività politica, in cui, com'è noto, non guasta una certa propensione a dire o a mascherare bugie, che in politica si chiamano bluff; quanto a eventuali, autodistruttive irruzioni dell'istintualità repressa, un buono staff di collaboratori potrebbe occuparsi di prevenirle. E, sempre riguardo alle bugie, nulla impedisce che i Meḥiy'el più creativi le trasfigurino fino a farne capolavori d'invenzione, specialmente se il loro bambino interiore li aiuterà in tale intento. Vi è qui un precedente illustre: Jules Verne, il quale tra l'altro, oltre a proiettare la propria fantasia in cielo, in *Dalla terra alla luna*, ebbe l'idea di scendere giù, fin nel profondo, in *Viaggio al centro della terra*, come per ricordare a se stesso e a tutti i suoi gemelli d'Angelo la necessità di equilibrare l'alto e il basso, nella loro personalità e nella loro psiche.

Angeli

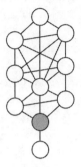

Lᴇ energie della nona Sfera vennero chiamate, dai greci, *agghe-loi*, «messaggeri». Ma in origine erano ben più d'un servizio postale celeste. «Angelo» in ebraico è *'eš*:

אש

che oggi significa anche «fuoco», e che letteralmente è «il poter (א) estendere la conoscenza (ש)». È una parola vicinissima a *'iyš*,

איש

che in ebraico significa «individuo», e che letteralmente è «il poter (א) vedere (י) l'estendersi della conoscenza (ש)». Questi Angeli si trovano dunque sulla soglia dell'invisibile: a separarci da loro c'è soltanto la piccola lettera י , simbolo di ciò che percepiamo attraverso la vista e gli altri nostri sensi. È bene imparare a superare questa soglia: l'uomo ha bisogno di scoprire sia i mondi invisibili, sia ciò che si nasconde dietro le forme, le maschere, gli scenari consueti del mondo. Là dietro si trova ciò che non ha ancora preso forma: tutto il possibile, tutto il non ancora detto. Anche perciò si immagina che il colore delle ali degli Angeli della nona Šefirah sia il bianco. Come la «luce bianca» che contiene tutti i colori dello spettro elettromagnetico. Come il foglio di carta, su cui tutto ancora può scriversi. Come l'alba di un giorno in cui tutto può ancora accadere.

65
Damabiyah
dalet-mem-bet

«Ciò che posso dare è chiuso in casa»

Dal 9 al 14 febbraio

UNA bella nave ferma al molo: potrebbe salpare, anzi dovrebbe, e al più presto, perché al di là dell'orizzonte troverà ricchezze. Ma per qualche strano incantesimo la nave rimane qui: il capitano ha terrore dei naufragi e, neanche a farlo apposta, tutte le volte che la nave si è avventurata al largo, qualcosa non ha funzionato, ed è dovuta tornare precipitosamente. I mesi, gli anni passano. La nave rischia di diventare un monumento alle occasioni perdute, un monito a chiunque la veda: «Non fate come me!» E l'equipaggio vive di piccoli lavori nei *docks* e negli uffici del porto.

Somiglia a un incubo, sì. E i Damabiyah lo conoscono bene, proprio come i loro quasi gemelli, gli Yeyay'el dei Troni. Sia gli uni sia gli altri non possono scoprire le loro autentiche qualità e possibilità (immense!) se non uscendo dal porto, cioè abbandonando tutto ciò a cui si erano abituati, e affrontando l'emozione del mare profondo, dell'orizzonte piatto, della notte senza luci umane intorno. Per i Damabiyah, questa emozione diventa facilmente panico. Ma la profondità e l'immensità che tanto li terrorizzano sono, naturalmente, in loro stessi: il mare è soltanto l'immagine della potenza dei loro sentimenti e del loro meraviglioso desiderio di libertà. E se non osano fidarsene, non è tanto per viltà, quanto per una specialissima forma di *avarizia*. Il fatto è che non vogliano spendersi. Amano troppo se stessi: le acque del porto sono per i Damabiyah come lo specchio d'acqua in cui si contemplava Narciso. In alto mare e in altri continenti – negli occhi di altra gente, nel cuore di qualcun altro – troverebbero magari molte cose interessantissime, ma dovrebbero rinunciare a quelle infinite sfumature di tenerezza che provano a casa loro, quando contemplano i propri occhi, il proprio cuore, nella loro cornice consueta: le abitudini, la famigliola, qualche amico.

I più narcisisti tra loro, potranno elencarvi mille giustificazioni della loro stasi. Voglia di raccoglimento, ripugnanza per la praticità, stravaganze, volubilità, insufficiente approvazione e incoraggiamento da parte di parenti o maestri, manie, superstizioni, rancori, sensi di colpa, doveri, affetti, crediti, debiti, promesse... Sono soltanto pretesti; ma tipico dei Damabiyah è adoperare tutta la loro cavillosa e testarda intelligenza per non lasciarsi aprire gli occhi da nessuno sul danno che stanno facendo a se stessi. Nei casi più gravi, diventano abilissimi nel lasciarsi plagiare da qualcuno – per esempio da un principale, o da un partner prepotente e furbo.

Ci sono due modi per venire a capo di questa situazione. Il primo è per i Damabiyah che proprio non riescono a salpare: e consiste nell'esprimere il più intensamente possibile il loro amore per il porto. Così fu per Borìs Pasternàk, che nel *Dottor Živago* narra appunto di un eroe che non seppe salire sulle navi che gli offriva il destino; e per Georges Simenon, nei cui romanzi c'è sempre qualcuno che tenta di uscire malamente da una condizione infelice, e viene bloccato e arrestato o ucciso. Un celeberrimo Damabiyah sedentario fu anche Edison, che guarda caso inventò proprio l'oggetto che sarebbe divenuto più indispensabile nelle case di tutto il mondo, la lampadina elettrica, e varie altre apparecchiature, come il fonografo, il telegrafo duplex e il microtelefono, che hanno reso i nostri porti personali un po' più ameni e hanno permesso di comunicare con il resto del mondo senza doverne per forza uscire.

L'altro modo è stringere i denti e partire a tutti i costi. I Damabiyah che riescono, mostrano spesso la tendenza a distruggere qualche simbolo di prigionia, di immobilismo, come per celebrare meglio la propria vittoria sulla parte di se stessi che avrebbe voluto restare: come Abraham Lincoln, che scatenò una guerra civile per abolire la schiavitù; o Brecht, che per tutta la vita lottò contro gli aspetti damabiani della società capitalistica; e soprattutto Darwin, che per elaborare le sue teorie decise di salpare (guarda caso!) per un viaggio attorno al mondo, e in cinque anni di navigazione escogitò per l'appunto la dottrina dell'evoluzione, cioè dell'universale necessità di non fermarsi a quel che già si ha e si è. Lincolniani, brechtiani e darwiniani, a quel che ho potuto constatare, sono in un modo o nell'altro tutti i Damabiyah che abbiano saputo scoprire la profondità delle proprie passioni e l'odio dei limiti: che ci siano riusciti rompendo con la famiglia, o divorziando, o licenziandosi da un lavoro che li abbruttiva, una volta spiegate le vele si fanno un dovere di predicare su grande o su piccola scala la liberazione da qualcosa. Sono magnifici insegnanti, godono nell'essere esempi, hanno la vocazione del Principe Azzurro: e il mondo è talmente pieno di Belle Addormentate.

66
Manaqe'el
mem-nun-qof

«Io comprendo la realtà e le sue forze»

Dal 14 al 19 febbraio

I PROTETTI di quest'Angelo si trovano sempre un po' più in là di
dove si pensa che siano. I loro pensieri non soltanto corrono veloci, ma a qualunque conclusione decidano di fermarsi, si accorgono di averla già superata. Perfino i loro sentimenti hanno la strana
proprietà di diventare l'oggetto di se stessi: quando un Manaqe'el
ama, è attratto e intenerito dal proprio amore tanto quanto lo è
dalla persona amata; se detesta qualcuno, detesta ancor di più il
fatto di detestarlo. E allo stesso modo, se osserva se stesso, osserva soprattutto il proprio osservare; se analizza gli altri, analizza al
tempo stesso le proprie analisi, e così via – come se avesse incor-
porata una cabina di regia, che trasforma ogni attimo della realtà
in un'inquadratura. Questo suo specialissimo grado di *consapevolezza* non ha, tuttavia, l'effetto di renderlo artificioso: proverà
sì, spesso, la sensazione di star recitando, ma come reciterebbe
un grande attore che metta tutto di sé nel proprio personaggio.

D'altra parte, grande motivo di meraviglia è, fin dall'infanzia
dei Manaqe'el, l'accorgersi di come la maggioranza degli altri,
grandi e piccoli, non sappiano di recitare anch'essi nella vita, e
non si fermino ogni tanto a cercare il regista per discutere un po'
il copione. Durante l'adolescenza il Manaqe'el cerca invano di
rivolgersi agli altri dietro le loro quinte; e durante la giovinezza
impara (ed è solitamente un periodo triste) a rassegnarsi all'evidenza: il mondo è uno spettacolo che gli attori potrebbero cambiare in ogni istante, se i loro ruoli e gli scenari non li incatenas-

sero – e li incatenano solo e appunto perché essi pensano siano veri. Poi, dal modo in cui il Manaqe'el reagisce a questa sconsolante scoperta, vengono a dipendere tutte le scelte della sua vita.

Alcuni Manaqe'el tentano, ancora per un po', di destare il prossimo da quell'incantesimo teatrale. Fu così per Galileo: con il suo libro *Sidereus nuntius* (*Il messaggero delle stelle*, titolo molto manaqeliano) tentò di diffondere nell'intormentita Italia della Controriforma le nuove teorie sul sistema solare; ne ebbe molti guai e, processato dall'Inquisizione, preferì lasciar perdere: giustamente, non gli andò a genio la prospettiva di venir bruciato come eretico sul palcoscenico dell'oscurantismo, solo per permettere ad altri di recitare il personaggio del boia. Altri Manaqe'el scelgono l'arte, o la psicologia: si dedicano allora allo studio appassionato delle maschere e dei volti, alla ricerca di quella verità dell'anima di cui, da bambini, avevano visto ovunque la mancanza. Qualche Manaqe'el cerca ancora più lontano: invece della coscienza e del cielo indaga l'Aldilà, i territori ignoti della psiche – e viene aiutato in ciò da certi doni particolari, talenti di veggenza e medianità, del tutto simili a quelli degli Angeli della Soglia, i due La'awiyah di maggio e giugno. Il suo scopo, anche allora, sarà certamente quello galileiano di offrire punti d'osservazione nuovi e più vasti (come fa Eckhart Tolle).

Ma più numerosi sono i Manaqe'el che, come Galileo da vecchio, lasciano i contemporanei al loro destino: il malessere altrui continuerà a rattristarli sempre, ma imparano a ripararsi dal rammarico con robuste corazze, fatte di lucido realismo e di ironia. Sviluppano allora le altre qualità caratteristiche del loro Angelo: l'oculatezza nello scegliersi amici e colleghi, la nettezza dei giudizi, l'autonomia di pensiero, la chiarezza interiore (è pressoché impossibile trovare un Manaqe'el che non vada d'accordo con se stesso) e l'abilità nell'intuire le esigenze altrui, specialmente quelle di chi comanda, e di adeguarvisi senza eccessivo sforzo. Tutto ciò potrà garantire loro un'esistenza eccellente e un buon successo economico, specie se a un certo punto decideranno di lavorare in proprio – così da non dover sottostare a copioni altrui. Ma rimarrà nel cuore un senso di insoddisfazione, un'inquietudine molto simile a un rimorso, al pensiero di non aver detto e non aver fatto abbastanza per scuotere il prossimo dal torpore. A volte tale inquietudine esplode, nei Manaqe'el, in vampate di collera: celeberrime quelle di Galileo, o del campione di tennis McEnroe; e la collera può anche diventare odio tenace e aggressivo, per un Manaqe'el che scelga come avversario qualcuno che ritiene falso o ottuso.

Il più delle volte, l'inquietudine manaqeliana degenera in periodi di solitudine e malinconia. Allora è la creatività a salvarli: nulla li ritempra come il piacere della velocità mentale con cui si plasmano storie e forme per l'arte, e mondi interi in cui ambientarle – non importa se più brutti o più belli del nostro, ma perlomeno esplicitamente immaginari, mentre il nostro è solo implicitamente tale. Meglio ancora se nelle loro opere compariranno vicende di persone oppresse, infelici, che cerchino e magari trovino protezione, salvezza o riscatto dalle dense illusioni della loro realtà. Il sogno segreto dei Manaqe'el sarebbe quello di salvare *davvero* persone simili nella vita quotidiana, di proteggerle, educarle, guidarle; se lo realizzassero, ne trarrebbero immensa gioia e serenità. Ma per arrivarci dovrebbero rimediare alle vecchie delusioni della loro infanzia e adolescenza, allo sdegno che ha suscitato in loro la cortezza delle menti e degli animi altrui; e, spesso, l'amarezza che ne è derivata è troppo profonda, nell'animo dei Manaqe'el, perché la si possa colmare.

67
'Ay'a'el
alef-yod-ayin

«Io vedo al di là delle apparenze»

Dal 19 al 24 febbraio

HANNO assoluta necessità di una vetta, e di starci sopra da soli: il loro sguardo deve poter spaziare libero su tutto l'orizzonte, a tu per tu con il cielo. Da lassù i guai, i pensieri, i progetti di tutti (anche i loro) appaiono talmente piccoli da sorriderne; e solo le altre vette, lontane, sembrano meritare attenzione. George Washington scolpito sul picco del Monte Rushmore: ecco un 'Ay'a'el perfettamente realizzato, immortalato nell'espressione e nel luogo a lui più congeniali. Oppure Copernico, che medita sul sistema solare voltando le spalle alla terra che non lo capisce (fino alla fine della sua vita si rifiutò di pubblicare il *De revolutionibus*, che conteneva le sue teorie principali); o Chopin che, lontano dalla Polonia, cesella metafisici valzer, vertiginosamente inadatti a chi voglia ballare: anche questi furono 'Ay'a'el fedelissimi alla consegna.

Ma altrettanto profonda, in tutti gli 'Ay'a'el, è l'esigenza di scendere e comunicare, agli altri mortali, almeno un po' di ciò che si impara là in cima. Senza grande entusiasmo, è vero, e soprattutto senza aspettarsi gran che dalla valle, ma un loro senso del dovere sociale non li lascerebbe in pace se tentassero di fare soltanto i solitari.

E tutta la loro sorte dipende dall'equilibrio che riescono a stabilire tra queste direzioni dell'animo. Non è facile, certamente. Quando scendono nella valle dei loro simili, molti 'Ay'a'el si sentono irrimediabilmente invischiati, soffocati e incompresi:

in parte lo sono davvero; in parte vogliono esserlo, e allora i loro gesti o le loro opere sono sempre enigmatici o provocatori (fu così per Luis Buñuel). Nei casi più frequenti, architettano loro stessi, quasi senza accorgersene, situazioni che li deludano e che giustifichino il loro ritorno sulle amate vette, via dalla gente che non merita le loro illuminazioni. Dispongono, a tale scopo, di un repertorio di metodi infallibili: per esempio possono eccedere nell'idealismo, e misurare tutti quanti (anche i famigliari) con un metro troppo severo; o esagerare tutt'a un tratto nell'ottimismo, nella generosità, per poi potersi sentire mal ripagati; o anche, nei casi più drammatici, riescono a boicottare le loro stesse realizzazioni, a mandare in rovina qualche loro impresa o tutta la carriera – appunto perché li facevano sentire troppo imprigionati nel mondo consueto. La loro congenita incapacità di ascoltare le critiche li asseconda perfettamente, in questa specie di perversione. Fu per questa via che l'imbronciato, sdegnoso 'Ay'a'el Arthur Schopenhauer arrivò a teorizzare la ragionevolezza del suicidio come modo di sottrarsi alle illusioni e alle inerzie del mondo. Ed è per questa stessa via che la maggioranza degli 'Ay'a'el riesce, presto o tardi, a distruggere il proprio matrimonio – se il coniuge non ha l'accortezza di diventare il custode, il protettore dei loro momenti di solitudine, e il rispettoso confidente dei loro malumori riguardo a porzioni più o meno ampie di umanità.

Frequenti, purtroppo, tra gli 'Ay'a'el di minore respiro sono anche altre «vette» più facilmente raggiungibili: l'alcol e le droghe – e la depressione che facilmente vi si accompagna. Peter Fonda fu un esponente moderato di questa categoria. Era nato il 23 febbraio: e i motociclisti del suo film *Easy Rider* erano molto ayaelici, i loro chopper erano modelli tecnologici di vette semoventi, con lo scintillio, come di nevi, dei tubi cromati, e tutt'intorno le sconfinate *highways*; è triste, ma in perfetta coerenza con il suo Angelo, il fatto che poi Peter non abbia più fatto nulla: come se più di tanto non fosse necessario, per uno che ama stare da solo. Kurt Cobain fu invece un esempio estremo e tragico, delle ricerca di vette chimiche.

Un po' di senso della misura, ripeto, un po' di pazienza: è tutto lì il segreto perché la vita sorrida a questi eremiti a metà. Un buon punto di equilibrio può essere, per loro, una qualsiasi forma di podio: il palcoscenico d'un teatro, un ufficio da dirigente, o una cattedra – universitaria possibilmente, poiché gli ordini di scuole inferiori impegnano troppo; e meglio di tutto in filosofia: l''Ay'a'el Benedetto Croce vi si trovò comodissimo, per decenni. Anche un pulpito può fare al caso, tanto più che raramente gli 'Ay'a'el sono tagliati per il matrimonio e la paternità; o una passione costante per qualche mistica illustre e raffinata; o anche soltanto un'automobile un po' più ricercata, che li faccia sentire speciali nel traffico urbano o nell'irrimediabile banalità di un'autostrada. In mancanza d'altro, anche un senso imperterrito della propria dignità può bastare – purché, certo, sia garantito un weekend contemplativo, non importa dove ma lontano, in silenzio e da soli.

68
Ḥabuwyah
ḥet-bet-waw

«Un'attività interiore che non deve lasciarsi fermare»

Dal 24 febbraio al 1° marzo

VITA facile: purché rispettino un'unica, semplicissima condizione, gli Ḥabuwyah si possono tranquillamente assicurare uno dei primi posti tra i favoriti della sorte. Devono solo adoperare generosamente la loro Energia T, di cui sono dotati più di chiunque altro. Nella maggior parte dei casi, ciò significa che un Ḥabuwyah potrà aspettarsi magnifiche realizzazioni in qualsiasi attività direttamente o indirettamente connessa con la medicina, o comunque sia con la riparazione di danni e guasti. Chirurghi o meccanici, farmacisti o restauratori, biochimici, veterinari o specialisti nella ristrutturazione di aziende: non importa chi o che cosa curino, ma è essenziale che per diverse ore al giorno e per almeno cinque giorni alla settimana si accorgano della profonda compassione che i dispiaceri altrui suscitano nel loro animo, e non resistano all'impulso di trasformarli in altrettante sfide da vincere a ogni costo.

In casi meno frequenti, e anch'essi regolarmente coronati da successo, gli Ḥabuwyah sono guidati dal destino a grandi successi nello spettacolo, come Goldoni, Caruso, Rossini, Buffalo Bill (che con il suo *Buffalo Bill Wild West Show* girò il mondo intero), Elizabeth Taylor, Vincent Minnelli, Johnny Cash, Ernesto Alonso... Oppure a carriere politiche, nelle quali invece di un palcoscenico si offra loro un podio; invece di copioni, discorsi da pronunciare con passione; e invece di danni a singoli individui o a cose, malattie di intere nazioni da diagnosticare e curare.

Le ricompense che ottengono dal buon uso dell'Energia T sono magnifiche. Basti dire che pochi sanno guadagnare e spendere meglio di loro. Nessuno è più bravo nel gioire di un proprio successo, e nel lasciarselo in brevissimo tempo alle spalle per cercarne di nuovi e più grandi. E poi l'impeto, l'intuito, l'ispirazione, e – soprattutto – la curiosità e il coraggio di sostenere idee nuove sono, negli Ḥabuwyah, massicci talenti innati che richiedono soltanto di essere messi in atto per fruttare abbondantemente e a lungo. Per di più, questi beniamini del cielo cadono sempre in piedi, e non c'è sconfitta che li scoraggi; si ha addirittura l'impressione che nel loro vocabolario questa parola non esista affatto: quando qualcosa non va per il verso giusto, la intendono limpidamente e disinvoltamente come un suggerimento di invisibili potenze amiche, per migliorare la strategia. Divengono così vere forze della natura, superiori all'approvazione altrui. Nemmeno gli affetti possono rallentarli o distrarli: nella casa, vedono soprattutto un luogo dove concentrarsi e recuperare energie; un amico è – deve essere – per loro soprattutto un buon interlocutore, meglio se affascinato dai loro ragionamenti. Se famigliari e aspiranti amici si adattano a tali esigenze, bene; se no, agli Ḥabuwyah non potrebbe importare di meno: il loro tempo è troppo importante perché lo perdano a rimpiangere qualche affetto perduto, e le loro fortune appaiono loro anche più significative se possono dedicarsi *totalmente* a costruirsele.

Ma, d'altra parte, attenzione! Se non curano (occorre sempre ripeterlo a chi dispone di Energia Yod – e agli Ḥabuwyah soprattutto, i quali non dispongono, né necessitano di alcuna altra dote), se non riparano, o non recitano o non si assumono la responsabilità del bene dei loro concittadini, le conseguenze possono essere disastrose. L'Energia T è notoriamente inquieta e terribile. Chi la possiede e non la adopera correttamente, irradia malessere o si ammala con grande facilità: avvenne a Steve Jobs, che impiegò i suoi talenti nella costruzione e nella commercializzazione di apparecchiature di cui si sospetta la pericolosità per la salute. Chi invece possiede Energia T e semplicemente la reprime, nel migliore dei casi ha la sensazione di vivere molto al di sotto delle proprie possibilità, come se si limitasse egli stesso da ogni parte per esserci ed esprimersi il meno possibile, come se temesse (e del tutto a ragione) che dalle sue azioni o dai suoi desideri possa derivare qualche guaio.

Ma, fortunatamente, nei protetti di questo Angelo ciò avviene di rado: un Ḥabuwyah che non abbia subito traumi gravissimi tende a trovare sempre, nel suo lavoro, il modo per rimediare a qualcosa che non va. Se, per esempio, è uno scrittore, come Hugo o Steinbeck, sarà attratto da mali sociali e gioirà nel denunciarli, sconfinando volentieri nell'attività pubblica. Se è un filosofo, come Rudolf Steiner, si prenderà cura delle convinzioni e degli orientamenti culturali della sua epoca proprio come un epidemiologo si occuperebbe di un Paese in cui imperversi una malattia: riterrà suo dovere curare, riattivare, rieducare, prescrivere diete e regole di vita sana, e avrà inoltre la tendenza – per la quale Steiner, appunto, andava celebre – a sviluppare le proprie teorie parlandone da un palco, in pubbliche conferenze, in modo che anche la funzione teatrale della sua Energia T trovi applicazione.

Mentre gli Ḥabuwyah che per mancanza di fiducia in se stessi non sono riusciti a consacrarsi a una vocazione teraupetica o teatrale e a farne un lavoro, dovranno assolutamente contare sul tempo libero per rimediare: e dedicarsi al volontariato, alla beneficenza o a un appassionato amore per le piante o per gli animali. Oppure potranno sposare un medico, un attore, un politico: e perlomeno contribuiranno, con la propria Energia T, al successo del coniuge.

69

Ra'aha'el

reš-alef-he

«Io mi dirigo verso le potenzialità dello spirito»

Dal 1° al 6 marzo

Ra'aha (הָאר) in ebraico moderno, significa «vedere»; in geroglifico è letteralmente «aprire la via verso ciò che non appare», e per i protetti dell'Angelo Ra'aha'el è questa l'accezione che conta di più: al pari dei veggenti, essi sanno cogliere in noi – nei volti, nelle situazioni, nelle storie – ciò che allo sguardo degli altri sfugge. Sono inoltre animati da un congenito desiderio di essere utili alla crescita personale del loro prossimo, e questo li spinge a dirigere la loro speciale percezione soprattutto verso le doti e le aspirazioni che abbiamo perduto, e addirittura dimenticato, e ad aiutarci a riconoscerle e a ritrovarle.

La vita di solito li istruisce abbondantemente al riguardo, attraverso esperienze sgradevoli: proprio a causa della loro sollecitudine per gli altri, i Ra'aha'el tendono infatti a mettere se stessi in secondo piano, e a trascurare le proprie brillanti qualità per adeguarsi alle esigenze di famigliari e amici; è quasi inevitabile, perciò, che qualcuno se ne approfitti, e li strumentalizzi, li vampirizzi: e quando in seguito se ne rendono conto, devono compiere notevoli sforzi per ritrovare la propria via e la fiducia in se stessi. È allora che imparano come si fa, ed è un apprendistato migliore di qualsiasi facoltà di psicologia. Appena cominciano a riscuotersi, inoltre, si ha un radicale cambiamento nella loro esistenza: crollano legami di dipendenza che fino a poco prima sembravano averli imprigionati per sempre, spariscono problemi psicosomatici che esprimevano l'infelicità del loro io troppo sottomesso; e al posto del vecchio eccesso di generosità prende forma un severo senso di giustizia, il bisogno di smascherare colpevoli e di difendere le vittime. Ciò determina, spesso, anche un loro nuovo orientamento professionale, o un improvviso balzo da ruoli subordinati a posti di responsabilità. Da allora in avanti i Ra'aha'el hanno occasione di diventare temibili e provvidenziali rabdomanti di oppressioni perpetrate o subite, raddrizzatori di torti e di destini deviati. Non c'è campo dell'assistenza o della medicina in cui, allora, non possano avere successo; non c'è settore di ricerca – storica, scientifica, sociologica – che non sembri fatto apposta per loro. In politica hanno tutto ciò che occorre per divenire celebri come distruttori di *status quo* oppressivi o di ideologie invecchiate: Ra'aha'el fu, per esempio, Michaìl Gorbačëv. Se hanno vocazione per l'arte diventano riscopritori di miti antichi, come Botticelli e Tiepolo per i miti classici, o Ron Howard per i miti celtici e germanici; oppure visionari che ingigantiscono qualunque essere su cui si fermi la loro attenzione. Ra'aha'el era Michelangelo, che trasformava ogni muscolo o tendine in un avvenimento travolgente, come volendo portare all'estremo quella vocazione rahaeliana a farti accorgere di chi sei, di cos'hai, di quanto potresti splendere. Ra'aha'el erano Pasolini e Gabriel Garcia Marquez: entrambi, nelle loro opere, amano difendere e far scoprire chi vive in margine, e ciò che il progresso schiaccia e dimentica, non soltanto nella campagna friulana, nelle borgate romane o a Macondo, ma nell'anima e nella mente di ogni lettore. Ed è degno di nota anche il fatto che il Ra'aha'el Lucio Dalla sia giunto tutt'a un tratto al successo proprio con una canzone in cui narrava del suo padre perduto, e che il titolo, *4 marzo 1943*, fosse proprio la sua data di nascita, quasi un esplicito omaggio al suo Angelo, protettore di chi vuole ritrovare.

Sia il coraggio di vedere, sia anche il senso di giustizia hanno d'altra parte alcuni costi che i Ra'aha'el devono essere preparati ad affrontare. Sia l'uno che l'altro, una volta destatisi, esigono di venire utilizzati spesso, e ciò sviluppa nei loro possessori un'ipersensibilità che all'inizio può risultare faticosa: è dura scorgere negli altri tante cose belle ma perdute, e con esse anche le cause e le colpe della loro perdita. Se ne prova continuamente dolore e indignazione; e occorrono non soltanto forza d'animo, ma anche saggezza, sapienza, accortezza e pazienza soprattutto, quando si tratta di spiegare agli altri ciò che si è visto in loro. La fermezza, anche, è indispensabile ai Ra'aha'el, per proteggersi dai molti che (è inevitabile) si attaccheranno a loro come a un salvagente durante un naufragio, e non vorrebbero lasciarli più andare: sono altri vampiri, analoghi a quelli che li avevano danneggiati in gioventù, e tollerarli è esclusivamente controproduttivo.

In compenso, quell'ipersensibilità concede anche magnifici, michelangioleschi piaceri quotidiani. Cogliendo ciò che è bello e trascurato nelle persone e nelle cose si possono scoprire, in ogni angolo della realtà, meraviglie che altri guardano senza vederle: e un raggio di sole sulle tende o una foglia che dondola al vento possono schiudere ai Ra'aha'el qualcosa di simile a ciò che i maestri Zen chiamano *satori* – un'immensa, impersonale felicità della contemplazione. Lo stesso può valere per un gesto, uno sguardo, un tono di voce che d'un tratto rivelano, ai Ra'aha'el più che a chiunque altro, la grandezza che in tanti individui attende, come una Bella Addormentata, qualcuno che la svegli e la riveli a se stessa.

70
Yabamiyah
yod-bet-mem

«Io considero le cose nel loro insieme»

Dal 6 all'11 marzo

È UN altro Angelo dei Re, come Hasiy'el, dei Cherubini, e Puwiy'el, dei Principati. Dei tre, Yabamiyah è il più fantasioso e il più creativo, ma non è detto che questi doni non possano causare, ai suoi protetti, qualche problema.

La creatività infatti è benefica in coloro che avvertano un forte bisogno di esplorare ciò che la loro ragione non comprende ancora, e che la loro coscienza non può ammettere di conoscere già; è inoltre un talento che si alimenta dell'approvazione altrui: il creativo, quale che sia il suo campo, è avido di attenzione, di pareri, di applausi. Ma chi è nato negli Angeli dei Re è ben oltre tutto ciò. Quale che sia il livello delle sue conoscenze, lo Yabamiyah dispone di una capacità di penetrazione che si estende già a ogni grado del suo orizzonte: si rende conto di vedere (d'improvviso, e a colpo sicuro) altrettanto bene in se stesso e negli altri, anche in ciò che gli altri credono di nascondere, o magari in ciò che non osano sperare. E questo gli dà una supremazia, regale davvero, che rende del tutto indifferente ai suoi occhi il fatto di venir approvato o meno; è lui, semmai, a dover decidere che cosa negli altri sia meritevole di approvazione o di biasimo: e gli Yabamiyah – proprio come gli Hasiy'el e i Puwiy'el – sono infatti nati apposta per criticare il mondo che li circonda, e non per farsene criticare.

La creatività – intesa come creazione artistica – può dunque rischiare seriamente di *distrarli* dal loro vero compito. Se ci si provano, permetterà loro di produrre opere valide solo quando è sostenuta da una profonda cultura: anche allora apparirà sempre velata da una patina un po' didattica, del genere «ti spiego io come si fa» (fu il caso di Maurice Ravel, e dello scrittore più studiato nelle scuole italiane, Alessandro Manzoni); ma negli altri casi i risultati saranno sforzati o artificiosi, alimentati più dall'orgoglio o magari dalla voglia di sostenere qualche ideale, che non da autentici contenuti.

Se invece provano ad applicare la creatività come una voglia di risolvere in modo originale le loro vicende quotidiane, potranno trarne grandi soddisfazioni. Tipico degli Angeli dei Re è, dicevo, l'orizzonte perfettamente sgombro, senza né illusioni, né passioni, o ambizioni, o sfide che lo limitino – facendo sembrare una qualche direzione più importante e urgente di tutte le altre. Ciò accresce sia il loro realismo, sia la loro inventiva: *qualsiasi cosa* può diventare un capolavoro, se ci mettono mano loro – dalle piante sul davanzale al più audace progetto di qualche loro amico che abbia la fortuna di ricevere i loro consigli. L'unico rischio, allora, è che *troppe cose* possano diventare, per loro, occasione di sperimentazione creativa: e che tutte le professioni e tutti i passatempi li attraggano – contemporaneamente! La conseguenza è che gli Yabamiyah si ritrovino per lungo tempo a non fare proprio nulla, paralizzati da tanti impulsi uguali e contrari. Forse, talvolta, li potrà stimolare per un po' lo spirito d'emulazione: ma in quei casi è peggio ancora, poiché si tratterà, per loro, di un'emulazione di pessima specie, nutrita non dal gusto della gara, ma dal dispetto e dall'invidia, nel vedere altri appassionarsi a qualcosa di preciso, e dalla voglia di guastargli la festa dimostrando di essere migliori di loro.

È opportuno, perciò, che gli Yabamiyah adoperino le loro tendenze creative in forma critica: per esempio, il loro amore per la bellezza può esprimersi in una dedizione alle opere o ai talenti altrui. Gli Yabamiyah portati per la letteratura possono cioè diventare ottimi traduttori; quelli portati per la pittura geniali galleristi, critici o storici dell'arte; quelli portati per la musica perfetti docenti, od organizzatori di concerti; quelli portati per il teatro o per il cinema magistrali registi, che da dietro le quinte guidino gli attori a dare il meglio di sé.

Se invece l'amore per il bello non li ha ancora presi o momentamente non li prende più, e la loro creatività assume più avventurosamente le forme d'un desiderio di ciò che è nuovo, il modo migliore per trarne vantaggio sarà scegliere una professione legata ai viaggi: ai viaggi altrui in particolare. Si contano tra gli Yabamiyah grandi esploratori, antichi e moderni, da Vespucci a Gagarin, nati per aprire agli uomini nuove rotte; vi si contano ancor di più felici albergatori, direttori di compagnie e di agenzie turistiche, e gestori di ristoranti in luoghi pittoreschi – tutti registi anch'essi, a modo loro.

Mentre per quanto riguarda l'amore per chi è bello, la faccenda è piuttosto delicata. Gli Yabamiyah non solo sono notoriamente indecisi (talvolta anche la loro vera identità sessuale rimane a lungo un problema), ma anche quando sembrano aver preso finalmente una decisione, hanno sempre l'aria di chi ogni giorno ci voglia ripensare. I loro compagni non notano in loro i segni distintivi della passionalità, o perlomeno non hanno mai l'impressione che l'amore – anche soltanto di quando in quando – possa contare per loro più di qualche altra cosa. Ed è vero: per gli Yabamiyah non c'è nulla che conti più di qualcos'altro, e il tutto – l'orizzonte, appunto – è per loro sempre più importante di ogni sua singola parte. Ciò può determinare anche nella loro vita sentimentale lunghi periodi di solitudine, o di incertezza e confusione. Molto meglio che si facciano forza e tentino, nonostante tutto, di impegnarsi costruttivamente in una relazione sola; troppo grande è infatti per loro il rischio di disgregazione della personalità: di assumere cioè (per eccesso di creatività, di nuovo) tanti volti diversi quanti sono i loro legami, e di non sapere proprio più chi e dove sono davvero.

71
Hayiya'el
he-yod-yod

«La mia anima brama di manifestarsi»

Dall'11 al 16 marzo

Vɪ è, nei protetti di Hayiya'el, un'affinità profonda con Lancillotto e con gli altri cavalieri della Tavola Rotonda: cuori corazzati, stracolmi di energie spirituali e presi dall'ansia di farle irrompere nel mondo, in quel complicato «bosco», come scriveva l'Hayiya'el Torquato Tasso:

> dove cotanti
> son fantasmi ingannevoli e bugiardi.
> Vincerai (questo so) mostri e giganti,
> pur ch'altro folle error non ti ritardi.

Gerusalemme liberata XVIII, 10

«Fantasmi ingannevoli e bugiardi!» Gli Hayiya'el odiano l'attenzione che la gente tributa a ciò che esiste già da troppo tempo, e che rischia di soffocare le esigenze degli spiriti eroici: gli Hayiya'el vedono più in là, e vorrebbero attirare quell'attenzione su se stessi, per guidarla lontano, verso nuove scoperte, liberando il prossimo da opinioni vecchie, per quanto gigantesche possano apparire a chi le voglia sfidare. Era Hayiya'el Percival Lowell, l'astronomo americano che contro tutti i suoi colleghi sostenne, nel 1915, l'esistenza di un nono pianeta nel sistema solare – e solo diversi anni dopo la sua morte la scienza gli diede ragione. Era Hayiya'el Albert Einstein, che con la scoperta della relatività scosse tutte le certezze della fisica dei suoi tempi, e fu celebre, poi, anche per i suoi modi ribelli e il suo rigore morale (si rifiutò di collaborare al progetto della bomba atomica). Non meno cavalleresco nel battersi contro ciò che agli occhi dell'anima è male, ma a cui la maggioranza non sa ancora o non sa più opporsi, fu anche Gabriele d'Annunzio, quando nel 1918 volò sopra Vienna e la bombardò di volantini per esprimere il suo sdegno contro gli attacchi aerei alla popolazione civile; o quando nel 1938, alla stazione di Verona, attese Mussolini che tornava da Monaco e lo rimproverò pubblicamente per la sua decisione di allearsi con Hitler.

Ottima cosa sarà dunque, per un Hayiya'el dei giorni nostri, scegliersi una professione che si fondi su alti valori morali, e che implichi coraggio: dal tutore dell'ordine all'educatore, al giornalista d'assalto. Anche come leader possono fare molto, se trovano un ideale che valga la pena: furono Hayiya'el Vittorio Emanuele II, che in nome dell'Unità Nazionale costruì lo Stato italiano; e Raul Alfonsin, che in nome della democrazia ristrutturò l'Argentina dopo la dittatura; e Ron Hubbard, che in nome delle sue teorie fondò una chiesa famosa.

Quando invece questi paladini nati non trovano, o non osano trovare evidenti ingiustizie contro le quali dover vincere, il loro piglio può trasformarsi in semplice irritabilità inconcludente. L'irritabilità scatta in tutte quelle situazioni in cui le convenienze impongano loro di dar ragione a chi, a loro parere, non ce l'ha: aspre, per esempio, sono le sofferenze interiori di un Hayiya'el che lavori in un negozio, e debba per forza assecondare i clienti, o che in ufficio sia costretto, per ragioni di carriera o anche soltanto di buona convivenza, ad adattarsi ai superiori. Dentro di sé è straziato dallo sdegno, e quanto più prova a nasconderlo, tanto più sicuramente diverrà intrattabile a casa e, a lungo andare, depresso e autodistruttivo. Allora potrà venirgli in mente di esiliarsi in qualche modo dal mondo che non approvano (come anche Lancillotto si esiliò dalla reggia di Re Artù, diventando eremita): due grandi Hayiya'el seguirono questa via, Cesar Vallejo e Jack Kerouac.

Ma non ne saranno soddisfatti: ai loro occhi somiglierà a una fuga, e prima o poi sentiranno il bisogno di tornare alla loro occupazione prediletta, la lotta aperta per un ideale – come fece Vallejo durante la Guerra di Spagna. Troppo urgente è il loro problema più profondo: come esprimere la sproporzione che avvertono tra la vastità del loro animo, e i limiti imposti dalle condizioni di vita e dalla mentalità della stragrande maggioranza dei loro contemporanei. Solitamente, in coloro che cercano grandi cause per le quali lottare e avversari malvagi da sconfiggere, si nasconde un segreto, ereditario senso di colpa, perennemente in cerca di riabilitazione: lo slancio degli Hayiya'el non ha invece nulla di personale; attraverso di loro si manifesta una specie di urgenza dell'evoluzione, infastidita dal fatto che il corpo sociale non si sia ancora messo al passo con ciò che l'anima già vede e ha in sé. A questo fastidio, tra l'altro, si deve anche la ricercatezza nel vestire, che caratterizza molti di loro, e che facilmente diventa snobismo, o eleganza strana, od ostentazione: sono ancor sempre maniere di evidenziare la differenza tra se stessi e la massa, sfidando le abitudini – e dunque l'inerzia – di quest'ultima; d'altronde si avverte chiaramente, guardandoli, la componente *aggressiva* della loro disinvoltura: la provocazione più o meno sottile, l'intimidazione, quasi, che ne trapela.

Di se stessi, in realtà, importa a loro molto meno di quel che sembra: si sentono strumenti e si trattano come tali; se curano molto il proprio aspetto, lo fanno come un padrone affezionato che bardi il proprio cavallo, o uno spadaccino che lustri la sciabola e il fodero; e fanno qualcosa di simile anche quando guardano nella propria coscienza: è come se volessero sempre e soltanto controllarne i riflessi, e non certo esplorare i meandri delle problematiche psicologiche. Ciò che per noi è l'«io», per loro (quando sono davvero se stessi) costituisce soltanto il luogo dove alloggiare gli elaboratori di dati per le prossime nobili imprese da compiere.

72
Muwmiyah
mem-waw-mem

«Io avvolgo da ogni parte ogni mio interrogativo»

Dal 16 al 21 marzo

Muwm, in ebraico, significa «difetto», e i nati in questi giorni rischiano infatti, in gioventù, di apparire a molta gente come dei disadattati: sempre distratti, inquieti, ansiosi anche, e taciturni. Ma basta che qualcuno intravveda i loro talenti e li incoraggi un po', e si riveleranno per quel che sono davvero: individui geniali, che parlano poco e intuiscono moltissimo. Al loro intelletto piace correre, balzare continuamente avanti, in molte direzioni: tante, che solo con grande fatica riescono a riepilogare tutto ciò che stanno scoprendo, ed è quasi impossibile che riescano a spiegarvi come ci siano arrivati. Raro, perciò, è che diventino scienziati e filosofi – sia perché la lentezza dell'apprendimento scolastico li esaspera, sia perché la nostra scienza e filosofia tendono a dare più importanza al «come» e al «perché», che non al «cosa», e i Muwmyah sono invece affascinati *soltanto* dai fatti. Ma ancor più raro è che i protetti di questo Angelo riescano a trovarsi a loro agio in una qualsiasi professione normale, con colleghi, superiori, orari e vacanze: sono troppo intelligenti per impegnarsi in una qualsiasi carriera! Il loro posto è ai margini della società: e il loro dovere è scegliersi il margine più avanzato, quello che si apre sul futuro, e lì individuare vie nuove, senza preoccuparsi se i loro risultati e la loro stessa personalità saranno, all'inizio, incompresi. Tengano duro. D'altronde, le loro energie naturali sono enormi; e hanno anche una considerevole dose di fortuna, su cui poter contare: occorre solo che ogni tanto si costringano a mettere a punto un modello – un'invenzione, una teoria, un'opera d'arte, una mappa – di ciò che stanno investigando; e in capo a qualche anno li si acclamerà.

Dipende poi dalle inclinazioni personali se i Muwmiyah preferiranno esaltare le proprie caratteristiche di *outsider* incompreso o incomprensibile, oppure quelle estroverse, esuberanti, di *outsider* che ama stupire con l'abbondanza del suo sapere. Va detto a questo proposito che, in ebraico, la parola «mummia» è identica al Nome di Muwmiyah, e che il simbolo della mummia era essenziale nell'iniziazione egizia: rappresentava l'individuo che sa esaminare se stesso, e accorgersi di quanto le sue vere capacità siano strettamente avvolte e nascoste da impedimenti di ogni genere; dopodiché, forte di tale consapevolezza, diventa suo compito liberarsi, mostrarsi, meravigliando gli altri e anche se stesso. Le due categorie dei Muwmiyah impersonano quasi queste due fasi iniziatiche.

Si pensi, per esempio, a due celeberrimi Muwmiyah esploratori ottocenteschi: David Livingstone e Richard Francis Burton. Livingstone risalì con successo i fiumi Zambesi e Niassa: e da bravo Muwmiyah introverso si perse, in una delle sue spedizioni; non se ne seppe più nulla per qualche anno, fu dato per morto, ma venne poi recuperato sano e salvo, con grande clamore. Burton invece fu l'estroverso: oltre a cartografare anche lui l'Africa centro-orientale, fu diplomatico, spia, antropologo, linguista, letterato ed editore; pubblicò la prima traduzione non censurata delle *Mille e una notte* e curò la prima edizione inglese del *Kama Sutra*, anche con il preciso intento di sfidare il perbenismo dell'epoca vittoriana – come se nei tanti tabù con cui i suoi contemporanei circondavano la sessualità, Burton vedesse bende di mummie che a lui toccava strappare. Tra gli inventori – professione perfetta per i Muwmyah – fu introverso, cupo, Rudolf Diesel, che brevettò il motore a compressione interna e finì suicida; e fu invece estroverso e battagliero Gottlieb Daimler, che perfezionò il motore ad alta velocità e costruì la prima automobile a quattro ruote. Tra i poeti, fu estroverso Ovidio, che nelle *Metamorfosi* ispezionò e cantò, con enorme successo, tutte le correnti della mitologia; e fu introverso Stéphane Mallarmé, che nell'oscurità dei suoi versi vedeva una specie di missione: riteneva che l'arte fosse sacra e dovesse perciò «avvolgersi di mistero, come ogni cosa sacra che voglia rimanere tale».

Dapprima introverso, forzatamente, e poi estroverso fu Rudolf Nureyev, che in Unione Sovietica ebbe la carriera bloccata dalle autorità, irritate dai suoi atteggiamenti troppo originali: fuggì all'estero, e divenne il ballerino più celebre del ventesimo secolo. Mentre tra i Muwmyah che dedicarono la vita a liberare i loro simili da qualche forma di mummificazione, va ricordato il diplomatico Alfonso Garcia Robles, che fu tra i principali fautori del Trattato di Tlatelolco, per la denuclearizzazione dell'America Latina e dei Caraibi: un'area del mondo divenne, in tal modo, felicemente outsider, sottratta all'orribile bendaggio delle istallazioni nucleari e delle possibili traiettorie dei loro proiettili.

Ai giorni nostri, di mummificazioni che avvolgono intere civiltà ce ne sono ancora molte in attesa di qualche personalità mumiana, irradiante, generosa. I lettori nati in questi giorni si sbrighino, perciò, a trovare qualcuno che aumenti la loro fiducia in se stessi, o provvedano ad aumentarla da soli, per poter svolgere il ruolo iniziatico che è stato loro affidato.

PARTE SECONDA

Gli Angeli e i bambini

PARLARE di Angeli – di questi Angeli – ai bambini, richiede qualche cautela: e non perché non siano in grado di intenderli, ma perché è alto il rischio che rivolgendosi a dei bambini un adulto diventi ancor più ottuso di quel che è di solito. Facilmente gli avverrà proprio il contrario di quando prova a fare l'angelologo con i suoi coetanei: con questi ultimi l'eccentricità stessa dell'argomento lo spinge a dare, con sua stessa sorpresa, il meglio di sé, a parlare ispirato. Con i bambini, invece, si ingarbuglierà in inevitabili scrupoli. Avrà, giustamente, il sospetto di condizionare le loro scelte nella vita, di interferire con il loro sacrosanto diritto di cercarsi da sé la propria strada, sbagliando magari quanto occorre per apprezzare poi le proprie scelte giuste. O anche temerà di dire ai bambini cose che li inducano a riflessioni troppo diverse da quelle dei loro compagni e dei loro educatori: «Che cosa è meglio?» si domanderà l'adulto, «dire ai ragazzini ciò che io sento e penso sia vero, o fingere di approvare le incerte e dolciastre favolette che di solito si dicono sugli Angeli?»

Quanto a quest'ultima questione, ognuno la risolva come gli dettano il suo cuore e le circostanze. Quanto invece al rischio di esercitare condizionamenti angelologici sui bambini (come nel caso di un genitore che, dopo una lettura frettolosa, si aspetti che un piccolo Nana'e'el debba per forza desiderare una laurea in ingegneria), tutto dipende dall'importanza che l'adulto darà *al presente*: se utilizzerà l'angelologia per comprendere meglio i bisogni che i suoi bambini hanno adesso, sia lui sia chi loro non potranno che trarne giovamento; se invece correrà avanti, sforzandosi di prevedere e pianificare, eserciterà soltanto il peggior condizionamento possibile: quello che consiste nel far credere ai bambini che l'infanzia o l'adolescenza siano *soltanto* la preparazione a qualcosa d'importante che verrà poi, e non un periodo di per sé essenziale.

Perciò ho pensato fosse utile indicare qui, brevemente, in quali modi le energie chiamate Angeli possano richiedere non ai bambini stessi, ma *ai loro genitori o educatori* certi atteggiamenti, certi riguardi – diversi per ciascun periodo angelico – che aiutino i bambini a scoprire e a dare il meglio di sé. Non mi ha neppure sfiorato l'idea di fornire indicazioni su come educare i piccoli, sia perché non ne so abbastanza di psicologia infantile, sia soprattutto perché dubito fortemente che l'educazione come la si intende di solito, cioè come una serie di influssi che dagli adulti debbano arrivare ai bambini, sia una buona cosa per gli uni e per gli altri: sono invece convinto, da come va il mondo, che sarebbe incomparabilmente meglio il contrario, e cioè che gli adulti imparino dai piccoli e ne subiscano il maggior numero di influssi possibile. E qui di seguito fornisco quasi soltanto suggerimenti a tal fine, Angelo per Angelo, per bambini e ragazzi da zero a tredici anni.

1
Wehewuyah

Dal 21 al 26 marzo

Io, io, io: abituatevi, non c'è nulla da fare, i Wehewuyah sono così fin da piccoli e lo saranno per sempre. Non è banale vanità, è espressione irresistibile della loro enorme energia. Va temperata non con esortazioni alla modestia, o peggio ancora con gesti di insofferenza, ma semmai offrendo il più spesso possibile ai piccoli Wehewuyah occasioni per confrontarsi con gli altri.

Indirizzateli a qualche sport competitivo, meglio ancora se di squadra: e mostrate di apprezzare in egual misura i risultati che ottengono e la loro cooperazione con i compagni. Aver fiducia in se stessi è e sarà per loro altrettanto importante quanto l'averne negli altri; a tale riguardo, sappiate essere un esempio anche voi, nel vostro modo di trattare gli amici: il rischio principale dei Wehewuyah è che la loro indiscutibile supremazia fisica e intellettuale li faccia sentire non solo esclusivi, ma esclusi. Allenateli invece alla cordialità, e magari anche a un senso di fraternità, se ne siete capaci. Contribuirete a farli diventare, da grandi, ottimi leader, facili da amare.

2
Yeliy'el

Dal 26 al 31 marzo

Sono intellettuali fin da bambini: vi spiazzano non solo con le loro domande, ma con le risposte meditate e precise che sanno darvi, oltre che per l'attenzione con la quale ascoltano, osservano e – chiarissimamente! – elaborano tra sé e sé opinioni su ciò che dite e fate, non sempre lusinghiere per voi. Per vostra fortuna hanno anche molta pazienza, per lo più. A volte si direbbero addirittura troppo saggi, quasi senili: così poco aggressivi, così pensosi... Leggono e disegnano per troppe ore. I giochi consueti li annoiano. E certi giorni non è escluso che vi sembri di avere in casa non dei bambini, ma dei piccoli ET, sempre collegati con il lontanissimo pianeta d'origine. Non forzateli a comportarsi diversamente, a «scatenarsi» ogni tanto e altre cose del genere. Si sentirebbero incompresi. Lasciateli fare, ammirateli, e soprattutto abituatevi a chiedere le loro opinioni sugli argomenti più svariati: il più delle volte, vi suggeriranno ottime idee, da usare nelle discussioni con i vostri conoscenti – e farete un figurone!

3
Ṣeyiṭa'el

Dal 1° al 5 aprile

L'INFANZIA è entusiasmante e utile, per i Ṣeyiṭa'el: da bambini, infatti, possono sognare indisturbati, immaginarsi come intrepidi combattenti, gioire per interi pomeriggi giocando con i soldatini, sperimentare duelli cavallereschi con qualche coetaneo. Non si commetta l'errore moralistico di negare ai piccoli Ṣeyiṭa'el le armi-giocattolo! Potrebbero volersi risarcire usandone di vere, da adulti. Li si lasci fantasticare e recitare quelle fantasie: presto il mondo comincerà a raffreddare il loro ardore, e molto, nel loro futuro, dipenderà dalla forza che quei miti infantili avranno saputo educare in loro. Saranno individui tanto più attivi e felici quanto più sapranno tener vivo in sé quel bambino-eroe antico. Li si guidi, piuttosto, alla scoperta di epoche passate, magari con la scusa di voler arricchire i dettagli di qualche gioco di guerra: e facilmente susciterete in loro una passione per la storia e per la cultura in genere – che da adulti useranno come corazza contro la banalità, il vuoto, la noia. Quanto invece al rendimento scolastico, ci si prepari pure a rassegnarsi: due insegnanti su tre sembreranno irrimediabilmente mediocri al piccolo Ṣeyiṭa'el – capi incapaci, secondo i suoi criteri di giudizio – e non esiterà a punirli, mostrandosi mediocre a sua volta, per sdegno.

4
'Elamiyah

Dal 5 al 10 aprile

SONO e rischiano di restare insicuri: tocca a voi premunirli. Evitate che si abituino a cercare sconfitte con le quali giustificare le proprie timidezze; non è difficile: basta che non diate importanza né alle sconfitte né alle vittorie, né in generale all'opinione che chiunque altro possa avere di loro. Insegnategli una cosa che, con il passare del tempo, apprezzeranno moltissimo: «Tu sei tu. Non ragionare mai con la testa altrui!» Il loro intuito, infatti, è talmente forte da somigliare alla telepatia, vedono gli animi e i pensieri come noi vediamo i volti: è un dono magnifico, ma causerà enormi problemi se daranno più peso a queste percezioni, cioè alla mente, alle emozioni, ai sentimenti degli altri, che non alla fiducia in se stessi. Ascoltate perciò attentamente ogni loro parere, insistete perché lo precisino, fateglcapire che è importante per voi, sia che si parli del gusto di un cibo o del loro giudizio su un amico, o su un insegnante. Diverranno ben presto dei piccoli profeti, e le loro strane doti non faranno che crescere con il passare del tempo.

5
Mahašiyah

Dal 10 al 15 aprile

È BENE che si tenti di smuovere almeno un po' i piccoli Mahašiyah dai loro modi da bonzi: così buoni d'animo, così contemplativi, così incredibilmente generosi e indifesi, tra i loro coetanei spesso feroci. Sono bambini dalla pelle dura, questo è certo; reggono bene allo stress della loro misteriosa superiorità morale, che molti scambiano per intorpidimento. Ma, prima di lasciarli crescere secondo la natura tanto astratta del loro Angelo, mamma e papà propongano loro esperienze formative come l'atletica, le arti marziali o qualche sport ancora più rude, come il rugby o la pallanuoto. Li coinvolgano, anche, in qualche decisione concreta: lascino che siano loro a stabilire le regole di qualche gioco, o a scegliere quale regalo comprare per il compleanno di un famigliare o di un amichetto. Forse servirà a movimentare un po' il loro animo, troppo simile se no a un mare in bonaccia. E se non dovesse portare a nulla, tant'è: c'è chi è nato per cercare o sognare soltanto il sublime. Magari, più avanti, sarà prudente aiutarli ad approdare a un lavoro fisso; poi sia come sia, nel resto provvederà l'Angelo per loro.

6
Lelehe'el

Dal 15 al 20 aprile

I GIORNI peggiori per i bambini Lelehe'el sono quelli in cui non riescono a essere i primi della classe, o i più bravi in qualche gioco. Non va sottovalutato il dolore che provano: è grande e profondo, quindi consolateli. Spiegate con voce calma e sicura che niente aiuta a godersi le vittorie più di qualche sconfitta ben affrontata; che c'è una cosa utilissima che si chiama «sfida» e che la cosa più bella di tutte è sfidare non gli altri ma se stessi: trovare i propri punti deboli e rafforzarli – e le sconfitte sono in ciò di grandissimo aiuto. Se lo ricorderanno per tutta la vita, specialmente se sarete abbastanza abili da tagliar corto prima che vi domandino: «E tu allora perché non fai così?» Per il resto non c'è da preoccuparsi: i bambini Lelehe'el hanno talenti, risorse e intuizioni che gli adulti nemmeno si sognano. Magari, data la loro Energia T (che in loro è davvero grande e impaziente), ditegli che sareste molto contenti se facesse il medico o l'attore. Poi godetevi lo spettacolo del piccolo conquistatore che anno dopo anno dispiega il suo potenziale.

7

'Aka'ayah

Dal 21 al 25 aprile

NON preoccupatevi quando avranno cadute d'umore, e fate in modo che non se preoccupino neanche loro: per gli 'Aka'ayah, piccoli o grandi, è un fatto fisiologico. Non cercate, soprattutto, di ravvivarli quando sono giù, non rimproverateli se in quei momenti piagnucolano o sono abulici: abbiate pazienza, passerà; e nel frattempo adeguatevi: parlate dolcemente e sottovoce, abbondate in carezze, date loro ragione se si lamentano di qualche circostanza precisa (semmai, aiutateli a precisarla), guidateli insomma il più tranquillamente possibile attraverso il periodo di crisi, che sarà tanto più breve quanto meno gli si opporrà resistenza. Poi, da un giorno all'altro, li ritroverete indaffaratissimi, pieni di energie e di curiosità. Non date retta a nessuno psicologo dell'infanzia che tenti di normalizzarli, o che usi termini tecnici per spiegare questa alternanza di fasi. Imparate piuttosto, insieme con i piccoli 'Aka'ayah, a utilizzarla: notate con quanta profondità scoprono i lati tristi del mondo durante i momenti cupi, e con quanta grazia e coraggio sanno divincolarsene e riprendere a sorridere quando ricomincia il periodo buono. Lodate queste loro dimostrazioni di forza d'animo: è allora che sono veramente se stessi, e prendetene esempio anche voi.

8
Kahete'el

Dal 25 al 30 aprile

OCCORRE fare in modo che i piccoli Kahete'el non si sentano povere Cenerentole, anche perché, non di rado, risulta che siano proprio loro le sorellastre invidiose. L'invidia è il loro «guardiano della soglia», l'ostacolo, cioè, che devono superare per poter scoprire e rivelare le loro grandi qualità: perciò, guardatevi bene dal fare preferenze o anche soltanto paragoni tra i bambini Kahete'el e i loro fratelli, o i loro amichetti. Circondateli di affetto, rassicurateli il più spesso possibile, ma soprattutto insegnate loro (anche con l'esempio) la bella abitudine di rallegrarsi con chi riesce bene in qualcosa, di gioire con chi gioisce, e l'abitudine ancor migliore di rattristarsi vedendo persone tristi. Non è facile, si sa. C'è, ovunque, la strana tendenza a pensare che nel mondo la quantità di felicità disponibile sia limitata, e che perciò chi ne ha un po' di più stia togliendo qualcosa agli altri. Vincete questa tendenza in voi stessi, se ne siete stati contagiati, e aiutate i piccoli Kahete'el a difendersene. Da grandi, se tutto va bene, saranno fate generose: è bene che si preparino per tempo.

9
Hasiy'el

Dal 1° al 5 maggio

Sono bambini saggi e, soprattutto, molto contenti di essere bambini. C'è anche, a ben guardare, una punta di senilità in quella loro contentezza: come se fossero persone già molto esperte della vita, che per un qualche incantesimo gentile siano stati ritrasportati nell'infanzia. Il modo migliore per ottenere il loro affetto è, di conseguenza, diventare voi stessi un po' bambini insieme a loro: giocare insieme, seduti per terra, disegnare insieme, sfogliare i libri insieme, conversando con loro da pari e pari e (soprattutto) chiedendo a loro le spiegazioni di qualcosa che fingete di non capire, o che magari vi accorgete di non aver capito davvero. La loro saggezza si svilupperà rapidamente, e non cesserà di sorprendervi. Al contempo, evitate il più possibile di rimproverarli: è raro che ce ne sia veramente bisogno; nove volte su dieci scoprireste, prima o poi, di aver sbagliato voi, ad alzare i toni, e quell'unica volta in cui ce ne sarebbe potuto essere motivo, con un pacato ragionamento avreste ottenuto infinitamente di più, da questi piccoli filosofi.

10
'Aladiyah

Dal 6 all'11 maggio

SONO più indifesi di Cappuccetto Rosso: fiduciosi, avidissimi di scoprire il mondo degli adulti, e soprattutto impazienti di trovare guide e modelli da prendere sul serio. Qualunque cattiva compagnia può perciò facilmente plagiarli, qualunque insegnante scadente può determinare in loro un *imprinting* che durerà per decenni, se i loro genitori o fratelli maggiori saranno in quel periodo un po' distratti. Dunque teneteli d'occhio; spiegate loro, accuratamente, che nel mondo ci sono moltissimi lupi cammuffati in varie maniere (e anche topi, serpenti, scorpioni ecc.) e che evitarli non è poi così difficile: occorre soltanto non farsi troppe illusioni. E un altro consiglio: incoraggiate i piccoli 'Aladiyah all'amore per la lettura, la pittura, la musica; l'epoca attuale non favorisce queste occupazioni: ma della Bellezza con la maiuscola gli 'Aladiyah hanno bisogno come dell'aria – perché solo attraverso l'amore per la Bellezza impareranno a riconoscere le persone veramente buone, luminose, ammirevoli.

11
La'awiyah

Non hanno particolare bisogno d'aiuto, questi futuri protagonisti fortunatissimi: ma se proprio volete fare qualcosa per loro, cercate di suscitare nel loro animo il maggior numero possibile di dubbi. Con cautela, badando bene a non sgomentarli troppo, esortateli a scorgere le contraddizioni della vita adulta, i vizi, le inerzie, i tic, le insincerità e anche, perché no, l'ottusità, e soprattutto le ingiustizie e le crudeltà che i normali cittadini infliggono quotidianamente a se stessi. Aiutateli insomma a *non* approvare il mondo così com'è, lo *status quo*: poiché prima impareranno a prenderne le distanze e meglio sarà per loro. Non temete che diventino dei pericolosi ribelli. Non corrono questo rischio. Da temersi, piuttosto, è il loro conformismo: una volta scardinato quello, il loro Angelo saprà condurli rapidamente e impetuosamente verso quei grandi successi per i quali sono nati.

12
Haha'iyah

Dal 16 al 21 maggio

Fin da piccoli, gli Haha'iyah criticano e si criticano troppo: è come se volessero convincersi che nessuno – a cominciare da loro stessi – meriti veramente stima. Da un lato, questa tendenza ha qualche vantaggio: li tiene al riparo sia dalle facili illusioni sia anche dalla presunzione; sviluppa la loro curiosità verso gli altri, il loro intuito, la loro capacità di riflessione. Ma d'altro lato, il rischio è che si abituino a esitare, o peggio ancora a sentirsi sconfitti in partenza, e a pretendere troppo poco dalla loro esistenza. Nel film più famoso dell'Haha'iyah Frank Capra, *La vita è meravigliosa*, solo l'intervento di un Angelo salva il protagonista da un accesso di questo pessimismo. Studiatevi bene quel film: il vostro compito sarà molto simile a quello dell'Angelo di Capra. Si tratterà cioè di spiegare ai bambini Haha'iyah che *portano fortuna*, o, se preferite un termine meno romantico, che *irradiano energia*. Ditegli per esempio: «Ma sai che quando ti vedo sto subito meglio?» Così, il loro spirito critico diventerà soltanto la premessa al dispiegamento delle loro bellissime qualità. Il mondo così com'è è deludente? È bene che se ne accorgano, e che sappiano che dipende anche da loro farlo diventare migliore. Non si sentono pronti a fare qualcosa che a loro interesserebbe? Ottimo: è un buon motivo per prepararsi meglio!

13
Yesale'el

Dal 21 al 26 maggio

PARLATE spesso d'amore ai piccoli Yesale'el, e metteci molta poesia: abituateli a parole come «tenerezza», «dolcezza», «comprensione», «generosità». Preparateli così all'inevitabile impatto con le informazioni, spesso brutali, che i loro coetanei cominceranno presto a divulgare sul rapporto tra i sessi; e quando ciò avverrà, intervenite impavidamente a sostenere il primato del sentimento sulla semplice curiosità sessuale. Per irrobustire il loro animo, vulnerabilissimo da questo lato, non c'è altro modo se non il prenderlo estremamente sul serio: se non si sentiranno informati sugli aspetti maiuscoli dell'Amore, non potranno che apparire disperatamente ingenui, e fragili (e in questo caso c'è anche il rischio che rimangano tali a lungo!). D'altra parte, essendo lì *l'unico punto debole* del loro carattere, una volta che sarete riusciti a corazzarli sulle questioni di cuore li vedrete crescere coraggiosi, lucidi, vivaci, e soprattutto creativi: vi basterà un «bravo!» ogni tanto, e potrete stare tranquilli.

14
Mebahe'el

Dal 27 al 31 maggio

IL SENSO di giustizia può esporre i bambini Mebahe'el a non pochi traumi precoci: è sufficiente un insegnante ottuso o qualche compagno prepotente per imprimere in loro delusioni difficili da rimarginare. Evitate che si convincano che purtroppo così va il mondo. Esortateli al coraggio di protestare: prima imparano a farlo e meglio è. E ancor più utile è aiutarli (anche con l'esempio, certo) a cercare qualche valore fondamentale: è probabile che nel mondo fatichino a trovarne, e ne avranno ben presto un gran bisogno. Anche le punizioni, purché ragionevoli, saranno loro d'aiuto: il fatto che su certe cose non si scherzi avrà l'effetto di rassicurarli. Ma attenzione a non mancare mai di premiarli quando lo meritano: diventereste ingiusti ai loro occhi, e in capo a qualche anno perdereste tutto il loro rispetto.

15
Hariy'el

Dal 1° al 6 giugno

Sono ansiosi. Hanno sempre la sensazione di non stare facendo la cosa giusta: se giocano, li preoccupa il pensiero di dover fare i compiti; se fanno i compiti, temono che qualche amichetto avrà da ridire perché lo trascurano; e se giocano e fanno i compiti insieme a quell'amichetto, temono che a sentirsi trascurati da loro siano la mamma o il papà, e così via all'infinito. Rassicurateli, spiegate loro – e dovrete ripeterlo un'infinità di volte – che c'è tempo per tutto e che non occorre affrettarsi. Abituateli, inoltre, a concentrarsi: a non correre a fare qualcos'altro mentre stanno guardando un film, a non pensare a casa quando siete in gita e così via. Se vi accorgete di non saperlo insegnare, o addirittura di dare il cattivo esempio in questo genere di cose, avviateli a uno sport come il tennis o il ping pong: è molto importante che imparino a non distrarsi facilmente, a vivere appieno il *momento presente*, mettendoci tutto di sé; e non è escluso che, con il colpo d'occhio che li caratterizza e per cui da grandi saranno famosi, diventino in poco tempo dei campioni.

16
Haqamiyah

Dal 6 all'11 giugno

Lo sport innanzitutto, e con passione: uno sport individuale, possibilmente, che imponga concentrazione, accurato allenamento e una buona dose di tensione prima della gara. È bene che gli Haqamiyah imparino fin da piccoli il gusto dello scatto, dell'esplosione di energia, della lotta contro la pista e il traguardo. Inoltre, anche se qualche vostro brutto ricordo personale potrebbe suggerirvi il contrario, siate severi per tutto ciò che riguarda il profitto scolastico: esigete che i compiti siano fatti con il massimo scrupolo e senza distrazioni; insistete soprattutto sulla calligrafia, sull'ordine, come un arbitro insisterebbe sul rispetto assoluto delle regole in una partita; e mostrate di comprendere e di ammirare il loro sforzo, premiateli generosamente ogni volta che nei loro quadernetti troverete una pagina accurata. Già da piccoli gli Haqamiyah danno il meglio di sé quando sono sotto pressione, e senza una qualche costrizione si sentono sperduti: educateli a non temere queste forme di disciplina *finalizzate a uno scopo preciso*. Impareranno, così, a disprezzare le imposizioni d'altro genere, fine a se stesse o del tutto insensate, che sono frequenti nella società civile: tabù, preconcetti, conformismi, superstizioni, sudditanze – in cui tanti Haqamiyah, piccoli e grandi, restano dolorosamente imbrigliati, in mancanza di meglio.

17
La'awiyah

Dall'11 al 16 giugno

FATE il possibile per non stupirvi troppo degli strani poteri dei piccoli La'awiyah: non allarmatevi se hanno precognizioni, o vi leggono nel pensiero, o dicono di aver visto esseri strani in giro per casa. Per loro è normale; ma diventerebbe un grosso problema se voi vi rifiutaste di ammetterlo e di capirlo: si sentirebbero inferiori, diversi, sbagliati… Viceversa, quando noterete in loro qualche percezione speciale, incoraggiateli a descriverla, a precisarla. Lì per lì, avrete la piacevole esperienza di un'inversione di ruoli: sarete voi ad ascoltare le loro fiabe – mentre nelle case dei vostri amici sono gli adulti a raccontarle. Poi, via via che i piccoli La'awiyah si sentiranno più sicuri di sé, sentiranno il bisogno di esprimere meglio le loro esperienze meravigliose: e la loro creatività avrà un irresistibile sviluppo – che potrà durare anche tutta la vita, quale che sia il campo in cui sceglieranno di adoperarla. Certo, non potrete pretendere obbedienza da questi esploratori dell'Aldilà: saranno troppo occupati a scoprire leggi di mondi diversi, per prendere sul serio le regole del mondo quotidiano. Ma sanno compensare le loro tendenze anarchiche con grandi quantità di affetto: accettate anche questa loro espansività – e cresceranno vigorosi e ottimisti.

18
Kaliy'el

Dal 16 al 21 giugno

Hanno mille interessi, sognano altrettante carriere. Non commettete l'errore di pensare che siano incostanti: sono semplicemente universali. I loro talenti e la loro energia sono talmente grandi, che nessuna occupazione potrebbe mai esaurirli. Dunque non abbiate fretta di dire «No» se vi chiedono di comprare pennelli e colori, e poi uno strumento musicale, e poi il Piccolo Chimico, e il Piccolo Medico, e un gioco di costruzioni, e i burattini, e così via. Riflettete: ci sono buone probabilità che, da adulti, pratichino una dopo l'altra una quindicina di professioni o passioni, e tutte con discreto successo; oppure che si scelgano una specialità che richieda moltissime conoscenze (dal filosofo, al grande psicoterapeuta, all'audace imprenditore). Dunque è meglio che comincino a far esercizio per tempo. Un'altra possibilità, cupa, è che passino interi decenni a smaltire le frustrazioni accumulate durante l'infanzia, per colpa di qualche genitore o insegnante incapace di riconoscere la multiformità del loro genio. Cosa preferite? Non è meglio sopportare adesso lo stress della loro iperattività e ipercuriosità, e sentirvi via via sempre più fieri di loro, per tutti gli anni a venire?

19
Lewuwiyah

Dal 22 al 27 giugno

PASTELLI, acquerelli, carta in quantità, e un po' più avanti una scatola di colori a olio, grossi pennelli e tela a metri; o, se gli piace la musica, una chitarra e poi altri strumenti a sua scelta: e per qualsiasi cosa riesca a *portare a termine* con uno di questi oggetti, non risparmiate le lodi, appendete i suoi disegni e quadri, oppure chiedete – con aria assorta – di ripetere ancora una volta quei due o tre accordi che gli erano riusciti tanto bene. E se vedete che l'esperimento funziona, alle prime delusioni scolastiche lasciatevi pure scappare la frase: «Sono ben altre le cose importanti...» alludendo chiaramente al suo talento artistico. Gli renderete un meraviglioso servizio. Nessuno più d'un genitore può deprimere la creatività d'un bambino; nessuno più d'un genitore la può incoraggiare: e tenuto conto del fatto che l'arte sarà poi la sua unica vera attività nella vita, saprete di aver fatto per il piccolo Lewuwiyah la cosa principale. Più avanti verranno i libri o la tecnologia, e allora se la caverà da solo. Ma è nell'infanzia che si forma il coraggio, per chi è destinato a creare. Ed è così semplice, e piacevole anche, essere il suo primo pubblico.

20
Pehaliyah

Dal 27 giugno al 2 luglio

DA grandi, se tutto va bene, saranno esploratori, colonizzatori e ingegneri di quelle immense energie che la quasi totalità dell'umanità riesce a definire soltanto: sessuali. Ma è utile che qualcuno li protegga, da bambini, dalle quasi altrettanto immense sciocchezze che gli adulti pensano e dicono sulla sessualità, e dalle patetiche superstizioni con cui se ne difendono. È, beninteso, difficilissimo: non basta dare informazioni, occorre ascoltare le domande dei piccoli Pehaliyah, sia quelle che riescono a formulare, sia e più ancora quelle che rimangono nel loro sguardo. E le risposte, poi, sarà bene cercarle *insieme con loro*, perché il loro desiderio di conoscere è più grande del nostro. Non ne abbiate paura, e non limitatelo! Ogni vostro imbarazzo riguardo a questo argomento rischia di trasformarsi, nel loro animo, in un abisso angoscioso: e faticheranno più di chiunque altro, a conviverci o a illuminarlo un po'. Facilitategli invece il compito, riflettendo sulla vostra esperienza, piccola o grande che sia. Ne sarete largamente ricompensati: riscoprire da adulti il sesso con il coraggio e la genialità di un bambino Pehaliyah produrrà in voi un delizioso rinnovamento, risolvendovi problemi che nemmeno sapevate di avere.

21
Nelka'el

Dal 2 al 7 luglio

SBUFFANO, piagnucolano, fanno il muso: i piccoli Nelka'el si specializzano presto in tutto il repertorio delle simulazioni d'infelicità. Non date loro corda, non lasciate mai che ingigantiscano i loro problemi; ricorrete invece il più spesso possibile alla saggezza e all'umorismo: insegnate loro a sorridere di quel che sembra andar storto, e a trovare il lato comico dei conflitti – ce n'è sempre uno, infatti. Solo di tanto in tanto, quando si presenta l'occasione giusta (un loro rivale particolarmente pestifero, o un'ingiustizia scolastica particolarmente cocente), difendeteli con fermezza e fino al trionfo definitivo; dopodiché dedicate un po' di tempo a ragionare con loro sui dettagli della vicenda e sulle altre soluzioni, peggiori e migliori, che si sarebbero potute adottare. Il vittimismo dei piccoli Nelka'el va affrontato con il massimo impegno, perché non diventi un fenomeno isterico o depressivo durante l'adolescenza e poi ancora più avanti: aiutateli invece a intenderlo come il primo segnale di quel battagliero amore della giustizia, che ai migliori Nelka'el garantisce appassionanti carriere. Diventeranno, in tal modo, paladini e non puntaspilli; eroi e non cercatori di sconfitte, di psicanalisti o di consolatori a tempo perso.

22
Yeyay'el

Dall'8 al 12 luglio

IL peggior nemico dei piccoli (e a volte anche dei grandi) Yeyay'el è la tendenza a giudicare male gli altri: non è solo superbia, ma nasconde in sé, e serve a giustificare, la loro profonda paura ad avventurarsi nel mondo. Incoraggiateli perciò a valutare bene il prossimo, riflettendo senza fretta sui caratteri e i comportamenti. E al tempo stesso aiutateli a *non* fidarsi troppo di sé, a non aver fretta a ritenersi esperti: «C'è sempre tanto da imparare nel mondo!» è una frase da ripetere spesso, in loro presenza. Così, c'è buona probabilità che da scettici comincino a diventare curiosi, e che prendano gusto alla psicologia. A quel punto, con grande delicatezza, provate a far loro apprezzare la distanza da casa: le gite siano veramente i momenti *clou* del mese, posti nuovi, gente nuova da vedere e capire! Ma con grande cautela, davvero, e facendo rapidissime retromarce non appena notate in loro la nostalgia di casa. Bisogna che *amino* davvero le scoperte, non che si sentano costretti a compierle: altrimenti, se insisterete un po' più del necessario, sarà inevitabile che si mettano a giudicare male anche voi.

23
Milahe'el

Dal 13 al 18 luglio

IL miglior obiettivo da porsi con i piccoli Milahe'el è tra i più ardui, per un genitore: si tratta nientemeno che di insegnare loro a disobbedire, e possibilmente a dare ordini. Certo, non ci si potrà arrivare semplicemente imponendo loro di recalcitrare: sarebbe un controsenso e ne verrebbe soltanto confusione. Ma, con tutta la discrezione di cui siete capaci, suggerite loro l'idea che spesso gli adulti si sbagliano, e che può capitare *che cambino idea*, specialmente quando sono un po' più intelligenti della media. Educateli anche alla critica (offrendovi magari eroicamente come cavie), all'autonomia di giudizio e a graduali ma sempre più nette assunzioni di responsabilità. Non preoccupatevi, peraltro: non c'è il rischio che facciano troppi progressi in tal senso, in troppo breve tempo. L'eccesso di obbedienza è un loro vizio congenito, radicatissimo, e dovrete faticare per scalzarlo; ma sarà un modo assai originale di essere genitori, divertente e pieno di belle complicità.

24
Ḥahewuyah

Dal 18 al 23 luglio

AVVENTURA, imprevisti, sfide e traguardi saranno sempre, per gli Ḥahewuyah, sinonimi di fortuna, ed è dunque bene che imparino ad apprezzarli fin da piccoli. Rinunciate perciò a qualsiasi progetto di vita sedentaria: riscoprite o scoprite boschi e campi sportivi, colazioni al sacco, sacchi a pelo, notti stellate e mari d'inverno – chiedendo magari consiglio ad amici pescatori, raccoglitori di funghi o appassionati di trekking. Mal che vada, se piove e proprio non ve la sentite, rimediate con le occasioni d'avventura che può offrirvi la città: il teatro, per esempio (che è una grande emozione per i bambini), o la salita sulla cattedrale, o sulle mura della fortezza, narrando storie avventurose, che facciano sembrare il luogo interessantissimo. È molto importante che l'immensa energia dei piccoli Ḥahewuyah trovi robusto alimento esteriore: li aspettano, ben presto, strane scoperte nel profondo del loro animo, e le abilità necessarie all'introspezione sono esattamente le stesse che occorrono per l'esplorazione del mondo circostante. Nell'uno e nell'altro caso, si tratta pur sempre di non temere l'ignoto, di sperimentare nuovi punti di vista, di sapersi stupire. Tutte cose che gioveranno d'altronde anche voi, statene certi.

25
Nitihayah

Dal 23 al 28 luglio

A MENO che non siate esperti di esoterismo, psicologia del profondo o teologia, abbandonate serenamente l'idea di poter essere, per i piccoli Nitihayah, qualcosa di più di figure adulte a cui voler bene: saranno streghe, da grandi, lo sono già un po' ora, e in quel che sapete voi non c'è nulla che possa tornare utile alla loro misteriosa vocazione – o che addirittura non la possa ostacolare, che voi ve ne accorgiate o no. O forse sì, un modo c'è per aiutarli nel loro cammino: chiedete che vi diano una mano, per gioco dapprima, poi anche sul serio, con quei piccoli ma preziosi aiuti magici che un bambino può dare a un adulto in difficoltà – una carezza, un bacio, un forte abbraccio che comunichi energia. Capiranno perfettamente. Poi, se ci riuscite (ma alla maggioranza degli adulti è chiedere veramente troppo), mostratevi saggi e amanti del bene, imperturbabili e gentili, in armonia con chi amate, generosi con gli altri, e coraggiosi e aperti alle novità: impersonate insomma il buon mago o la buona strega, come li si vede nei film. Potrete così, in futuro, rallegrarvi al pensiero di avere assomigliato un po' a come i Nitihayah diverranno all'epoca del loro successo.

26
Ha'a'iyah

Dal 28 luglio al 2 agosto

Da piccoli si comportano volentieri da capi, condottieri o primi ministri. Ma le probabilità che da adulti gli Ha'a'iyah diventino dei veri leader sono direttamente proporzionali al loro amore per l'onestà, che è bene imparino il più presto possibile: gli imbrogli, infatti, li rendono insicuri – come se qualcosa, in loro, desiderasse oscuramente la punizione ogni volta che ne commettono. Pretendete, perciò, e date loro esempi di integrità. Condannate con fermezza (anzi, meglio ancora: con disprezzo) qualsiasi mascalzonata di cui sentiate parlare nei notiziari televisivi o nel vicinato. Abituatevi e abituateli a usare parole importanti, come Fiducia, Legge, Rispetto, senza lasciar dubbi sul fatto che per voi le si debba scrivere con la maiuscola. E, naturalmente, premiateli con gioia e generosità ogni volta che dimostreranno di aver imparato queste lezioni. Per quanto tutto ciò possa sembrarvi extraterrestre al giorno d'oggi, farete loro un gran bene e i risultati lo confermeranno: se avrete istillato nei piccoli Ha'a'iyah l'ideale del Galantuomo, le loro travolgenti qualità di comunicatori e conquistatori politici non tarderanno a manifestarsi, fin dall'asilo, e non dovrete far altro che godervi lo spettacolo.

27
Yerate'el

Dal 3 al 7 agosto

Sono assetati d'amicizia, e generosi: lasciate che sviluppino al massimo queste qualità. Lodateli abbondantemente per ogni loro gesto di altruismo, ascoltateli con attenzione quando parlano dei loro amichetti, non permettete che dubitino del loro senso di fraternità, o che cerchino di reprimerlo perché non ne trovano altrettanto negli altri bambini. Dubbi simili li farebbero diventare rapidamente cinici, cupi e inconcludenti, come lo sono sempre gli idealisti delusi. Aiutateli, invece, a brillare, a sentirsi belli in mezzo ai coetanei, a curare l'abbigliamento, la pettinatura, le unghie, perché in nessun modo, neppure nel loro aspetto, possa intrudersi il loro peggior nemico: la paura di non essere accettati dal gruppo. Noterete poi (è inevitabile negli Yerate'el) che sono facilmente litigiosi e a volte maneschi, ma non frenateli nemmeno in questo: è solo un eccesso di entusiasmo sociale; provvedete magari a drenare i loro *animal spirits* con un'abbondante attività sportiva, e per il resto lasciate pure che si facciano rispettare. Attenzione inoltre *a non esagerare mai nei rimproveri*: gli Yerate'el sono tra gli individui più soggetti a dolorosissimi sensi di colpa. Quando occorre, date loro punizioni nette e brevi, poi subito un sorriso.

28
Še'ehayah

Dall'8 al 14 agosto

REGALATE ai piccoli Še'ehayah, appena possibile, *Le avventure di Pinocchio*: meglio ancora se gliele leggerete voi, divertendovi e commentando qua e là, senza cadere mai nel facile moralismo. Rischierete di avere in casa dei piccoli anarchici, di venir convocati spesso dagli insegnanti: poco male! Sarebbe infinitamente peggio se gli Še'ehayah venissero ammaestrati fin da piccoli a reprimere le loro tempestose energie: non servirebbe a nulla, se non a provocare scoppi assai più disastrosi, accompagnati per di più da un grande e inutile senso di colpa e di inadeguatezza alla vita civile. La civiltà ha invece sempre bisogno di qualcuno che scuota un po' le situazioni, che mandi all'aria le carte, e che nel farlo sia disposto anche a correre qualche rischio. Da grandi, toccherà a loro. E per completare la preparazione, non sarebbe male convogliare la loro aggressività entro le regole di qualche *war game*, giusto per scoprire che anche nella distruzione ci vogliono metodo e stile, obiettivi, psicologia, pazienza...

29
Reyiy'el

Dal 14 al 18 agosto

ARMATEVI di buona volontà e impegnatevi lucidamente perché
i piccoli Reyiy'el non vi rimangano attaccati addosso più del
necessario. Potete farcela: dosate saggiamente grande affetto
e ancor maggiore fiducia, consigli pazienti e incoraggiamenti
a cavarsela da sé, parlate con disprezzo dei figli di papà e dei
mammoni, lodate invece sistematicamente qualsiasi esempio
di *self-made man*, da Paperon de' Paperoni ad Aladino... Batti
e ribatti, anche se all'inizio vi sembrerà un'impresa disperata,
riuscirete a instillare qualche dubbio sul fatto che l'unica loro
possibilità di sopravvivenza consista nel dipendere da voi o da
qualcun altro che faccia le vostre veci. Dopodiché non demorde-
te: esortateli a comportarsi *diversamente da voi*, a trovare passioni e interessi che non abbiano nulla a che vedere con i vostri. Più
avanti sosterrete con calore l'idea di *stage* all'estero, e via di questo passo. I Reyiy'el hanno tutte le carte in regola per conquistare
alte vette, nella loro vita, se solo si ha cura di farli uscire, senza
rimpianti e nostalgie, dal loro lunghissimo periodo di svezzamen-
to: falliscono inevitabilmente, se no, in modo più o meno ridicolo
o tragico. Animo, dunque; non lasciatevi tentare.

30
'Omae'el

Dal 18 al 23 agosto

Tutti i bambini ci guardano, si sa, ma i piccoli 'Omae'el vi radiograferanno addirittura. Hanno fame di genitori magnifici, vogliono imparare a costruire una famiglia tanto quanto i loro coetanei vogliono imparare a giocare a calcio, e se non troveranno in voi quel che cercano, guarderanno altrove: il mondo è pieno di surrogati di mamma e papà, sacerdoti, insegnanti, allenatori eccetera, che invece di famiglie insegnano a formare parrocchie, scolaresche, squadre o altro del genere. Prima di cedere ad altri il privilegio di influenzarli, provate a dare il meglio di voi, tenendo sempre presente che un genitore magnifico non è necessariamente un genitore perfetto. Perché i piccoli 'Omae'el vi adorino è sufficiente che voi *ci siate* e che siate il più possibile autentici in ogni occasione. Tenete anche presente che, paradossalmente, il miglior genitore è proprio quello che dà meno importanza al proprio ruolo, e che vede nei bambini non dei figli ma dei compagni di vita. Condividete con loro il più possibile – passioni, dubbi, problemi, curiosità – e gli darete la più bella lezione che un 'Omae'el possa desiderare: scoprire che i genitori sono soltanto un tipo particolare di fratelli, e che quella Grande Madre o quel Grande Padre che gli 'Omae'el cercano è solamente dentro di loro, e ha come famiglia il mondo intero.

31
Lekabe'el

Dal 24 al 28 agosto

PRECOCISSIMI, curiosi, intelligenti, sicuri di sé, i bambini Lekabe'el possono fare tranquillamente a meno della guida degli adulti. Non hanno bisogno né di modelli autorevoli, né di farsi spiegare i criteri di ciò che è giusto o sbagliato: il mondo, sia quello dei grandi sia quello dei coetanei, è per loro un'interessantissima foresta da esplorare e conquistare, e sentono di avere già tutti i mezzi necessari per farlo. L'unico loro punto debole è semmai nella gran voglia di essere i primi della classe, e i prediletti in casa. Hanno bisogno di lodi, e solo dosandole il genitore o l'insegnante possono sperare di influire almeno un po' sulla formazione del loro carattere. Il più bel regalo che gli si possa fare è affidare loro un qualche incarico che solitamente tocchi agli adulti (fare il caffè, o condire l'insalata): e far sentire che ci si fida di loro, e poi mostrarsi fieri della loro bravura, quando l'hanno compiuto. Li educherete così, dolcemente, a quel che per loro più conterà nella vita: il successo; e a collegare il successo al benessere delle persone che amano – cosa, questa, che nel mondo difficilmente si impara.

32
Wašariyah

Dal 29 agosto al 2 settembre

SE non abitate in una regione saldamente ancorata alle sue tradizioni, se non appartenete a una famiglia patriarcale o matriarcale, e se non avete nemmeno trascorso gli ultimi anni nella devozione a un robusto ideale o a una religione, ebbene, è ora di rimboccarsi le maniche: i vostri piccoli Wašariyah hanno assoluto bisogno di una base solida di certezze – e non sperate di supplirvi ammonticchiando qualche bella opinione presa qua e là. Leggete, approfondite, riflettete. Aspettatevi domande molto precise e sguardi penetranti durante le vostre risposte. Sappiate inoltre che si ricorderanno *tutto*, e valuteranno spietatamente non soltanto quello che avrete detto, ma anche quello che avreste potuto dire se vi foste impegnati di più. Se credete che tutto ciò sia troppo per voi, la cosa migliore è confessarlo subito francamente: vi perdoneranno. Dopodiché potreste suggerire una qualche autorità a cui far riferimento (spesso in questi casi la scelta cade su un sacerdote, ma potrete trovare anche qualcosa di più originale); i piccoli Wašariyah terranno presente il vostro consiglio e si riserveranno di valutare personalmente. Vi faranno sapere. Non resta che aspettare e comportarsi bene nel frattempo, o perlomeno con assoluta sincerità. Questi giudici in erba vi tengono d'occhio. E non si lasceranno corrompere.

33
Yeḥuwyah

Dal 3 all'8 settembre

OCCORRE soltanto raccomandare, ai genitori degli Yeḥuwyah, discrezione e rispetto. A tutto il resto penseranno loro, questi piccoli miliardari che scalpitano in attesa di occasioni per farsi valere. Non interferite né nelle loro vicende scolastiche, né nelle loro numerosissime faccende personali: il loro istinto per il successo si rivelerà sicuramente più acuto e più lungimirante di qualsiasi vostro consiglio, e rischiereste nove volte su dieci di far la figura di quelli che non avevano capito. Aiutateli magari a dedicare un po' più di attenzione al rapporto con i fratelli: per evitare che questi li invidino, o che se ne sentano troppo surclassati; capita spesso, infatti, e gli Yehuwyah da bambini prendono la cosa troppo sottogamba. Se poi, più avanti, doveste sentirvi altrettanto surclassati voi da loro, fate in modo che lo si noti il meno possibile: applauditeli cordialmente, e sospirate felici.

34
Leheḥiyah

Dall'8 al 13 settembre

Aɪ piccoli Leheḥiyah insegnate soprattutto a ridere. Che sia bello lo sanno tutti; voi, in più, spiegategli che è un'arte, e che è sapienza: il riso esplora l'anima umana, ne dissolve le ombre, gli intralci, i terrori. È impossibile ridere senza crescere, senza capire qualcosa di nuovo e di sorprendente: e poiché il nuovo appassiona i Leheḥiyah più di qualsiasi altra cosa, troverete in loro non soltanto ottimi compagni ma anche, ben presto, maestri di risate. Ovviamente occorrerà che sia un ridere di prim'ordine: adoperate i film di Charlie Chaplin, Stanlio e Ollio, Buster Keaton e altri comici geniali, i classici dei cartoni animati e, appena possibile, i Simpson e Billy Wilder. Dal canto vostro, fate del vostro meglio per tutto ciò che riguarda le sorprese buffe, gli scherzi, le battute su chiunque. L'educazione dei piccoli Leheḥiyah diverrà, in tal modo, piacevolissima, e fornirete loro lo strumento principale quel bisogno di superare le vecchie certezze e i luoghi comuni, che fin dall'adolescenza diverrà la loro principale caratteristica. Tenete presente che, da grandi, o rideranno o saranno troppo seri. Meglio dunque che sviluppino da subito i muscoli del riso, la più bella di tutte le ginnastiche.

35
Kawaqiyah

Dal 13 al 18 settembre

I KAWAQIYAH impongono in casa, fin da piccoli, un duro gioco d'astuzia, una specie di corrida al contrario, nella quale il toro denuncia le persecuzioni subite dai toreri e ne trae pretesti per attaccarli. I tori naturalmente sono loro stessi; le persecuzioni sono spesso presunte, o esagerate ad arte; i loro attacchi invece sono veri, e anche la sofferenza che dietro a essi si avverte è autentica: l'animo dei piccoli Kawaqiyah è realmente lacerato da bisogni profondi, disperati talvolta – con i quali tuttavia voi c'entrate ben poco. Prendersela con voi non è che un modo improprio di chiedervi aiuto: non cascate nell'equivoco, non reagite alle provocazioni; anche se ci vorrà molta pazienza perché arrivino a capirlo, quell'angoscia dei Kawaqiyah è una questione puramente interiore, e devono imparare a dissolverla affrontando solo se stessi. Quando cominceranno a farlo, scopriranno la loro vocazione di grandi conoscitori dell'animo umano. Voi aiutateli evitando di dare, dal canto vostro, il benché minimo appiglio alla loro voglia di conflitti, e insegnando a smussare ragionevolmente ogni altro contrasto in famiglia. Impedite loro, a ogni costo, di immobilizzarsi nel ruolo della vittima, e vigilate perché non cerchino di proporsi in tale veste nemmeno con i loro coetanei. Sarà dura, ma non impossibile. E se più avanti, da adulti, avranno ricadute, ripensando al vostro sostegno ne verranno fuori molto più facilmente.

36
Menade'el

Dal 19 al 23 settembre

AVRANNO due fasi nella loro vita: la prima, quieta e dimessa; l'altra, in vertiginosa e irresistibile ascesa. Voi preparateli, per quanto vi è possibile, a entrambe. Nella vostra qualità di genitori, sarete ovviamente i pilastri della prima delle due, e potrete perciò godervi tutti i vantaggi dell'avere per casa un piccolo Menade'el obbediente, tenero, fiducioso, anche se forse un pochino abbandonico, talvolta. La principale preoccupazione sarà quella di evitare che questo suo bisogno di protezione si estenda anche fuori casa: che non stabilisca dipendenze qua e là, che non si faccia agganciare, soprattutto, da amichetti abbastanza furbi da plagiarlo. Provvedete perciò, il più possibile di persona, a farlo sentire al sicuro. Nel frattempo, con estrema discrezione, cominciate a inserire nella sua educazione i primi rudimenti dell'autonomia: disapprovate chi è troppo conformista, mostratevi originali voi stessi, di tanto in tanto, evitate e criticate i luoghi comuni, minate anche (con cautela, mi raccomando) qualche certezza, e proponete libri e film d'avventure. Tale strategia si rivelerà efficace sul lungo periodo; e anzi, quanto più saprete abbondare sia nell'uno sia nell'altro aspetto, tanto più accelererete l'inizio della sua seconda, e indubbiamente più emozionante, fase esistenziale.

37
'Aniy'el

NON date corda ai piccoli 'Aniy'el: sono divi già nella culla, e di tutto hanno bisogno meno che del vostro incoraggiamento a sviluppare il loro egocentrismo. Insegnategli piuttosto a meritarsi la vostra attenzione, a fare e a dire cose veramente meritevoli di lodi. Ci riusciranno; congratulatevi con loro, certo; ma poi badate a diventare un pubblico sempre più esigente: il rischio, infatti, è che si specializzino ben presto in richieste di attenzione troppo facili – capricci, bugie strampalate, piagnistei e anche piccole malattie più o meno finte, o che a scuola vadano male apposta, perché vi occupiate di loro più del dovuto. Quanto al farsi obbedire da loro, non c'è nulla di più facile, è sufficiente che adottiate il metodo consigliato da Rousseau (e che con gli altri bambini fa invece solamente danno): ignorateli per qualche minuto, e li avrete domati. Sono infatti per loro natura democratici: ciò che non è notato dalla maggioranza, ai loro occhi è sbagliato e perdente. E dato che non riuscirete mai a far loro cambiare idea su questo punto, servitevene saggiamente finché rappresenterete la maggioranza azionaria in famiglia.

38
Ḥaʻamiyah

Dal 29 settembre al 3 ottobre

Devono imparare a non aver paura di se stessi, e per i piccoli Ḥaʻamiyah è tutt'altro che facile. Li tormenta la sensazione di essere, o meglio di *poter* essere troppo cattivi, e non certo perché lo siano davvero; sono buonissimi, in realtà, ma è molto precoce, in loro, la voglia di indagare i meandri più oscuri della psiche: e quando si imbattono, laggiù, in qualche pulsione, la scambiano per un desiderio o addirittura per una tendenza del carattere. Non perdete tempo a spiegargli la differenza, tanto più che la questione non è chiara nemmeno agli psicologi. Piuttosto, quando cominciate a notare la loro espressione preoccupata, o sconsolata, o certe timidezze eccessive, o magari un eccesso di religiosità, regalategli un micio. E osservatelo insieme a loro: è piccolo, dolce, fa le fusa, ma graffia quando è necessario. E se gli capita tra le grinfie un passerotto o un topolino, lo tortura orrendamente, e dopo averlo maciullato ricomincia a farvi teneramente le fusa. Spiegate ai piccoli Ḥaʻamiyah, come meglio potete, che anche l'umanità è più o meno così (è un eufemismo, si sa, gli uomini sono molto più canaglia): ha elementi bellissimi ed elementi orrendi, ma gli uni non escludono gli altri. Voi probabilmente non capirete bene quel che avrete detto, ma i piccoli Ḥaʻamiyah sì, e sarà una benedizione: proseguiranno da soli il ragionamento, e invece di temere il proprio buio, c'è un'alta probabilità che tra non molto illuminino il buio degli altri.

39
Raha'e'el

Dal 4 all'8 ottobre

Vi farà molto piacere averli vicino. Saranno sempre come sono da piccoli: attenti, pensosi, obbedienti, anzi, addirittura devoti. Berranno ogni vostra frase appena sensata, e sapranno ripeterla a proposito e a sproposito; accavalleranno le gambe come le accavallate voi; avranno sempre un'occhiata d'intesa quando li guarderete. È bellissimo, certo. Ammoniranno anche i fratelli, fino a tarda età: «Papà aveva detto...» «La mamma diceva sempre...» Potrete contare in tal modo anche su una discreta quota di immortalità domestica. Il problema è che a rigor di termini una situazione simile somiglia molto al plagio: avrete infatti spesso la fondata sensazione che i piccoli Raha'e'el si annullino in voi. Se non vi turba l'idea, niente da dire. Ma se vi sorgesse il dubbio, sarebbe giusto perlomeno tentare di dissuaderli. Elencategli, con delicatezza, i vostri difetti e, quando saranno più grandicelli, anche le vostre viltà. Non temete: non perderete fascino e autorevolezza, e non andranno a cercarsi altrove una vicemamma o un vicepapà; semplicemente, inserirete quello che si chiama un elemento *dialettico* nella loro – se così possiamo chiamarla – eccessiva ereditarietà. E al genitore di un Raha'e'el, onestamente, non si può chiedere di più.

40
Yeyase'el

Dal 9 al 13 ottobre

IL problema è se incoraggiare o no la loro vocazione artistica. Che sia una cosa bellissima, non c'è dubbio; che nulla possa dar loro più gioia della creatività, è altamente probabile. Ciò che dà da pensare è il caratteraccio sospettoso e masochistico dei piccoli Yeyase'el: potrebbe darsi che il loro amore per l'arte cresca più rapido se lo avvertono come una loro scoperta personale, un segreto da coltivare, all'inizio, al riparo dallo sguardo di chiunque – per potersi sentire diversi da tutti quelli che hanno intorno, voi inclusi. D'altra parte, non è certo piacevole l'idea che possano pensare a voi, in futuro, come a persone insensibili, indifferenti ai primi palpiti della loro vocazione... Bisogna decidere; e, tutto considerato, io suggerirei di incoraggiarli. Si lasci ad altri il compito di mettere alla prova la determinazione del piccolo artista. Meglio approvare, e aiutarlo ad argomentare la sua innata convinzione che una vita val la pena di essere vissuta soltanto se serve a produrre bellezza e conoscenza *al contempo*. Libri illustrati, film, musei, mostre anche: tutto può servire. Imparate insieme con lui, guardatelo mentre osserva, ascoltatelo descrivere ciò che scopre, siate suoi alleati, e poi lasciate che il suo Angelo provveda.

41
Hahahe'el

Dal 14 al 18 ottobre

L'ORGOGLIO è il loro problema. Crescono in fretta, e perciò avranno spesso bisogno di consigli: ma odiano chiederne. Le critiche, poi, anche minime, li esasperano. Giocate dunque d'astuzia: complimentatevi per qualsiasi cosa riescano a fare da soli, e aggiungete con noncuranza che *chi è bravo come loro* (usate questa terza persona non meglio identificata) potrebbe anche aspirare a qualcosa di più impegnativo, per esempio scegliere da sé cosa indossare. Loro sceglieranno da sé cosa indossare: voi lodateli per la scelta, con aria da intenditori, e poi lasciatevi sfuggire che *chi ha così tanto buon gusto* potrebbe anche essere più originale senza timore di esagerare... E così via: facendo sempre leva sul loro spirito di emulazione nei riguardi di quel «chi» indefinito, li abituerete a lasciarsi guidare da voi, senza che se ne accorgano, e li aiuterete a raggiungere con maggior sicurezza i molti risultati che ci si può aspettare da loro. Lo stesso metodo tornerà utilissimo ogni volta che i piccoli Hahahe'el si abbandoneranno a quei piagnucolii e capricci più o meno disperati, che sono caratteristici dei bambini orgogliosi (lì esplode infatti la loro voglia di venir aiutati, troppo a lungo repressa): allora potrete dire «*Chi sa fare tutte le cose che sai fare tu* troverebbe un altro modo di spiegarsi.» E ci penseranno su, e lo troveranno.

42
Miyka'el

Dal 19 al 23 ottobre

DUE generazioni fa avrebbero voluto fare gli esploratori, e nella scorsa generazione gli astronauti: oggi i piccoli Miyka'el vanno tenuti al riparo dai computer che, con i loro viaggi virtuali, li abituano in realtà a restarsene chiusi in casa. Ditegli che i giochi da *consolle* sono in fondo tutti uguali; che Internet vi annoia; che sono meglio i film e i documentari; e cogliete occasioni per incoraggiarli alle distanze vere, quelle geografiche e culturali. Popoli diversi, genti strane, altre lingue sono gli argomenti che stimolano potentemente l'intelligenza miykaeliana; la ripetitività, il solito quartiere, la solita casa anche, hanno invece il potere di intontirli e rattristarli, come un vero e proprio inquinamento psichico. Perciò, se vi appaiono apatici o irritabili, domandatevi innanzitutto se ultimamente non vi siete mostrati troppo pigri e casalinghi. E quando non si trovano bene con i loro amichetti, considerate l'ipotesi che questi ultimi e i loro genitori siano troppo noiosi. Se poi dovesse accadere che a scuola vadano così così, verificate se i loro insegnanti non hanno per caso animi di massaie. In tal caso, adottate voi i necessari correttivi: aiutateli a fantasticare e a curiosare. A volte basta un viaggio in soffitta, preceduto da qualche fiaba che lo renda molto emozionante (Barbablù, per esempio). O un buon rapporto con cuginetti che abitano all'altro capo della città o più lontano ancora. Poi verranno le occasioni per i viaggi veri, e allora tutto andrà meglio.

43
Wewuliyah

Dal 23 al 28 ottobre

Sono fiumi in piena: inutile e dannoso cercare di fermarli. Con cautela e sapienza provvedete, invece, a incanalare le loro energie verso qualche attività che corrisponda al loro gigantesco amor proprio, alle loro precocissime ambizioni. Vogliono che si parli di loro, che tutti si accorgano di quanto valgono: e va benissimo, dato che valgono davvero; ma non sarà certo la scuola o lo sport a bastare loro come palcoscenico: troppo banale! Se nei dintorni c'è un laboratorio teatrale per l'infanzia, iscriveteli subito; se notate in loro un qualsiasi talento creativo o tecnologico, incoraggiatelo vivacemente, prima che la loro irruenza li spinga a far parlare di sé per problemi caratteriali. Quanto alla loro presunzione, tolleratela benevolmente, sorridendone magari, ma badando bene a non ferirli: non possono e non potranno mai fare a meno di vantarsi. Solo, pretendete che lo facciano con grazia, ironia, fantasia, e li aiuterete a diventare personalità affascinanti, invece che fanfaroni.

44
Yelahiyah

Dal 29 ottobre al 2 novembre

Ci vuole molta pazienza e sapienza: i piccoli Yelahiyah sono abilissimi nel creare contrattempi. Ingigantiscono le difficoltà, esagerano i difetti dei coetanei, colgono e colpiscono con precisione i punti deboli degli adulti; nei periodi, poi, in cui tutto sembra andar bene, si annoiano terribilmente, e anche questo diventa sempre un problema. Non preoccupatevi più di tanto: *sono sfide*; agli Yelahiyah piace sempre saggiare la forza altrui. Dimostrate perciò di avere forza a sufficienza: siate calmi, controllati, sempre rassicuranti e (cosa importantissima) attenetevi a principî saldi, chiari e inappuntabili – che neutralizzino a priori le due principali armi d'assalto yelahiane: la critica morale e la denuncia delle incoerenze. «Ma *tu* avevi *detto* che...» questa loro frase è un po' come la tromba che suona la carica. Ovviamente, ciò che vogliono davvero non è tanto farvi rigare diritto, quanto costringervi ad ascoltarli devotamente: non lo sanno ancora, ma sono attori nati e hanno disperato bisogno di un pubblico silenzioso pronto ad applaudire. Educateli a drammatizzare in altri modi: a puntare sul protagonismo in arte, o nello sport, invece che su quello ideologico. Iscriveteli, per esempio, a un corso di danza, o di canto, o di karate: ne usciranno ogni volta felici, con sguardo da trionfatori. La vita ordinaria va stretta a questi piccoli showman: hanno bisogno di palestre, gente, slanci, invenzioni, gare. Dategli tutto ciò, e starete splendidamente.

45
Ṣa'aliyah

Dal 3 al 7 novembre

LA generosità, per loro, è una vocazione: lasciate che l'ascoltino, e che cresca. Amano nutrire, provvedere, proteggere: la stanza della cucina li affascina in tutti i suoi angoli, gli armadi li appassionano, il supermercato può diventare per loro un luogo addirittura magico, se chiederete loro di darvi qualche consiglio per la spesa quotidiana. Poi gatti, cani, pesci rossi, canarini e piante: qualsiasi vita che si aspetti qualcosa da loro li entusiasmerà, e la sensazione di sentirsene padroni *e perciò responsabili* sarà uno dei grandi vettori della crescita interiore dei piccoli Ṣa'aliyah. Svilupperanno, inevitabilmente, anche la tendenza a comandare – «Nel mio territorio si fa come dico io» – ma anche in questo vale la pena di assecondarli: per voi sarà una specie di gioco, mentre per loro è un serissimo apprendistato a quel che diverrà il loro ruolo da grandi. Noterete inoltre che quanto più prestate loro attenzione, tanto più sanno essere saggi: e non perché abbiano bisogno di stima, ma perché serve un animo forte e buono per dare ascolto a un bambino, e i Ṣa'aliyah, piccoli e grandi, danno il meglio di sé solo alle persone di gran cuore.

46
'Ariy'el

Dall'8 al 12 novembre

I BAMBINI 'Ariy'el richiedono grandi attenzioni: ciò che in seguito diverrà in loro intuizione e penetrazione, nei primi anni è soprattutto ipersensibilità. Richiedono molto affetto, incoraggiamento, protezione, guida, fiducia, e soprattutto va stimolata la loro creatività, o ingegnosità. La scuola non sarà loro di nessun aiuto: si annoieranno disperatamente in classe, faticheranno a concentrarsi e spesso si sentiranno fuori luogo con i compagni. Mai punirli o pretendere da loro un miglior profitto! Se non prendono buoni voti, è perché sono già ben oltre il livello di ciò che viene loro insegnato. Li si aiuti piuttosto a intendere lo studio scolastico come un esercizio di gentilezza, di santa pazienza nei riguardi degli insegnanti. Per il resto, fiabe, leggende, miti, romanzi fantastici e film fantasy sono il loro miglior ricostituente: sanno coglierne magnificamente il senso più segreto, e sanno metterlo a frutto. Poi, appena si desterà in loro l'interesse per qualche professione strana – il cercatore di diamanti, il costruttore di ponti, l'oceanografo – li si prenda assolutamente sul serio e li si aiuti a informarsi in merito. È il loro talento che si annuncia così, e può sbocciare presto, purché le prime fasi della sua crescita siano amorevolmente favorite.

47
'Ašaliyah

Dal 13 al 17 novembre

DA grandi saranno grandiosi, o almeno avranno tutte le carte in regola per esserlo: ma da bambini gli 'Ašaliyah hanno vita tutt'altro che facile. Spietatamente intelligenti e al tempo stesso ipersensibili, non si lasciano sfuggire nessun tormento, nessun difetto, nessuna delusione dei loro genitori: e ne soffrono e li giudicano, e tanto più ne soffrono quanto più duro è il giudizio. Per di più, da piccoli avvertono spesso sotto forma di incubo quel senso di onnipotenza a cui in seguito attingeranno per fare fortuna. E sembra loro, più che a qualsiasi altro bambino, d'aver la colpa di ogni dispiacere che possa capitare in famiglia – come se in qualche modo il destino avesse domandato prima a loro il permesso di farlo avvenire, e i piccoli 'Ašaliyah avessero inavvertitamente risposto «Sì». È un duro tirocinio, una continua burrasca di illusioni, disillusioni, equivoci e piccole e grandi ossessioni. State loro vicino, non si può far altro: devono temprarsi e liberarsene da soli, come da un duro guscio con cui il destino li ha messi, perché sviluppino la loro determinazione imparando a venirne fuori. Provvedete soltanto – specialmente con i maschietti – a che non si affievolisca mai la loro fiducia in se stessi; ma che sia fiducia in se stessi soltanto, e non in voi: il mondo degli 'Ašaliyah è e sarà troppo intenso, denso e rigoroso, perché possano permettersi il lusso di non contare soltanto sulle proprie forze.

48
Miyhe'el

Dal 18 al 22 novembre

DA grandi dovranno essere ribelli, per star bene: fornitegli qualche strumento utile, se potete. Della vostra irreprensibilità come genitori, a loro non importa gran che; della vostra felicità coniugale, ancor meno: l'idea di costruirsi una famiglia modello è l'ultima cosa che possa sfiorare la loro mente. Voi gli interessate come individui, come anime. Vorranno sapere soprattutto che cosa vi dice il vostro cuore, quando pensate a voi stessi da soli: che cosa vi piace e cosa odiate del mondo, e perché; che cosa vi è mancato, cosa vorreste, come vorreste che fosse la gente, l'umanità. Li conquisterete con la più limpida sincerità – che è d'altronde la cosa più rivoluzionaria che esista. Se poi avete qualche sogno riguardo al bene di tutti, confidateglielo: vi ameranno per questo, e porterà frutto. Se l'avevate e qualcuno in cui speravate vi ha deluso, raccontatelo ai piccoli Miyhe'el: rimarrà impresso nella loro mente più di qualsiasi fiaba o film. E se addirittura avevate lottato, ai tempi vostri, per un qualche remoto ideale, diverrete ai loro occhi fulgidi eroi, quali che siano stati l'esito o la durata del vostro periodo «impegnato». Non dubitate: loro faranno sicuramente di meglio.

49
Wehewu'el

Dal 23 al 27 novembre

Pochi bambini sanno godersi così bene gli ultimi anni della propria infanzia: l'eroismo cavalleresco, le appassionate amicizie, il senso di libertà (non sapere ancora che cosa siano gli orologi!), e soprattutto la sensazione, talmente netta, che gli adulti appartengano a un'altra dimensione nella quale non si ha la benché minima fretta di arrivare; tutte queste condizioni rimarranno poi sempre, nella memoria dei Wehewu'el, come le uniche in cui valga veramente la pena vivere. Compito delicatissimo dei loro genitori sarà quello di rendere il più indolore possibile il passaggio dall'infanzia alle età successive: e possono riuscirci soltanto se sapranno far capire (con l'esempio soprattutto) che in tale passaggio può anche non perdersi tutto, e che si può rimanere bambini nel cuore. Al contempo, bisognerà attutire l'impatto dei piccoli Wehewu'el con la spigolosa ottusità e mediocrità del mondo adulto: questioni come l'interesse economico, la carriera, i doveri civili o il riguardo per le convenzioni rischiano di scoraggiarli e incupirli irrimediabilmente. E quanto a questo, non c'è formula già pronta che sia d'aiuto, e agli angosciosi «Perché?» dei Wehewu'el si potrà cercare di rispondere soltanto chiamando in aiuto l'ispirazione. Se neanche questa vi aiuta, la cosa migliore è rispondere soltanto «Non lo so», quando vi mettono alle strette, e sperare che il piccolo, crescendo, diventi un filosofo e aiuti voi a trovare risposte più sostanziose.

50
Daniy'el

Dal 28 novembre al 2 dicembre

STANZIATE tempo in abbondanza, da dedicare alle discussioni con i piccoli Daniy'el: cominceranno presto a tempestarvi di domande, dubbi e di insistenti «Sì, ma...» Non scappate, non spazientitevi, non cercate di cavarvela con la vile scorciatoia del «Quando sarai più grande capirai». Sono in gioco, infatti, sia la vostra autorevolezza di genitori, sia il loro equilibrio emozionale. Aspramente critici per natura, facilmente inclini al pessimismo, i piccoli Daniy'el hanno assoluto bisogno di verificare se il mondo sia veramente così brutto come lo vedono, e se gli adulti siano proprio tutti così ottusi come sembrano. Se la risposta sarà affermativa su entrambi i punti, non vi sarà più confine ai loro capricci e alle loro debolezze infantili – e al loro sconforto, alle loro manie e alla loro ossessiva autocritica quando saranno più grandi. Se invece almeno sulla seconda questione riuscirete a suscitare in loro dei dubbi, avranno qualche punto su cui far leva per cercare di cambiare le cose (sono nati per questo) e, come diceva Archimede, basta un punto d'appoggio per sollevare il globo. Eh sì: dipende moltissimo da voi. Leggete un po' di più, riflettete come forse non eravate più abituati a fare, e tenete duro. Vi stimeranno. Vi stimerete anche voi.

51
Haḥašiyah

Dal 3 al 7 dicembre

Sᴇ i film firmati da Walt Disney (cioè quelli anteriori al 1966) possono tornare utili a tutti i bambini, per gli Haḥašiyah sono assolutamente indispensabili. Da *Biancaneve* a *La bella addormentata*, a *La spada nella roccia*: sono tutte storie di iniziazione, preziosissime per questi futuri esoteristi. E non importa se non saprete rispondere a tutte le domande che vi faranno dopo averli visti, o se dopo *Fantasia* non saprete proprio che dire: i bambini Haḥašiyah se li terranno a mente, e se li chiariranno da sé, con il tempo, intuendo, scoprendo. Gioveranno molto anche i film fiabeschi di Ron Howard, e *Dragonheart*, e Tolkien e via dicendo, oltre naturalmente a tutta la letteratura magicheggiante che riusciranno a sopportare. È necessario che nella loro Torre si formi presto questo tipo di cine-biblioteca: che sappiano cioè di essere in illustre compagnia, con il loro innato interesse per i misteri. Per il resto, non pretendete troppo da loro: l'ottanta per cento del mondo così com'è li annoia, non rischiate di annoiarli anche voi.

52
'Amamiyah

Dall'8 al 12 dicembre

Teneri e intelligenti, generosi ed energici, assetati di tutte le migliori qualità di cui abbiano notizia: i piccoli 'Amamiyah sono tutti così; capita anche che sognino di fare i missionari, tanta è la vastità che avvertono dentro di sé. Così sia! Non interferite: non sottovalutate mai queste loro aspirazioni, non cercate di ricondurli a ciò che a voi sembra più ragionevole. Avrebbero l'impressione che quella loro vastità interiore sia un difetto, imparerebbero a provarne quel particolare timore che si chiama cinismo, e in breve tempo il loro cuore si indurirebbe anche più del vostro; allora, invece di sogni di generosità e abnegazione, cominceranno a covare ansia, senso di persecuzione e segreta invidia per chi sogna ancora. Non commettete un errore gravido di tante conseguenze! Scegliete la via più facile: da voi, i piccoli 'Amamiyah hanno bisogno soltanto di un sorriso d'approvazione. Se proprio non vi riesce, chiedete aiuto a loro e vi insegneranno: sarete il loro primo intervento di beneficenza, e ne trarrete più vantaggio di quanto possiate ora immaginare.

53
Nana'e'el

Dal 12 al 17 dicembre

INSISTETE con lo sport. Può darsi che all'inizio non ne vorranno sapere, che si lagneranno dei compagni, dell'istruttore, delle scarpette scomode. Convinceteli con qualche semplice ricatto, o con un'accorta propaganda, o meglio ancora spiegando loro la verità: che devono imparare a costruire la loro personalità e il loro successo, e che non c'è costruzione che non richieda fatica, impegno e un gran numero di tentativi falliti, prima di riuscire davvero. Si sbaglia e ci si corregge, si riesce a far benino e ci si migliora. Se non arrivano a capirlo da subito *attraverso l'uso del corpo*, è possibile che non ci arrivino mai. Viceversa, se arrivano a ottenere già da bambini una qualche vittoria (non importa quanto minuscola: purché ne gioiscano, e voi ne gioiate), avranno già cominciato a indebolire il principale ostacolo dei Nana'e'el, sia piccoli che grandi: il rischio che a forza di attendere, immaginare, bramare un trionfo, si sviluppi in loro l'esatto contrario, la paura cioè di mettersi alla prova – con tutto il suo lungo strascico di perfezionismo, senso d'inferiorità, crisette di panico, apatia, pessimismo e via dicendo. D'altra parte, le loro resistenze all'attività sportiva non durano mai più di tanto: sono discretamente vanitosi e, non appena cominceranno a sentirsi più agili e forti, e più belli, ci prenderanno gusto.

54
Niyita'el

Dal 17 al 22 dicembre

Un giorno partiranno per luoghi sconosciuti e avventure strane, e solo allora saranno felici e troveranno la loro strada. Aiutateli a fare in modo che ciò avvenga il più presto possibile. Da un lato, quindi, coinvolgeteli in tutto ciò che è domestico, fategli fare indigestione di casa e famiglia, così che non li freni il sospetto di non aver avuto abbastanza su questo versante della realtà, o di non aver dato abbastanza; dall'altro, educateli al coraggio, all'osservazione, alla prudenza, all'intuizione, alla prontezza, come se dovessero partire domani per qualche spedizione antropologica. Aggiungete al loro equipaggiamento, se potete, anche qualche robusto valore morale, laico possibilmente: uguaglianza, fratellanza, libertà, tolleranza – cose insomma che tornino utili in qualsiasi parte del mondo, e che al tempo stesso diano al piccolo Niyita'el una sensazione d'autonomia, se non addirittura la certezza di poter trovare in se stesso la risposta a ogni interrogativo che il mondo può porgli. Se riuscirete anche soltanto in parte in questa grande impresa, il vostro Niyita'el diventerà presto una specie di patriarca viaggiatore, donatore di equilibrio e serenità, esempio di coraggio e buon umore. Se no, rischierà di sospirare a lungo sulla porta di casa o alla finestra del suo ufficio, guardando le stagioni e l'orologio, anno dopo anno, invano.

55
Mebahiyah

Dal 22 al 27 dicembre

Sono benefattori, cercatori di verità: proteggeteli da tutto ciò che è banale. Banale è l'egoismo, la competitività, l'interesse; banali sono le mode, le spiagge d'estate, la settimana bianca in inverno. Abituateli fin da piccini a comprendere e a scansare questi punti obbligati della stragrande maggioranza dei loro connazionali, e non sentirsi isolati per questo, bensì provvidenzialmente diversi. Noterete presto l'emergere delle loro componenti idealistiche, che né ora né mai considereranno tali: ai loro occhi, saranno soltanto progetti più o meno a lunga scadenza, assolutamente realistici e incomparabilmente più ragionevoli del nostro disastratissimo mondo. Non scoraggiateli: là dove esagerano, semmai, segnalate loro con la dovuta discrezione la necessità di non cadere nella retorica, o di smussare le durezze massimaliste; ma anche nel far ciò, mostrate senza possibilità di dubbio di prenderli assolutamente sul serio, di approvare tanto coraggio, e magari rammaricatevi (il più visibilmente possibile) di non averne avuto altrettanto ai tempi vostri. Quanto alla loro voglia – anch'essa precoce – di sperimentare la condizione di eroe, soddisfatela con qualche sport leggendario: la boxe, per esempio, per i maschietti; l'atletica, per le femmine – utilissimi entrambi, per individui che, come i Mebahiyah, abbiano tra le loro necessità primarie quella di superare sempre se stessi.

56
Fuwiy'el

Dal 27 al 31 dicembre

C'è un concetto fondamentale per i piccoli Fuwiy'el, che va chiarito il prima possibile e senza possibilità di dubbio: esiste una *nobiltà di spirito*, ed essi sono da questo punto di vista nobilissimi. Nobiltà di spirito è la necessità e l'insindacabile diritto di provare ed esprimere sentimenti elevati, di amare la bellezza e di essere belli in ogni senso, di mostrarsi generosi e di proteggere e aiutare gli altri, senza lasciarsi minimamente influenzare dal fatto che il mondo vada per lo più in un'altra direzione. *Noblesse oblige*, e non sono ammesse deroghe: non permettete a questi aristocratici bambini di soffrire a causa della loro differenza dagli altri; è un dono e non un guaio; è una soluzione, e non un problema. Essere un piccolo lord può diventare un gioco molto piacevole – e durare anche tutta la vita, se saprete incoraggiarli a dovere. E non temete che diventino vanitosi: non c'è pericolo, la nobiltà di spirito l'hanno davvero e non si abbasserebbero a tanto. Il loro vero rischio è che la bruttezza, la volgarità, la banalità li feriscano troppo profondamente, e tolgano loro ogni slancio. Corazzateli di fierezza, e saranno personaggi da fiaba.

57
Nemamiyah

Dal 1° al 5 gennaio

NON preoccupatevi se vi sembrano incostanti: è solo a voi che sembrano tali; per loro invece è solo un'esplorazione preliminare di quell'orizzonte a trecentosessanta gradi di cui, da grandi, dovranno impadronirsi. Si interessano, devono interessarsi di tutto, ed è dunque comprensibile che appaiano spesso distratti; ma è solo perché stanno riflettendo a quattro, cinque cose contemporaneamente. La loro curiosità è inoltre d'una specie decisamente attiva: per conoscere meglio, hanno bisogno di smontare il meccanismo, di sezionare, di rompere anche; e viceversa, appena hanno capito qualcosa, vorranno costruire, creare, fare. Facilmente potrà avvenire che forzino il coperchio del computer, o facciano esperimenti di combustione in bagno, se prima non avrete provveduto a indirizzarli verso qualche maniera più sistematica di esplorare le cose. Provate con qualcosa che altri genitori giudicherebbero troppo ambizioso: un telescopio, per esempio, o una macchina fotografica. Se non li faranno a pezzi, astronomia e fotografia diverranno le loro prime passioni. Al contempo, avviateli a qualche sport aggressivo, che possa impegnare anche la loro irruenza fisica. Amano le difficoltà, la fatica; ameranno ben presto l'impossibile: fate in modo che ci arrivino ben preparati.

58
Yeyale'el

Dal 6 al 10 gennaio

Su un punto non transigete mai, con i piccoli Yeyale'el: niente bugie! Favole e allegre fandonie sì, quante ne vogliono, e anche maschere (le amano moltissimo), giochi di recitazione e sogni a occhi aperti: ma dove si tratti di cose concrete, la sincerità, sia con loro sia con tutti gli altri membri della famiglia, deve imporsi come un valore sacro. La differenza tra vero e falso, tra realtà e illusione, è e sarà infatti il principale argomento della loro esistenza: da grandi, gli Yeyale'el diverranno *comunque* degli attori, e la bellezza e il tormento dell'apparire e del far sembrare peseranno, bene o male, su gran parte della loro giornata. Aiutateli dunque a costruirsi e a serbare un'isola interiore di autenticità, come una specie di quinta dietro cui riprendere fiato. Non è facile, certo: sapete bene che noi tutti cataloghiamo la sincerità tra i lussi che una persona normale non si può permettere; ma voi sforzatevi, per il loro bene.

59
Haraḥe'el

Dall'11 al 15 gennaio

INFINITA cautela! Bisogna che lo sappiate: c'è qualcosa, nel destino degli Haraḥe'el, che congiura a danno dei loro rapporti con gli adulti. State in guardia; non fornite pretesti; impegnatevi come meglio potete a non impersonare direttamente il ruolo di ostacolo: fate in modo, cioè, che gli inevitabili conflitti dei piccoli e dei giovani Haraḥe'el si producano non tanto con voi, quanto piuttosto con i limiti della vostra generazione. Mettetevi insomma dalla loro parte, stabilite alleanze con loro contro i vostri stessi coetanei (spesso deludenti, d'altronde, se visti con gli occhi di un bambino), cambiate le idee che dovete cambiare, imparate! E aiutate poi i piccoli Haraḥe'el ad affrontare l'altro loro compito fondamentale: quello di scoprire un po' più indietro nel passato, e in profondità nell'animo umano, ricchezze che la stragrande maggioranza dei contemporanei trascura o ha dimenticato. Condividerete belle avventure storiche e archeologiche, e non è escluso che scopriate insieme qualche antico tesoro.

60
Mezara'el

Dal 16 al 20 gennaio

Sɪ raccomanda estrema cautela, con i piccoli Mezara'el: la loro mente è sensibilissima e vulnerabile, agitata sia da incubi tetri, sia da sogni di straordinaria bellezza. Bisogna che questi ultimi prevalgano e li aiutino a dominare le zone oscure. Mostrate perciò comprensione, sempre, per le loro debolezze; rimproverateli il meno possibile; fate in modo che la vostra autorità appaia loro come una protezione, e mai come una minaccia; soprattutto, nel parlare con loro siate immancabilmente chiari, semplici e logici. Ogni volta che in casa si verifica uno screzio, trovate il modo di tranquillizzarli, spiegando loro le ragioni per cui a volte i grandi non possono proprio fare a meno di litigare; e date grande rilievo al momento della rappacificazione. Per qualsiasi cosa vogliate da loro, fate leva sulla loro bontà (parola magica, questa, per i piccoli Mezara'el); e anche se a volte non ci credete, ripetete che la bontà e la dolcezza sono la forza più potente che esista al mondo, e che chi non lo sa è molto infelice. È il modo migliore per cominciare a corazzarli un po': solo i sentimenti luminosi li aiutano e li potranno aiutare in futuro, spingendoli ad agire nel mondo, invece di subire soltanto.

61
Umabe'el

Dal 20 al 25 gennaio

Sono bambini saggi, seri e dignitosi. Capita spesso che gli altri bambini sappiano ascoltarli con attenzione (da adulti, invece, sarà un po' più dura). Durante l'infanzia, inoltre, è facile per gli Umabe'el realizzare il loro sogno di una larga comunità di affetti: il cortile, la classe o la squadretta di calcio diventa in quattro e quattr'otto la loro parrocchia, in cui si prendono a cuore la sorte di tutti; e allora i principali inconvenienti che causano ai genitori possono derivare dalla loro tendenza a invitare tutti a casa, o viceversa a infilarsi nelle case degli amichetti e a farsi quasi adottare ora da questa ora da quest'altra famiglia. Per il resto, invece di dare problemi ne risolvono – almeno fino a quando non cominceranno a incuriosirsi del sesso opposto, e intrecceranno precoci e numerose storie d'amore, meravigliandosi che nessuna basti mai, e che gli altri le prendano tanto sul serio.

62
Yahehe'el

Dal 25 al 30 gennaio

Vi staranno sempre accanto: o a voi, o ai loro fratelli maggiori. Vi sentirete sempre addosso il loro sguardo attento, intelligente, e anche impercettibilmente deluso: ma non di voi in particolare, bensì di tutto ciò che vi circonda e a cui voi vi dedicate per la maggior parte della giornata. Non capiscono perché sprechiate il vostro tempo così, che cosa ci troviate in questo mondo falso, rozzo. Hanno torto? Nemmeno con i coetanei si troveranno a loro agio; ma non insistete. Giocheranno troppo da soli; lasciateli fare. Può darsi che abbiate in casa dei futuri santi: cose che non potete capire; adeguatevi; aspettate. Attenzione, semmai, al minimo annuncio di problemi alimentari: educateli preventivamente al piacere del cibo (i santi hanno purtroppo una tendenza all'anoressia). Aggiungete anche il maggior numero possibile di informazioni su altri piaceri della vita, mostrandovi convinti che compito degli esseri umani è individuarli e goderne. È importante per loro, perché fin da bambini non sanno bene (né lo sapranno mai in futuro) che cosa siano venuti a fare su questa terra. Potreste anche tentare con l'espansività fisica, il che per loro significa una carezza sulla testa ogni due giorni *al massimo*! Ma non prendetevela, se non mostreranno di gradire nemmeno quella; abituatevi piuttosto all'idea che certe nature sono nate apposta per la mistica, l'ascesi e cose del genere. In fondo il mondo è bello perché è vario, e va rispettato anche come tale.

63
'Anawe'el

Dal 30 gennaio al 4 febbraio

Vanno addestrati come atleti di decathlon – con in più magari il pugilato. Almeno uno dei genitori potrà divertirsi moltissimo (e sarà ricordato con straordinario affetto) se nel tempo libero vorrà fare da allenatore ai piccoli 'Anawe'el, incoraggiandoli in tutto, meno che alla modestia. Cominceranno ad accumulare successi, e a dimenticarli subito, per conquistarne altri nuovi: per vigore e ambizione non saranno secondi a nessuno; potranno anche mostrare, di tanto in tanto, un piglio un po' troppo aggressivo o una punta di fanatismo, ma non preoccupatevi: meglio che le esprimano, queste loro caratteristiche, piuttosto che covarle nell'animo. A un certo punto sarà molto probabile che tra le loro molte passioni prenda piede anche la religiosità: preferiranno Dio alle fiabe, e sarà anche questa un'espressione della loro voglia di supremazia. Ma vanno assecondati anche in questo; per loro, infatti, essere al sopra della media è un bisogno essenziale, un vero e proprio nutrimento. Le uniche vere preoccupazioni potranno provenire semmai dalla scuola, che gli 'Anawe'el trovano troppo lenta e poco stimolante; su questo punto, insistete con decisione: per quanto noioso sia per loro, devono imparare *il linguaggio del cervello sinistro* (che è appunto quello in cui tutti gli insegnanti scolastici sono specializzati), e da soli potrebbero non farlo mai.

64
Meḥiy'el

Dal 4 al 9 febbraio

Solitamente sono molto ordinati, amano i cassetti, imparano presto a giocare a scacchi, si divertono con il modellismo. Hanno inoltre idee precocemamente chiare e realistiche sul loro futuro, non danno problemi agli insegnanti, non litigano a sproposito con i coetanei. Si direbbero insomma bambini modello. Ma questo, a condizione che in due cose gli siate d'aiuto: nell'educazione all'amore, e nell'inventiva. Colmateli il più possibile di affetto fisico, carezze, baci, abbracci; potrà avvenire che ne siano talmente commossi da scoppiare a piangere: insistete, coccolateli. Fin da bambini infatti dimenticano di avere un corpo. Ricordategli voi che la fisicità è bellissima, nuotate e dormite con loro. E poi stimolate e premiate la loro fantasia: hanno la tendenza a inventare bugie, e non occorre tanto punirla quanto trasformarla, incoraggiandoli a inventare fiabe, storie avventurose. Utilissimo è anche allenarli alle sorprese. Potreste per esempio trasformare le loro festicciole di compleanno in piccoli balli in maschera – che loro ovviamente insisteranno per progettare in ogni dettaglio. Dite che non importa, che è divertente lasciare anche qualcosa al caso. La loro principale forza sarà sempre nel cervello sinistro: nel calcolo, nell'ordine, nel controllo. Addestrateli perciò a sviluppare anche il destro: il gioco, l'allegria, il gusto della meraviglia, perché le loro grandi doti splendano ancor di più.

65
Damabiyah

Dal 9 al 14 febbraio

DA piccoli, i Damabiyah amano tutto d'un amore venerante tutto ciò che hanno in casa: a cominciare da voi, e via via fino alle vostre pantofole, alla cornice dei quadri, alle posate, agli spazzolini da denti. È chiaro che non si ha il coraggio di impedirglielo, ma in qualche modo bisogna. Provate a suscitare la loro curiosità verso le case degli altri: fate in modo che dormano volentieri da qualche amichetto, e poi domandate che cosa li ha colpiti negli arredamenti altrui. Durante le vacanze, non perdete l'occasione di visitare qualche città, e mostratevi voi stessi molto interessati agli edifici: allo stile delle facciate, o magari ai mobili delle vostra camera d'albergo. Aiutateli insomma a scoprire e ad apprezzare molti altri modi di abitare, oltre a quello che conoscono già. Li premunirete, così, contro il maggior rischio che potranno correre da grandi: quello di attaccarsi egocentricamente a qualche loro casa-rifugio, e di considerare scomodo ed estraneo tutto il resto. Se riuscirete nell'impresa, ripenseranno a voi con gratitudine, durante i loro grandi viaggi intorno al mondo.

66
Manaqe'el

Dal 14 al 19 febbraio

ATTENTI alle delusioni dei piccoli Manaqe'el: li anima una gran voglia di fare del bene agli altri, e si sa che ben pochi bambini apprezzano l'altruismo. Ai Manaqe'el, per di più, piacciono le sfide, e spesso vorranno perciò aiutare proprio i peggiori, i più aggressivi e i più gretti tra i loro compagni; ne avranno esperienze pessime, e toccherà a voi consolarli. Non limitatevi alle pacche sulle spalle e a frasi vaghe, pensando che tra bambini tutto si aggiusti. Può non aggiustarsi un bel niente. Prendete invece sul serio la questione, così come appunto stanno facendo anche i piccoli Manaqe'el: nel mondo c'è decisamente qualcosa che non va, e aiutare il prossimo non serve o non basta; e dunque? Ragionate con loro: soluzioni non ce ne sono e può darsi che neanche voi ne troviate, ma esercitate la vostra e la loro intelligenza su questo argomento antichissimo, la lotta tra il Bene e il Male. Resterete meravigliati dei rapidissimi progressi dei vostri bambini, della precisione delle loro deduzioni, dell'originalità delle loro domande e delle loro ipotesi, e della straordinaria penetrazione con la quale cominceranno a scrutare i loro e anche i vostri conoscenti. Da voi, impareranno soprattutto ad accorgersi dell'eccezionalità delle proprie doti psicologiche e filosofiche, e allora cominceranno veramente a corazzarsi, per affrontare il mondo con la giusta quantità di fiducia, perlomeno in se stessi.

67
'Ay'a'el

Dal 19 al 24 febbraio

QUESTI principini raffinatissimi non vanno forzati ai giochi di squadra. Lo sport, per loro, è soprattutto scoperta dei misteriosi poteri del corpo: il record li diverte più della competizione, l'atletica può appassionarli assai più del calcio. Ma in genere preferiranno trascorrere il loro tempo libero leggendo, disegnando o costruendo pazientemente qualcosa. Non occorre preoccuparsi se mostrano un eccessivo amore per la solitudine: con la loro sensibilità raffinata, hanno accesso a dimensioni che la maggior parte dei loro coetanei e la quasi totalità degli adulti non può nemmeno immaginare. È invece importante e urgente insegnare loro la tolleranza per i difetti altrui, perché non si abituino a soffrirne troppo. La scoperta del dolce motto evangelico «Nessuno è perfetto» si rivelerà presto una delle più importanti della loro vita.

68
Ḥabuwyah

Dal 24 febbraio al 1° marzo

Potranno sembrarvi un po' snob, ma non c'è niente da fare: gli Ḥabuwyah hanno, fin da bambini, idee chiarissime sulle proprie doti e sul proprio futuro, e considerano una perdita di tempo tutto ciò che con quelle loro doti non ha direttamente a che fare. L'unico problema è che, fino ai sette, otto anni non dispongono ancora dei concetti e delle informazioni necessarie per definire quelle loro idee: non sanno cioè che quella loro curiosità per le cause degli avvenimenti, quell'attrazione che provano per tutto ciò che vive, quell'attenzione con cui ascoltano chiunque racconti un proprio problema, sono i primi e indubitabili sintomi della loro enorme *Energia Terapeutica*. Sanno soltanto che quando qualche cosa non richiede aggiustamenti, riparazioni, soluzioni, è per loro assolutamente priva di interesse. Si annoieranno perciò sia a scuola, dove gli insegnanti offrono loro soltanto verità indiscutibili e soluzioni preconfezionate, sia nello sport, in cui tutto consiste nel rispettare regole fisse, da tutti approvate, e sia in chiesa, dove si insegnano dogmi. Fate in modo che non si annoino almeno a casa: siate voi stessi curiosi e problematici, e non vi mancherà mai occasione di dialogo con questi piccoli Ippocrati.

69
Ra'aha'el

Dal 1° al 6 marzo

SPESSO l'infanzia dei Ra'aha'el è triste: qualcosa d'importante manca, qualcosa di bello viene tolto, qualche loro dote essenziale viene umiliata, repressa. Quando invece tutto va bene, nel loro animo sorge presto la compassione per i meno fortunati, e lo sgomento dinanzi alle crudeltà del mondo. Voi, in ogni caso, siate d'aiuto: contribuite al principale talento raeliano, che è quello della ricerca di ciò che è andato perduto. Possibilmente, aiutateli a pensare in grande: a vedere cioè ogni dispiacere loro o altrui come un impulso non soltanto a un riscatto individuale, ma a battaglie in favore di molti altri umiliati e oppressi. Il rischio, per i Ra'aha'el, è che fin da piccoli si rinchiudano in se stessi o scelgano linee di minor resistenza (non osare, non sperare, non credere) dinanzi al dolore del mondo, a cui loro sono talmente sensibili. Insegnategli che il male si può sempre contrastare, e che nulla di buono si perde mai del tutto. E se voi stessi non sapete che è così, imparatelo e convincetevene prima: il piccolo Ra'aha'el, poi, vi dimostrerà che è vero.

70
Yabamiyah

Dal 6 all'11 marzo

Qui ci vuole un genitore che prenda i suoi doveri molto sul serio. Ai piccoli Yabamiyah occorre un modello di certe virtù, alle quali altrimenti tenderebbero a dar troppo poco peso nella vita: costanza, concretezza, ordine, passione per un qualche ideale e soprattutto integrità. Ma attenzione: un modello, e non un sergente. Non sperate di plasmare il loro carattere dando loro degli ordini: non fareste che annoiarli. Piuttosto, date loro l'impressione che vi divertiate molto a essere così ligi alla vostra immagine di persona che si rispetti. Per esempio, se notate che hanno l'abitudine di promettere e non mantenere, stringetevi nelle spalle e fate loro capire chiaramente che non sanno cosa si perdono, a far così. Intuiranno, vi ammireranno e ci penseranno su, non senza profitto. Da evitare accuratamente è invece qualsiasi incoraggiamento alla competitività, sia con i fratelli, sia con i coetanei. Bandite dal vostro linguaggio tutte le voci del verbo «Essere migliore di...» È e sarà questo, sempre, il punto debole degli Yabamiyah; mostrate che secondo voi ogni individuo è unico e si misura solo con se stesso. Risparmierete loro, e ai loro amici e congiunti, una notevole mole di sofferenze.

71
Hayiya'el

Dall'11 al 16 marzo

TANTO vale adattarsi alle precocissime durezze del carattere degli Hayiya'el: al loro battagliero senso di giustizia, alla loro grinta da condottieri, alla loro passione per tutto ciò che è duello, eroismo, coraggio. Non riuscirete comunque a convincerli che le cose della vita si possono prendere con più comodo. Piuttosto, sarebbe utile complicare un po' la loro visione del mondo, aiutarli a renderla, come si dice, più dialettica: facendo per esempio notare che, da un certo punto di vista, anche chi sembra un «cattivo» può avere certe sue ragioni, e che non tutti coloro che si fanno passare per vittime lo sono davvero. Ne risulteranno – nel tempo libero tra le gare, le lotte, le liti anche, che gli Hayiya'el amano tanto – interessanti discussioni in cui voi farete la parte dei vecchi saggi e loro quella dei testardi, impazienti paladini. Senza accorgersene, con il tempo assimileranno almeno un po' del vostro relativismo, e servirà loro da fruttuoso stimolo di crescita interiore.

72

Muwmiyah

Dal 16 al 21 marzo

DIFENDETELI: contro maestre d'asilo e di scuola, contro sacerdoti perplessi e nonni conformisti, contro istruttori di ginnastica e medici di famiglia. Fate capire ai piccoli Muwmiyah che voi conoscete e amate i loro talenti, per ora segreti: la velocità della loro intuizione, la straordinaria ampiezza del loro colpo d'occhio, la loro forza di penetrazione nelle menti e nei cuori altrui. Spiegategli che se per ora nessun adulto li capisce, è appunto perché sono troppo veloci, ampi e profondi; esortateli ad aver pazienza. Spiegategli, magari, che oltre al peso dell'età, sulla mente adulta agiscono la cattiva dieta, lo stress, le frustrazioni e molte paure, e che sarebbe una bellissima cosa se in futuro *qualcuno* (sottolineate «qualcuno») avesse le idee giuste per migliorare radicalmente la situazione. Toccherete così il tasto più sensibile e produttivo dei piccoli Muwmiyah: l'amore per il prossimo, la voglia di usare la loro Energia T (che è spesso notevole) per fare del bene. Con ciò sarete già a buon punto. Poi, nel loro tempo libero, potreste proporre di tanto in tanto qualche giochino logico – puzzle, dama, scarabeo, gli scacchi anche, giusto per allenare un po' la loro razionalità; e magari, suggerire di essere più ordinati nei quaderni e in genere con le loro cose: non servirà a molto, ma almeno avrete provato.

PARTE TERZA

Le chiavi degli Angeli

Sono state molte, negli ultimi tre secoli, le cosiddette *Claviculae Angelorum*: i libri, cioè, in cui venivano riportati i Nomi e i periodi di reggenza dei Settantadue Angeli. Del significato di ciascun Nome, le *Claviculae* davano brevi descrizioni, più o meno accurate, ma sempre formulate in modo da poter essere ben comprese soltanto da chi avesse già qualche nozione sull'argomento. Era perciò facile che venissero fraintese, e che anche di quelle descrizioni si alimentasse una specie di angelologia popolare, con i suoi culti, i suoi rituali, le sue idee fantastiche o superstiziose.

Tra queste ultime, una delle più diffuse fu che bisognasse invocare un determinato Angelo nei giorni della sua reggenza (secondo un preciso rituale: seduti, rivolti a oriente, con accanto una candela accesa) e pregarlo intensamente per ottenere qualcuno dei doni che il suo Nome descriveva; influivano su quest'idea, da un lato, le vaghe notizie sull'impiego dei Nomi angelici nei rituali di magia e, dall'altro, il culto cristiano dei Santi, ai quali pure si usa chiedere specifici favori nei giorni delle loro ricorrenze. Non che tali preghiere non funzionassero; non c'è preghiera con cui non si possa ottenere qualcosa. Ma questo genere di culto portava altrove, verso modi di intendere il rapporto tra il visibile e l'invisibile che con l'angelologia autentica non avevano nulla a che fare.

Tant'è: nessuno aveva da lamentarsene. La gente vi trovava un incoraggiamento alle proprie speranze di un aiuto celeste e alla propria illusione di poter in qualche modo manovrare energie divine;

e ai qabbalisti non importava che la gente non arrivasse a intuire di più: era loro convinzione che se si fosse cercato di spiegare più dettagliatamente, di avvicinare di più certe cose alle menti di chi pensa e sente poco, quelle cose si sarebbero inevitabilmente distorte e dissolte, e la spiegazione non avrebbe portato comunque a nulla. Chi ha orecchie per intendere, intenda: valeva anche qui. E le *Claviculae* erano proprio ciò che dice la parola stessa: piccole chiavi – e non porte! – offerte a molti, perché qualcuno le raccogliesse e si mettesse a cercare le serrature che potevano aprire. In tal senso, erano un genere a suo modo suggestivo: segnali della vitalità, attraverso i secoli, di una disciplina gelosa di sé, e che tuttavia non si chiudeva mai del tutto in se stessa – a differenza di altre branche della Qabbalah, delle quali non giravano né chiavi e nemmeno notizie.

A queste *Claviculae* ricorro ora per presentare ai lettori un sommario dei Settantadue Angeli: riporto qui di seguito ciò che le *Claviculae* più famose e accurate (quelle di Ambelain, di Lazare Lénain, di Papus, di Kabaleb, del poetico Haziel o di altri ancora) dicono di ciascun Angelo; ne riproduco anche il tono, le formule in codice e le apparenti contraddizioni. I lettori non faticheranno a riconoscere in questo sommario gli stessi argomenti che ho trattato più estesamente nelle pagine precedenti, e servirà loro sia da promemoria, sia da esperimento di decodificazione, di lettura *cum clave*. Soltanto per scrupolo do qualche indicazione riguardo al modo di intenderne il codice.

Là, per esempio, dove è scritto «Guarire le malattie», i lettori intuiranno che si parla dell'Energia T, ovvero di un talento terapeutico o teatrale.

Dove si parla del «Favore dei giudici», intuiranno che non ci si riferisce affatto a una vittoria in tribunale, ma a quel particolare senso di giustizia che può facilmente trasformarsi in disastroso senso di colpa, se chi lo possiede non lo adopera per giudicare rettamente se stesso e gli altri, e che assicura invece l'armonia interiore e dunque il favore della sorte a chi ne fa buon uso.

Dove compare l'espressione «Protezione contro la collera», «Protezione contro i naufragi» o «contro lo sconforto» o altro del genere, si intuirà che non è l'Angelo di quei giorni a proteggere, ma l'individuo che vi è nato a dover proteggere se stesso dai *propri* impulsi di collera, o di autodistruzione, o a dover aiutare altri a non lasciarsi andare allo scoperto.

A commento dei quattro Angeli dei Re, le *Claviculae* dicono «Avere tutto», e un'occhiata alla nostra descrizione di quegli Angeli basterà ai lettori per ricordare cosa significhi quell'avere *già tutto*.

In due Angeli della Soglia (La'awiyah di giugno e Manaqe'el) compare la parola «insonnia», ma non ha nulla a che vedere con il non dormire: quell'«insonnia» è semplicemente un sinonimo della Soglia stessa, delle molte resistenze che si incontrano quando si comincia a varcare il confine tra Aldiqua e Aldilà, e che possono rammentare quelle che sperimenta chi volendosi addormentare non ci riesce.

Nei commenti agli Angeli Yesale'el, Yahehe'el e Miyhe'el, compare in senso altrettanto metaforico la parola «sposi», ed è riferita non ai rapporti con coniugi o fidanzati, ma alle dinamiche segrete del principio maschile e femminile dell'individuo.

In ciascun commento, infine, è significativo anche l'ordine in cui le frasi compaiono: la prima mostra sempre, se non la dote principale, perlomeno quella che l'individuo dovrà sviluppare innanzitutto, e che gli permetterà di accedere nel modo migliore alle altre, che nelle frasi successive sono indicate in ordine d'urgenza decrescente. Va da sé, d'altra parte, che in ciascuna frase va inteso sia ciò che afferma, sia ciò che implicitamente nega: là dove si parla, per esempio, di «Fortuna nelle grandi imprese», significa che *soltanto* nelle grandi imprese si avrà fortuna, e non in quelle piccole o medie; là dove si dice «Buoni rapporti con gli artisti», significa che si avranno autentici legami d'amore o di amicizia *soltanto* con personalità creative, e così via.

Ma ho già detto troppo: la scoperta di queste piccole chiavi di lettura è tanto più piacevole quanto più ci si accorge di poterla attuare da soli.

1. Wehewuyah
Dal 21 al 26 marzo

Primeggiare sempre. Energia in eccesso. Trionfare in imprese ardue. Astuzia nel riconoscere le insidie. Perfetta conoscenza di sé. Talento artistico. Amore per la conoscenza. Protezione contro la collera.

2 . Yeliy'el
Dal 26 al 31 marzo

Preminenza dell'intelletto. Saper persuadere un'assemblea. Dominare gli istinti e gli inferiori. Desiderio di verità. Originalità.

3. Ṣeyiṭa'el
Dal 1° al 5 aprile

Ricordi di vite anteriori. Battersi in prima linea. Fedeltà alla parola data. Obbedienza ai capi.

4. 'Elamiyah
Dal 5 al 10 aprile

Scoprire le capacità pratiche altrui. Scorgere e correggere gli errori. Protezione contro il timore della propria riuscita. Viaggiare e vedere lontano. Saggezza nella scelta dei soci. Umiltà.

5. Mahašiyah
Dal 10 al 15 aprile

Mitezza. Sapienza. Forza morale. Indifferenza verso le proprie sconfitte. Crescita spirituale. Protezione contro la rassegnazione.

6. Lelehe'el
Dal 15 al 20 aprile

Guarire i malati. Enorme energia. Talento artistico. Fortuna. Dominio. Protezione contro gli impulsi rapaci e la disonestà.

7. 'Aka'ayah
Dal 21 al 25 aprile

Successo nelle imprese ardue. Protezione contro la pigrizia e l'accidia. Slanci interiori che liberino dal tedio. Fede nei propri talenti. Pazienza nello studio.

8. Kahete'el
Dal 25 al 30 aprile

Il potere di annientare spiriti malvagi. Raccolti abbondanti. Successi mondani. Protezione contro le crisi di sfiducia in se stessi, l'inettitudine, l'astiosità verso gli altri e contro la loro ostilità.

9. Hasiy'el
Dal 1° al 5 maggio

Avere tutto. Saper adoperare la sua grande sapienza.

10. 'Aladiyah
Dal 6 all'11 maggio

Guarire il corpo e la mente. Perdonare gli errori e le offese. Il favore degli individui superiori.

11. La'awiyah
Dall'11 al 16 maggio

Ricordi di vite anteriori. Varcare la Soglia. Celebrità. Ritrovare l'amicizia, l'amore. Protezione contro il fulmine e la tempesta, contro l'invidia, la calunnia, l'orgoglio, l'ambizione.

12. Haha'iyah
Dal 16 al 21 maggio

Interpretare saggiamente le realtà spirituali. Cautela nel rivelare i misteri. Successo nelle arti. Protezione contro la diffidenza.

13. Yesale'el
Dal 21 al 26 maggio

La parità tra gli sposi, la loro riconciliazione e poi la riconciliazione con tutti. Ottima memoria. Abilità nel persuadere e in genere nel parlare dinanzi a molti. Trionfare nelle imprese ardue. Legami profondi con un'altra generazione.

14. Mebahe'el
Dal 27 al 31 maggio

Il favore dei giudici. Il coraggio di battersi per i diritti e la libertà. Protezione contro menzogne, calunnie e truffe.

15. Hariy'el
Dal 1° al 6 giugno

Ricondurre sul giusto cammino chi ne ha deviato. Trovare l'armonia tra i desideri e la ragione; tra il desiderio di libertà e l'impegno; tra i doveri sociali e la dedizione alla famiglia. Crescita spirituale e superiore sapienza.

16. Haqamiyah
Dal 6 all'11 giugno

Liberarsi dagli oppressori. Sconfiggere i nemici. Il favore degli individui superiori. Farsi valere.

17. La'awiyah
Dall'11 al 16 giugno

La disobbedienza. Ritrovare la capacità d'amare. Vincere l'insonnia. La rivelazione dei segreti dell'universo. Talento artistico e letterario. L'appoggio di un amico fraterno. Rivelazioni nei sogni e dall'Aldilà.

18. Kaliy'el
Dal 16 al 21 giugno

Soccorso rapido nell'avversità. La forza dell'innocenza. Il favore dei giudici. Protezione contro le intemperanze.

19. Lewuwiyah
Dal 22 al 27 giugno

Successo nelle arti. Buoni rapporti con artisti. Ricordi di vite anteriori. La scoperta di nuovi linguaggi. Amore per le idee nuove.

20. Pehaliyah
Dal 27 giugno al 2 luglio

Dominare l'energia sessuale. Ricondurre sul giusto cammino chi ne ha deviato. Forza persuasiva. Saggezza. Sapienza. Rivelazioni.

21. Nelka'el
Dal 2 al 7 luglio

Liberarsi dalle catene. Notizie da chi non si vede.

22. Yeyay'el
Dall'8 al 12 luglio

Protezione contro i naufragi e le servitù. Successo nei luoghi lontani. Protezione contro l'avarizia. Saper vedere al di là delle apparenze. Saper sedurre. Ottima memoria.

23. Milahe'el
Dal 13 al 18 luglio

La realizzazione dei desideri. Saper decifrare l'animo altrui. Saper comprendere bene la propria epoca. Fortuna in politica. Raccolti abbondanti. Creatività. Guarire le malattie cogliendone le cause profonde. Protezione contro la violenza.

24. Ḥahewuyah
Dal 18 al 23 luglio

La salvezza per chi si sottrae alla giustizia umana. Protezione contro la disonestà. Il perdono dei torti e dei nemici. La liberazione dalle proprie colpe.

25. Nitihayah
Dal 23 al 28 luglio

La saggezza e, attraverso di essa, la scoperta dei poteri occulti. Rivelazioni dall'Aldilà. Sapienza in ogni pratica magica.

26. Ha'a'iyah
Dal 28 luglio al 2 agosto

Il favore dei giudici. Voglia di vincere. Saper scoprire cosa nascondono e cosa tramano gli avversari. Saper scoprire la propria missione e l'altrui. Fortuna in politica. Saper comprendere bene la propria epoca.

27. Yerate'el
Dal 3 al 7 agosto

Sconfiggere i malvagi, svergognare i calunniatori. Protezione contro la violenza. Ricevere incarichi eroici. Scontare le proprie colpe. Il successo soltanto nelle imprese giuste. La ricerca di verità eterne.

28. Še'ehayah
Dall'8 al 14 agosto

Protezione contro le malattie, le distruzioni, i disastri. Protezione contro il destino avverso. Il superamento degli errori. La guarigione dei malati. Protezione contro la violenza.

29. Reyiy'el
Dal 14 al 18 agosto

La liberazione dai nemici e dagli spiriti malvagi. La liberazione dalle catene. Forza persuasiva. Saper impersonare egregiamente il proprio ruolo. Ricevere nobili incarichi e farsi guidare nella propria missione.

30. 'Omae'el
Dal 18 al 23 agosto

Pazienza nelle vicissitudini che si incontrano fuori dalle mura di casa. In casa, armonia e fecondità in tutto. Forza generativa. Bella e nobile discendenza. Protezione contro i dissidi famigliari.

31. Lekabe'el
Dal 24 al 28 agosto

Saper esercitare il dominio su molti. Saper comprendere e guidare il destino.

32. Wašariyah
Dal 29 agosto al 2 settembre

Il favore dei giudici. Ottima memoria. Franchezza.

33. Yeḥuwyah
Dal 3 all'8 settembre

Ha già tutto. E grande fortuna nel lavoro.

34. Leheḥiyah
Dall'8 al 13 settembre

Protezione contro la collera. Crescita spirituale. Il dono di saper chiedere e di saper ricevere, sia dall'altra gente, sia dal Cielo.

35. Kawaqiyah
Dal 13 al 18 settembre

La perenne ricerca del proprio cammino. Protezione contro i dissidi famigliari. Il dono di saper indicare agli altri la loro missione e di aiutarli a superare gli ostacoli. La scoperta di tesori antichi.

36. Menade'el
Dal 19 al 23 settembre

Protezione contro l'avarizia. Protezione contro il timore del nuovo. Protezione contro chi imprigiona e scoraggia. Liberarsi dalle catene. Scoperta di tesori. L'aiuto della Provvidenza.

37. 'Aniy'el
Dal 24 al 29 settembre

Saper stabilire ottimi rapporti con tutti. Trionfare in imprese difficili. Celebrità. Saper comprendere bene la propria epoca.

38. Ḥa'amiyah
Dal 29 settembre al 3 ottobre

Protezione contro il fulmine, la violenza e gli spiriti malvagi. La scoperta dei più profondi segreti dell'animo e della natura. Grande fortuna nelle imprese disinteressate.

39. Raha'e'el
Dal 4 all'8 ottobre

Guarire i malati. Protezione contro i dissidi famigliari. L'obbedienza ai genitori e ai superiori, o ai propri ideali.

40. Yeyase'el
Dal 9 al 13 ottobre

Liberazione dalle catene e dai nemici. Protezione contro la rassegnazione. Successo soltanto nelle arti.

41. Hahahe'el
Dal 14 al 18 ottobre

Saper suscitare la fiducia e la fede. Maestria nell'analizzare e nell'argomentare. Saper interpretare ottimamente il ruolo che ci siamo scelti o che ci è stato assegnato. Protezione contro gli eccessi. Protezione contro chi calunnia e scoraggia.

42. Miyka'el
Dal 19 al 23 ottobre

Saper parlare con chi è lontano. L'obbedienza, e saper capire chi comanda. Saper comprendere le ragioni altrui. Successo in luoghi lontani.

43. Wewuliyah
Dal 23 al 28 ottobre

Il dono di saper chiedere e di saper ricevere, sia dai superiori sia dal Cielo. Successi soltanto là dove si agisce per una causa giusta. Ricchezza nelle imprese condotte in comune con altri.

44. Yelahiyah
Dal 29 ottobre al 2 novembre

Il favore dei giudici. Voglia di vincere. Protezione contro la violenza. Forza e fermezza dinanzi alle avversità e alle contrarietà in genere. Celebrità. Protezione contro i cattivi umori, l'incostanza, il disprezzo.

45. Ṣa'aliyah
Dal 3 al 7 novembre

Guarire i malati. Saper portare nutrimento e salute a uomini, animali e piante. Saper piegare i superbi. Saper apprendere tutto ciò che è utile.

46. 'Ariy'el
Dall'8 al 12 novembre

Rivelazioni. Scoperta di segreti. Scoperta di tesori. Ispirazioni in ogni campo. Saper guidare gli altri verso il giusto cammino.

47. 'Ašaliyah
Dal 13 al 17 novembre

Saper mirare al massimo e ottenerlo. Magnifiche intuizioni in ogni campo. Saper fare sempre la giusta scelta. Protezione contro l'immoralità.

48. Miyhe'el
Dal 18 al 22 novembre

Parità e armonia fra gli sposi. Crescita spirituale e ricerca della verità. Saper guidare gli altri. Intuizioni, ispirazioni. Legami profondi con le nuove generazioni.

49. Wehewu'el
Dal 23 al 27 novembre

Protezione contro la rassegnazione. Grande energia. Indifferenza per la morale altrui. Protezione contro l'eccessivo senso di superiorità. Ricerca della verità attraverso la contemplazione. Scoperta della propria missione.

50. Daniy'el
Dal 28 novembre al 2 dicembre

Protezione contro la rassegnazione. Il perdono delle offese. Protezione contro le sconfitte. Protezione contro la disperazione. Saper desiderare e coltivare la bellezza. Ritrovare il vigore perduto.

51. Haḥašiyah
Dal 3 al 7 dicembre

La rivelazione di misteri e di poteri occulti. L'amore per la contemplazione. La scoperta di una missione. Fortuna nelle imprese disinteressate. Protezione contro il disprezzo. Guarire i malati.

52. 'Amamiyah
Dall'8 al 12 dicembre

Ritrovare il giusto cammino e se stessi. La liberazione dalle servitù, dalla prigionia e dai nemici. La liberazione dai cattivi compagni. La liberazione dalle proprie inclinazioni malsane. Fortuna nei luoghi lontani.

53. Nana'e'el
Dal 12 al 17 dicembre

Fortuna e ispirazione in ogni grande impresa. Sapersi conquistare alleati e grandi finanziamenti. Dare forma concreta alle idee nuove e alle esigenze spirituali. Saper avere cura del proprio corpo. Saper comprendere la propria epoca e le sorti della propria civiltà. Amore per la contemplazione.

54. Niyita'el
Dal 17 al 22 dicembre

Protezione contro la rassegnazione. Lungimiranza. Protezione contro l'esitazione, la pusillanimità e il timore delle novità.

55. Mebahiyah
Dal 22 al 27 dicembre

La scoperta e la diffusione di idee nuove. Fortuna nelle imprese disinteressate. Grande energia. Tenacia. Slancio ideale. Protezione contro lo sconforto.

56. Fuwiy'el
Dal 27 al 31 dicembre

Avere tutto. Protezione contro il timore di farsi udire. Protezione contro le infezioni.

57. Nemamiyah
Dal 1° al 5 gennaio

Lungimiranza e inesauribile desiderio di conoscenza e di conquiste. Fortuna nel superare gli ostacoli. La liberazione dei prigionieri. Lucidità. Sapienza esoterica.

58. Yeyale'el
Dal 6 al 10 gennaio

Guarire le malattie. Saper vedere e aiutare a vedere. Sfatare gli inganni. Protezione contro la rassegnazione.

59. Haraḥe'el
Dall'11 al 15 gennaio

Scoprire e diffondere idee nuove. Scoprire tesori antichi. Pagare antichi debiti. Protezione contro i dissidi famigliari. Fortuna negli affari.

60. Mezara'el
Dal 16 al 20 gennaio

Guarire le malattie. Protezione contro le ossessioni e i disturbi mentali in genere. La ricerca dell'armonia spirituale. Liberazione da persecutori. Obbedienza agli individui superiori o ai propri ideali. Desiderio inesauribile di conoscenza. Saper amare e coltivare la bellezza. Talento artistico.

61. Umabe'el
Dal 20 al 25 gennaio

La gioia dell'amicizia. La conoscenza diretta della Legge suprema. Saper consigliare e guidare gli altri in ogni situazione.

62. Yahehe'el
Dal 25 al 30 gennaio

La conoscenza diretta della Verità suprema. Amore per la contemplazione. Parità e perfetta armonia tra gli sposi. Repulsione per tutto ciò che è terreno.

63. 'Anawe'el
Dal 30 gennaio al 4 febbraio

Saper accumulare denaro per realizzare grandi imprese. Talento finanziario. Guarire i malati. Lungimiranza. Carisma. Protezione contro la violenza.

64. Meḥiy'el
Dal 4 al 9 febbraio

Protezione contro la rassegnazione. Grande abilità nel discorrere, nel ragionare, nel convincere. Protezione contro la menzogna. Protezione contro il timore degli istinti e dei sentimenti.

65. Damabiyah
Dal 9 al 14 febbraio

Protezione contro i naufragi. Protezione contro le servitù. Successo in luoghi lontani. Fortuna nelle scoperte.

66. Manaqe'el
Dal 14 al 19 febbraio

Ispirazioni e rivelazioni dall'Aldilà. Vincere l'insonnia. L'appoggio degli individui superiori. Saper illuminare il cuore e la mente del prossimo. Migliorare la sorte del prossimo. Sapersi conquistare l'amicizia e l'appoggio delle persone buone.

67. 'Ay'a'el
Dal 19 al 24 febbraio

Protezione contro la rassegnazione. Lungimiranza, desiderio inesauribile di conoscenza. Saggezza. Grande energia interiore. L'amore per la contemplazione. L'amore delle vette. Saper comunicare le proprie conoscenze al prossimo attraverso il proprio lavoro.

68. Ḥabuwyah
Dal 24 febbraio al 1° marzo

Guarire le malattie. Raccolti abbondanti. Audacia nel cogliere e nel diffondere le idee nuove.

69. Ra'aha'el
Dal 1° al 6 marzo

Ritrovare ciò che è andato perduto o che è stato rubato. Scoprire perché si sia perduto o chi l'abbia rubato. Il favore dei giudici. Il superamento degli errori, il perdono dei peccati. Saper mettere a frutto i propri colpi di fortuna.

70. Yabamiyah
Dal 6 all'11 marzo

Avere tutto. Saper coltivare l'amore per la bellezza.

71. Hayiya'el
Dall'11 al 16 marzo

Sfidare e sconfiggere i malvagi. La vittoria delle cause giuste. Proteggere gli altri. Coraggio e valore.

72. Muwmiyah
Dal 16 al 21 marzo

Successo in tutto ciò che è misterioso e irrazionale. Rivelazioni. Lungimiranza, curiosità. Protezione contro l'incostanza. Guarire i malati. Compassione.

Persone e personaggi

NELLE prossime pagine riporto i nomi citati nel libro, con le rispettive date di nascita. Ci sono anche i personaggi di fantasia: di alcuni, come Sherlock Holmes, gli autori precisarono il giorno di nascita; di altri no, e in questi casi riporto la data in cui le loro storie apparvero per la prima volta, se di tali storie sono loro gli assoluti protagonisti. A tale riguardo è da segnalare una curiosità: Pinocchio nacque due volte. Collodi infatti cominciò a pubblicare a puntate la *Storia di un burattino* il 7 luglio 1881, su *Il Giornale dei bambini*, ma gli venne a noia e la concluse d'un tratto in ottobre, con l'episodio dell'impiccagione del burattino nella foresta. Il direttore del periodico insistette perché vi fosse un seguito e Collodi acconsentì, facendo risorgere il suo personaggio in un ampio sequel, la cui prima puntata uscì il 16 febbraio 1882. Entrambe le date trovano un certo riscontro nella vicenda di Pinocchio: il 7 luglio vi è l'Angelo della conquista dell'indipendenza, e il 16 febbraio un Angelo della soglia dell'Aldilà, che guida alla ricerca del proprio io autentico. Ma va comunque considerato che ogni personaggio porta profondamente impressi i caratteri del suo autore, e che in un'analisi angelologica di Pinocchio o Alice dovranno perciò includersi anche elementi dell'Angelo di Collodi o di Carroll.

Adams Patch, 28 maggio 1945

Agostino d'Ippona, 13 novembre 354

Alessandro I di Russia, 23 dicembre 1777

Alessandro Magno, 22 luglio 356 a.C.

Alfonsin Raul, 12 marzo 1927

Alice, 4 luglio 1865 (data della prima edizione di *Alice nel paese delle meraviglie*)

Alighieri Dante, 14 giugno 1265

Allen Woody, 1° dicembre 1935

Allende Salvador, 26 giugno 1908

Alonso Ernesto, 28 febbraio 1917

Andersen Hans Christian, 2 aprile 1805

Andròpov Jurij, 15 giugno 1914

Arafat Yasir, 28 agosto 1929

Armani Giorgio, 11 luglio 1934

Asimov Isaac, 2 gennaio 1920

Astaire Fred, 10 maggio 1899

Astor John Jacob, 13 luglio 1864

Augusto Cesare Ottaviano, 23 settembre 63 a.C.

Bach Richard, 23 giugno 1936

Bacon Francis, 28 ottobre 1909

Bacone Francesco, 22 gennaio 1561

Baez Joan, 9 gennaio 1941

Baglioni Claudio, 16 maggio 1951

Balzac Honoré de, 20 maggio 1799

Bardot Brigitte, 28 settembre 1934

Baudelaire Charles, 9 aprile 1821

Beckett Samuel, 13 aprile 1906

Beethoven Ludwig van, 17 dicembre 1770

Béjart Maurice, 1° gennaio 1927

Benigni Roberto, 27 ottobre 1952

Bergman Ingmar, 14 luglio 1918

Berlusconi Silvio, 29 settembre 1936

Bernanke Ben Shalom, 13 dicembre 1953

Bernard Claude, 12 luglio 1813
Bernini Gian Lorenzo, 7 dicembre 1598
Bismarck Otto von, 1° aprile 1815
Blake William, 28 novembre 1757
Bocelli Andrea, 22 settembre 1958
Bohm David, 20 dicembre 1917
Bolivar Simon, 24 luglio 1783
Boncompagni Gianni, 13 maggio 1932
Bond James, 13 aprile 1953 (data della pubblicazione di *Casino Royale*)
Borges Jorge Luis, 24 agosto 1899
Borgia Lucrezia, 18 aprile 1480
Botticelli Sandro, 1° marzo 1445
Bowie David, 8 gennaio 1946
Braille Louis, 4 gennaio 1809
Brando Marlon, 3 aprile 1924
Brecht Bertolt, 10 febbraio 1898
Bronson Charles, 3 novembre 1921
Brontë Emily, 30 luglio 1818
Brown Charlie, 2 ottobre
Buddha, 7 aprile 565 a.C.
Buffalo Bill Cody, 26 febbraio 1846
Buñuel Luis, 22 febbraio 1900
Buonarroti Michelangelo, 6 marzo 1475
Burroughs Edgar Rice, 1° settembre 1875
Burton Richard Francis, 19 marzo 1821
Bush George H.W., 12 giugno 1924
Bush George W., 6 luglio 1946
Byron George Gordon, 22 gennaio 1788

Cagliostro, conte Giuseppe Balsamo di, 2 giugno 1743
Caligola, 31 agosto 12
Calvino Giovanni, 10 luglio 1509
Calvino Italo, 15 ottobre 1923
Camus Albert, 7 novembre 1913

Capa Robert, 22 ottobre 1913

Capone Al, 17 gennaio 1895

Capote Truman, 30 settembre 1924

Capra Frank, 18 maggio 1897

Carlo I d'Inghilterra, 20 novembre 1600

Carroll Lewis, 27 gennaio 1832

Cartesio (René Descarts), 31 marzo 1596

Caruso Enrico, 25 febbraio 1873

Casanova Giacomo, 2 aprile 1725

Castaneda Carlos, 25 dicembre 1925

Castro Fidel, 13 agosto 1926

Caterina II di Russia, 2 maggio 1729

Cavour, Camillo Benso conte di, 10 agosto 1810

Ceaușescu Nicolae, 26 gennaio 1918

Čechov Anton, 29 gennaio 1860

Celentano Adriano, 6 gennaio 1938

Cellini Benvenuto, 2 novembre 1500

Cervantes Miguel de, 29 settembre 1547

Champollion Jean-François, 23 dicembre 1790

Chandler Raymond, 23 luglio 1888

Chanel Coco (Gabrielle Chanel), 19 agosto 1883

Chaney Lon, 1° aprile 1883

Chaplin Charles, 16 aprile 1889

Charles Ray, 23 settembre 1930

Chateaubriand, visconte François René de, 4 settembre 1768

Che Guevara Ernesto, 14 giugno 1928

Chesterton Gilbert Keith, 29 maggio 1874

Chomsky Noam, 7 dicembre 1928

Chopin Fryderyk, 22 febbraio 1810

Christie Agatha, 15 settembre 1890

Churchill Winston, 30 novembre 1874

Clarke Arthur C., 16 dicembre 1917

Clausewitz Carl von, 1° giugno 1780

Clinton Bill, 19 agosto 1946

Cobain Kurt, 20 febbraio 1967

Coleridge Samuel Taylor, 21 ottobre 1772

Collodi Carlo, 24 novembre 1826
Colombo Cristoforo, 30 ottobre 1451
Connery Sean, 25 agosto 1930
Conrad Joseph, 3 dicembre 1857
Conte Paolo, 6 gennaio 1937
Cooper Gary, 7 maggio 1901
Copernico Niccolò, 19 febbraio 1473
Coppola Francis Ford, 7 aprile 1939
Cousteau Jacques, 11 giugno 1910
Crichton Michael, 23 ottobre 1942
Croce Benedetto, 24 febbraio 1866
Cromwell Oliver, 25 aprile 1599
Crowley Aleister, 12 ottobre 1875
Curie Marie, 7 novembre 1867
Curtiz Michael, 24 dicembre 1886

Dalai Lama, 6 luglio 1935
Dalí Salvador, 11 maggio 1904
Dalla Lucio, 4 marzo 1943
D'Annunzio Gabriele, 12 marzo 1863
Daimler Gottlieb, 17 marzo 1834
Darwin Charles, 12 febbraio 1809
Davis Bette, 5 aprile 1908
Dean James, 8 febbraio 1931
De Chirico Giorgio, 10 luglio 1888
De Gaulle Charles, 22 novembre 1890
Delon Alain, 8 novembre 1935
Del Sarto Andrea, 16 luglio 1486
De Mille Cecil Blount, 12 agosto 1881
De Niro Robert, 17 agosto 1943
De Sade, conte Donatien-Alphonse François, 2 giugno 1740
Desio Ardito, 18 aprile 1897
DeVito Danny, 17 novembre 1944
Diaz Porfirio, 15 settembre 1830
Dick Philip Kindred, 16 dicembre 1928

Dickens Charles, 7 febbraio 1812
Dickinson Emily, 10 dicembre 1830
Diderot Denis, 5 ottobre 1713
Diesel Rudolf, 18 marzo 1858
Dietrich Marlene, 27 dicembre 1901
Dioniso, 25 dicembre
Disney Walt, 5 dicembre 1901
Doré Gustave, 6 gennaio 1832
Dostoevskij Fëdor, 11 novembre 1821
Dumas Alexandre figlio, 27 luglio 1824
Dumas Alexandre padre, 24 luglio 1802
Duncan Isadora, 27 maggio 1877
Dylan Bob, 24 maggio 1941

Eastwood Clint, 31 maggio 1930
Eco Umberto, 5 gennaio 1932
Edison Thomas Alva, 11 febbraio 1847
Eiffel Alexandre-Gustave, 15 dicembre 1832
Einstein Albert, 14 marzo 1879
Eisenhower Dwight David, 14 ottobre 1890
Eizenštein Sergéj, 23 gennaio 1907
Elisabetta I d'Inghilterra, 7 settembre 1533
Engels Friedrich, 28 novembre 1820
Enrico V d'Inghilterra, 16 settembre 1387
Enrico VIII d'Inghilterra, 28 giugno 1491
Erasmo da Rotterdam, 28 ottobre 1466

Faraday Michael, 22 settembre 1791
Fellini Federico, 20 gennaio 1920
Fermi Enrico, 29 settembre 1901
Fernandel (Fernand Contandin), 8 maggio 1903
Fiorello Rosario Tindaro, 16 maggio 1960
Flaubert Gustave, 13 dicembre 1821
Fleming Alexander, 6 agosto 1881

Fleming Yan, 28 maggio 1908
Fo Dario, 24 marzo 1926
Fonda Peter, 23 febbraio 1940
Ford Henry, 30 luglio 1863
Foster Jodie, 19 novembre 1962
Fracci Carla, 20 agosto 1936
Francesco d'Assisi, 26 settembre 1182
Franco Francisco, 4 dicembre 1892
Frank Anna, 12 giugno 1929
Frankenstein, 1° gennaio 1918 (data della prima edizione del romanzo)
Franklin Benjamin, 17 gennaio 1706
Frazer James, 1° gennaio 1854
Freud Sigmund, 6 maggio 1859

Gagarin Jurij, 9 marzo 1934
Galilei Galileo, 15 febbraio 1564
Gandhi Mohandas Karamchand, 2 ottobre 1869
Garibaldi Giuseppe, 4 luglio 1807
Garland Judy, 10 giugno 1922
Gates Bill, 28 ottobre 1955
Gaudí Antoni, 25 giugno 1852
Gauguin Paul, 7 giugno 1848
Genet Jean, 19 dicembre 1910
Getty Jean Paul, 15 dicembre 1892
Gibbon Edward, 27 aprile 1737
Gibran Kahlil, 6 gennaio 1883
Gibson Mel, 3 gennaio 1956
Giulio Cesare, 13 luglio 100 a.C.
Giustiniano, 5 maggio 482
Goethe Wolfgang Johann, 28 agosto 1749
Gogol' Nikolaj, 31 marzo 1809
Goldoni Carlo, 25 febbraio 1707
Goldwyn Samuel Jr., 7 settembre 1926
Gorbačëv Michaìl, 2 marzo 1931

Gordimer Nadine, 20 novembre 1923

Goya Francisco, 30 marzo 1746

Gozzano Guido, 19 dicembre 1883

Greene Graham, 2 ottobre 1904

Griffith David Wark, 22 gennaio 1875

Grillo Beppe, 21 luglio 1948

Grimm Jakob, 4 gennaio 1785

Guevara Ernesto «Che», 14 giugno 1928

Guinness Alec, 2 aprile 1914

Gump Forrest, 6 luglio 1994 (data della prima del film)

Hanks Tom, 9 luglio 1956

Hardy Oliver, 18 gennaio 1892

Hawking Stephen, 8 gennaio 1942

Haziel (Bernard Henry Thermes), 18 ottobre 1927

Hayek Salma, 2 settembre 1966

Hegel Georg Wilhelm Friedrich, 28 agosto 1770

Heidegger Martin, 26 settembre 1889

Hemingway Ernest, 21 luglio 1899

Herschel Friedrich Wilhelm, 15 novembre 1738

Hesse Hermann, 2 luglio 1877

Himmler Heinrich, 7 ottobre 1900

Hitchcock Alfred, 13 agosto 1899

Hitler Adolf, 20 aprile 1889

Holmes Arthur, 14 gennaio 1890

Holmes John, 8 agosto 1944

Holmes Sherlock, 5 aprile 1854

Hoover John Edgar, 1° gennaio 1895

Howard Ron, 1° marzo 1954

Hubbard Ron, 13 marzo 1911

Hudson Henry, 12 settembre 1550

Hugo Victor, 26 febbraio 1802

Hussein Saddam, 28 aprile 1937

Huston John, 5 agosto 1906

Ivan IV il Terribile, 25 agosto 1530

Jackson Glenda, 9 maggio 1936
Jackson Michael, 29 agosto 1958
Jagger Mick, 26 luglio 1943
Jekyll Dr. Henry, 11 gennaio 1886 (data della prima edizione di
    The Strange Case of Dr. Jekyll and Mr. Hyde)
Jobs Steve, 24 febbraio 1955
John Elton, 25 marzo 1947
Johnson Enoch L., 20 gennaio 1883
Jung Carl Gustav, 26 luglio 1875

Kafka Franz, 3 luglio 1883
Kahlo Frida, 6 luglio 1907
Kant Immanuel, 22 aprile 1724
Keaton Buster, 4 ottobre 1895
Keats John, 31 ottobre 1795
Kelly Gene, 23 agosto 1912
Kennedy Jacqueline, 28 luglio 1929
Kennedy John Fitzgerald, 29 maggio 1917
Kennedy Joseph Patrick, 6 settembre 1888
Kennedy Robert, 20 novembre 1925
Kent Clark, *vedi* Superman
Kerouac Jack, 12 marzo 1922
Khomeini Ruhollah, 17 maggio 1900
King Martin Luther, 15 gennaio 1929
King Stephen, 21 settembre 1947
Klee Paul, 18 dicembre 1874
Klimt Gustav, 14 luglio 1862
Kraus Karl, 29 aprile 1879
Kurosawa Akira, 23 marzo 1910

La Fayette, marchese Marie-Joseph, 6 settembre 1757
Lancaster Burt, 2 novembre 1913
Laplace Pierre-Simon de, 23 marzo 1749
Larousse Pierre, 23 ottobre 1817
Lattuada Alberto, 14 novembre 1914
Laurel Stan, 16 giugno 1890
Lavoisier Antoine-Laurent de, 26 agosto 1743
Lawrence David Herbert, 11 settembre 1885
Lawrence Thomas Edward (Lawrence d'Arabia), 16 agosto 1888
Le Carré John, 19 ottobre 1931
Le Corbusier (Charles Jeanneret), 6 ottobre 1887
Lee Stan, 28 dicembre 1922
Leigh Vivien, 5 novembre 1913
Lemmon Jack, 8 febbraio 1925
Lenin Vladimir, 22 aprile 1870
Lennon John, 9 ottobre 1940
Leonardo da Vinci, 15 aprile 1452
Leone Sergio, 3 gennaio 1929
Leopardi Giacomo, 29 giugno 1798
Lincoln Abraham, 12 febbraio 1809
Lindbergh Charles, 4 febbraio 1902
Livingstone David, 19 marzo 1813
London Jack, 12 gennaio 1876
Lorca Federico Garcia, 5 giugno 1898
Loren Sophia, 20 settembre 1934
Lovecraft Howard Phillips, 20 agosto 1890
Lowell Percival, 13 marzo 1855
Lubitsch Ernst, 28 gennaio 1892
Lucas George, 14 maggio 1944
Luigi XIV, 5 settembre 1638
Lumière Louis-Jean, 5 ottobre 1864
Lutero Martin, 19 novembre 1483

Machado Antonio, 26 luglio 1875
Machiavelli Niccolò, 3 maggio 1469

MacLaine Shirley, 24 aprile 1934
Magritte René, 21 novembre 1898
Malaparte Curzio, 9 giugno 1898
Malcolm X (Malcolm Little), 19 maggio 1925
Mallarmé Stéphane, 18 marzo 1842
Mandela Nelson, 18 luglio 1918
Mann Thomas, 6 giugno 1875
Manzoni Alessandro, 7 marzo 1785
Mao Zedong, 26 dicembre 1893
Maradona Diego Armando, 30 ottobre 1960
Marconi Guglielmo, 25 aprile 1874
Marcuse Herbert, 19 luglio 1898
Maria Antonietta, 2 novembre 1755
Marquez Gabriel Garcia, 6 marzo 1927
Marx Harpo, 23 novembre 1893
Marx Karl, 5 maggio 1818
Mary Tudor, 27 maggio 1516
Masseria Joe, 17 gennaio 1886
Massimiliano I d'Austria, 6 luglio 1832
Masters Edgar Lee, 23 agosto 1869
Maupassant Guy de, 5 agosto 1850
McCartney Paul, 18 giugno 1942
McEnroe John, 16 febbraio 1959
Medici Lorenzo de', 1° gennaio 1449
Melville Herman, 1° agosto 1819
Menchú Tum Rigoberta, 9 gennaio 1959
Mendeleev Dmitrij Ivanovič, 7 febbraio 1834
Mercury Freddy, 5 settembre 1946
Mifune Toshiro, 1° aprile 1920
Milius John, 11 aprile 1944
Mina (Anna Maria Mazzini), 25 marzo 1940
Minnelli Vincent, 28 febbraio 1903
Mishima Yukio, 14 gennaio 1925
Miyazaki Hayao, 5 gennaio 1941
Modigliani Amedeo, 12 luglio 1884
Modugno Domenico, 9 gennaio 1928

Monroe Marylin, 1° giugno 1926

Montagnier Luc, 18 agosto 1932

Montecristo, conte di (Edmond Dantès), 28 agosto 1844 (data della prima edizione de *Il conte di Montecristo*)

Montessori Maria, 31 agosto 1870

Monteverdi Claudio, 15 maggio 1567

Montgolfier Joseph-Michel, 26 agosto 1740

Monzon Carlos, 7 agosto 1942

Moon Sun Myung, 6 gennaio 1920

Morrison Jim, 8 dicembre 1943

Mozart Leopold, 14 novembre 1719

Mozart Wolfgang Amadeus, 27 gennaio 1756

Muhammad Alì-Cassius Clay, 17 gennaio 1942

Mussolini Benito, 29 luglio 1883

Nabokov Vladìmir, 23 aprile 1899

Nadar (Felix Tournachon), 11 aprile 1820

Nansen Fridtjof, 10 ottobre 1861

Napoleone I Bonaparte, 14 o 15 agosto 1769

Napoleone III, 20 aprile 1808

Nerone, 15 dicembre 37

Neruda Pablo, 12 luglio 1904

Nettesheim Agrippa von, 15 settembre 1486

Newton Isaac, 4 gennaio 1642

Nicholson Jack, 22 aprile 1937

Niemeyer Oscar, 15 dicembre 1907

Nietzsche Friedrich, 15 ottobre 1844

Nixon Richard, 9 gennaio 1913

Nostradamus (Michel de Nostredame), 24 dicembre 1503

Obama Barack, 4 agosto 1961

O'Neill Eugene, 16 ottobre 1888

O'Neill Oona, 13 maggio 1926

Osho, 11 dicembre 1931

Ovidio Publio Nasone, 20 marzo 43 a.C.
Owens Jessie, 12 settembre 1913

Pacino Al, 25 aprile 1940
Paganini Niccolò, 27 ottobre 1782
Paracelso, 17 dicembre 1493
Papus (Gerard Encausse), 13 luglio 1865
Parra Nicanor, 5 settembre 1914
Pasolini Pier Paolo, 5 marzo 1922
Pasternak Boris, 10 febbraio 1890
Pasteur Louis, 27 dicembre 1822
Pavarotti Luciano, 12 ottobre 1935
Peck Gregory, 5 aprile 1916
Pellico Silvio, 26 giugno 1789
Perkins Anthony, 4 aprile 1932
Perón Duarte Eva, 7 maggio 1919
Peron Juan Domingo, 8 ottobre 1895
Perrault Charles, 12 gennaio 1628
Petrarca Francesco, 20 luglio 1304
Piano Renzo, 14 settembre 1937
Picasso Pablo, 25 ottobre 1881
Pietro I il Grande, 6 giugno 1672
Pilsudski Jozef, 5 dicembre 1867
Pinocchio, 7 luglio 1881 (data della prima puntata di *Le avventure di Pinocchio*) e 16 febbraio 1882 (data d'inizio del seguito delle *Avventure*)
Pinochet Augusto, 25 novembre 1915
Pissarro Camille, 10 luglio 1830
Poe Edgar Allan, 19 gennaio 1809
Pompadour Jeanne-Antoinette Poisson de, 29 dicembre 1721
Popper Karl Raimund, 28 luglio 1902
Pound Ezra, 30 ottobre 1885
Presley Elvis, 8 gennaio 1935
Proietti Gigi, 2 novembre 1940
Proust Marcel, 10 luglio 1871

Puig Manuel, 28 dicembre 1932
Pulitzer Joseph, 10 aprile 1847
Puškin Aleksàndr Sergeevič, 6 giugno 1799
Putin Vladimir, 7 ottobre 1952

Quilici Folco, 9 aprile 1930
Quinn Anthony, 21 aprile 1915

Rabelais François, 4 febbraio 1494
Ramazzotti Eros, 28 ottobre 1963
Rasputin Grigòrij, 23 gennaio 1871
Ratzinger Joseph, 16 aprile 1927
Ravel Maurice, 7 marzo 1875
Reagan Ronald, 6 febbraio 1911
Reeve Christopher, 25 settembre 1952
Remarque Eric Maria, 22 giugno 1898
Riccardo III, 2 ottobre 1452
Riefenstahl Leni, 22 agosto 1902
Rilke Rainer Maria, 4 dicembre 1875
Rimbaud Arthur, 20 ottobre 1854
Robespierre Maximilien, 6 maggio 1758
Rockefeller John Davidson, 8 luglio 1839
Rogers Ginger, 16 luglio 1911
Rooney Mickey, 23 settembre 1920
Roosevelt Franklin Delano, 30 gennaio 1882
Rossellini Roberto, 8 maggio 1906
Rossetti Dante Gabriel, 12 maggio 1828
Rossini Gioacchino, 29 febbraio 1792
Rothschild Edmond de, 18 agosto 1845
Rothstein Arnold, 17 gennaio 1882
Rourke Mickey, 16 settembre 1952
Rousseau Jean-Jacques, 27 giugno 1712
Rowling Joanne K., 31 luglio 1965
Russell Bertrand, 18 maggio 1872

Sacher-Masoch Leopold von, 27 gennaio 1886
Sadat Anwar al-, 25 dicembre 1918
Sai Baba, 23 novembre 1926
Saint-Exupéry Antoine de, 29 giugno 1900
Saint Phalle Niki de, 29 ottobre
Salgari Emilio, 21 agosto 1862
Sartre Jean-Paul, 21 giugno 1905
Saura Carlos, 4 gennaio 1932
Savonarola Girolamo, 21 settembre 1452
Schopenhauer Arthur, 22 febbraio 1788
Schubert Franz, 31 gennaio 1797
Schulz Charles M., 26 novembre 1922
Schumann Robert, 8 giugno 1810
Schwarzenegger Arnold, 30 luglio 1947
Schweitzer Albert, 14 gennaio 1875
Scola Ettore, 10 maggio 1931
Scorsese Martin, 17 novembre 1942
Senna Ayrton, 21 marzo 1960
Shakespeare William, 23 aprile 1564
Shaw George Bernard, 26 luglio 1856
Shelley Mary Godwin, 30 agosto 1797
Shelley Percy Bysshe, 4 agosto 1792
Simenon Georges, 13 febbraio 1903
Simpson Homer, 27 aprile 1959
Sinatra Frank, 12 dicembre 1915
Soldati Mario, 17 novembre 1906
Solženitsyn Aleksandr, 11 dicembre 1918
Sordi Alberto, 15 giugno 1920
Soubirous Bernadette, 7 gennaio 1844
Spencer Bud (Carlo Pedersoli), 31 ottobre 1929
Spencer, Diana, 1° luglio 1961
Spinoza Baruch, 24 novembre 1632
Stalin Iosif, 18 o 21 dicembre 1879
Stallone Sylvester, 6 luglio 1946
Stanislavskij Konstantin, 5 gennaio 1863
Steinbeck John, 27 febbraio 1902

Steiner Rudolf, 27 febbraio 1861
Stephenson George, 9 giugno 1781
Sterne Laurence, 24 novembre 1713
Stevenson Robert Louis, 13 novembre 1850
Sting (Gordon Matthew Sumner), 2 ottobre 1951
Stone Oliver, 15 settembre 1946
Stravinskij Igor', 17 giugno 1882
Streisand Barbra, 24 aprile 1942
Stroheim Erich «von», 22 settembre 1885
Superman (Clark Kent), 18 giugno 1938 (data della prima pubblicazione del fumetto)
Swift Jonathan, 28 novembre 1667

Tarzan, 23 settembre 1912 (data della prima edizione di *Tarzan of the Apes*)
Tatlin Vladimir, 16 dicembre 1885
Tasso Torquato, 11 marzo 1544
Taylor Elizabeth, 27 febbraio 1932
Teresa d'Avila, 28 marzo 1515
Teresa di Calcutta, 27 agosto 1910
Tolkien, John Roland Reuel, 3 gennaio 1892
Tolstoj Lev, 9 settembre 1828
Tolle Eckhart, 16 febbraio 1948
Toscanini Arturo, 25 marzo 1867
Tracy Spencer, 5 aprile 1900
Truffaut François, 6 febbraio 1932
Tucker Preston, 21 settembre 1903
Tyson Mike, 30 giugno 1966

Valentino Rodolfo, 6 maggio 1895
Vallejo Cesar, 16 marzo 1892
Vallejo Boris, 8 gennaio 1941
Van Gogh Vincent, 30 marzo 1853
Verdi Giuseppe, 10 ottobre 1813

Verlaine Paul, 30 marzo 1844
Verne Jules, 8 febbraio 1828
Vespucci Amerigo, 9 marzo 1454
Villa Pancho, 5 giugno 1887
Vittoria, regina, 24 maggio 1819
Vittorio Emanuele II di Savoia, 14 marzo 1820
Voltaire (François-Marie Arouet), 21 novembre 1694
Vyšinskij Andréj, 10 dicembre 1883

Wagner Richard, 22 maggio 1813
Washington George, 22 febbraio 1732
Wayne John, 27 maggio 1907
Weber Max, 21 aprile 1864
Welles Orson, 6 maggio 1915
Wellington, duca di (Arthur Wellesley), 29 aprile 1769
Whitman Walt, 31 maggio 1819
Wiesel Elie, 30 settembre 1928
Wiesenthal Simon, 31 dicembre 1908
Wilde Oscar, 15 ottobre 1854
Wilder Billy, 22 giugno 1906
Williams Robin, 21 luglio 1951
Wilson Colin, 26 luglio 1931
Wittgenstein Ludwig, 26 aprile 1889
Wojtyła Karol (Giovanni Paolo II), 18 maggio 1920
Woolf Virginia, 25 gennaio 1882
Wright Wilbur, 16 aprile 1867

Yeats William Butler, 13 giugno 1865
Yunus Muhammad, 28 giugno 1940

Zanuck Darryl Francis, 5 settembre 1902
Zapata Emiliano, 8 agosto 1879
Zola Emile, 2 aprile 1840

Note

Introduzione

1. Vi è qui, nel testo greco e latino, un gioco di parole: «vento» in latino è *spiritus*, in greco è *pneuma*, e *spiritus* e *pneuma* significano anche «Spirito». Così che «vento» e «Spirito» sono qui tutt'uno. In latino: *Spiritus ubi vult spirat et vocem eius audis sed nescis unde veniat aut quo vadat; sic est omnis qui natus est ex Spiritu.*

2. «Ebreo» è in ebraico *'ibriy* (עברי) da *'abar* (עבר), «andar oltre», «trasgredire».

3. Proprietà ancor più singolare di questo alfabeto è che lo si può applicare con uguale successo anche nel traslitterare parole di altre lingue: l'inglese *king*, per esempio, in traslitterazione ebraica diventa *kng* (dato che in ebraico antico non si scrivevano le vocali) e in base a quell'alfabeto sacro significherebbe «colui che domina i prodotti e i corpi degli uomini»; il francese *rue*, che in traslitterazione è *rww*, nell'alfabeto sacro verrebbe a significare «ciò che fluisce attraverso due muri»; Igor, che traslitterato è *ygr*, in questo alfabeto è «colui che manifesta ciò che è straniero»; e curiosamente, la forma originaria del mio nome, Ingwar in scandinavo, significava «colui che fa parlare gli spiriti».

4. È interessante notare che «il fare», in sanscrito, si dica *karman*. E la dimensione del karma, nell'induismo, corrisponde al mondo del fare dell'«Albero delle vite» ebraico.

5. Non mi sembra che l'astronomia, pur sviluppatissima in Egitto, abbia avuto incidenza sul formarsi della tipologia angelologica – benché in seguito in molta parte degli scritti sull'angelologia venissero introdotti

elementi astrologici. Una riconduzione all'astrologia è possibile qua e là, certamente: qualche tratto dell'Ariete può ritrovarsi in chi è nato nei giorni dell'Angelo Lelehe'el, tra il 15 e il 20 aprile, o qualche tratto dei Gemelli in chi è nato in quelli di Kaliy'el, che è l'Angelo del 16-21 giugno; ma se, da un lato, sarebbe certamente strano il contrario, dall'altro i lettori potranno constatare come all'interno di uno stesso Segno astrologico si abbiano tipi angelologici completamente diversi fra loro.

Finito di stampare presso ELCOGRAF S.p.A.
Stabilimento di Cles (TN)